대화로 배우는 한국어

KB076715

français(프랑스어)
traduction(번역판)

- 대화 (nom) : conversation, entretien, dialogue
  Action de deux ou plusieurs personnes, qui échangent des paroles face à face ; une telle histoire.

- 로 : par, à
  Particule indiquant la méthode ou la manière de faire quelque chose.

- 배우다 (verbe) : apprendre, étudier, s'initer à, s'instruire
  Acquérir une nouvelle connaissance.

- -는 : Pas d'expression équivalente
  Terminaison attribuant la fonction de déterminant à la proposition précédente, et pour indiquer que la situation ou l'action en question se réalise au présent.

- 한국어 (nom) : coréen, langue coréenne
  Langue utilisée en Corée.

※ 이 책의 폰트는 '함초롬 바탕체'를 사용하였습니다.

< 저자(auteur) >

㈜한글2119연구소

- 연구개발전담부서

- ISO 9001 : 품질경영시스템 인증

- ISO 14001 : 환경경영시스템 인증

- 이메일(email) : gjh0675@naver.com

< 동영상(vidéo) 자료(matériaux) >

HANPUK_français(traduction)
https://www.youtube.com/@HANPUK_French

제 2024153361 호

연구개발전담부서 인정서

1. 전담부서명: 연구개발전담부서

   [소속기업명: (주)한글2119연구소]

2. 소　재　지: 인천광역시 부평구 마장로264번길 33
   상가동 제지하층 제2호 (산곡동, 뉴서울아파트)

3. 신고 연월일: 2024년 05월 02일

과학기술정보통신부

「기초연구진흥 및 기술개발지원에 관한 법률」 제14조의
2제1항 및 같은 법 시행령 제27조제1항에 따라 위와 같이
기업의 연구개발전담부서로 인정합니다.

2024년 5월 13일

한국산업기술진흥협회장

G-CERTI *Certificate*

hereby certifies that

Hangul 2119 Research Institute Co., Ltd.

Rm. 2, Lower level, Sangga-dong, 33, Majang-ro 264beon-gil, Bupyeong-gu, Incheon, Korea

meets the Standard Requirements & Scope as following

ISO 9001:2015
Quality Management Systems

Creation of Media Content, Publication of Korean Paper and Electronic Textbooks, Production and Release of Albums for Korean Language Education

Certificate No: GIS-6934-QC   Code   : 08, 39
Initial Date   : 2024-05-21   Issue Date   : 2024-05-21
Expiry Date   : 2027-05-20   Valid Period : 2024-05-21 ~ 2027-05-20

Signed for and on behalf of GCERTI
President I.K.Cho

G-CERTi
SYSTEM SERVICE
MSCB-113

IAS ACCREDITED
Management Systems
Certification Body
MSCB-113

IAF

G-CERTI *Certificate*

hereby certifies that

Hangul 2119 Research Institute Co., Ltd.

Rm. 2, Lower level, Sangga-dong, 33, Majang-ro 264beon-gil,
Bupyeong-gu, Incheon, Korea

meets the Standard Requirements & Scope as following

ISO 14001:2015
Environmental Management Systems

Creation of Media Content, Publication
of Korean Paper and Electronic Textbooks, Production and
Release of Albums for Korean Language Education

Certificate No: GIS-6934-EC   Code   : 08, 39
Initial Date   : 2024-05-21   Issue Date   : 2024-05-21
Expiry Date   : 2027-05-20   Valid Period : 2024-05-21 ~ 2027-05-20

Signed for and on behalf of GCERTI
President I K.Cho

< 목차(table des matières) >

< 대화(conversation) > - 1

배고플 텐데 왜 밥을 많이 남겼어?
배고플 텐데 왜 바블 마니 남겨써?
baegopeul tende wae babeul mani namgyeosseo?

사실은 조금 전에 간식으로 빵을 먹었거든요.
사시른 조금 저네 간시그로 빵을 머걷꺼드뇨.
sasireun jogeum jeone gansigeuro ppangeul meogeotgeodeunyo.

< 설명(explication) / 번역(traduction) >

<u>배고프</u>+[ㄹ 텐데] 왜 밥+을 많이 <u>남기</u>+었+어?
   배고플 텐데   남겼어

• **배고프다 (adjectif)** : 배 속이 빈 것을 느껴 음식이 먹고 싶다.
  avoir faim
  Qui a envie de manger de la nourriture en ressentant le ventre creux.

• **-ㄹ 텐데** : 앞에 오는 말에 대하여 말하는 사람의 강한 추측을 나타내면서 그와 관련되는 내용을 이어
            말할 때 쓰는 표현.
  Pas d'expression équivalente
  Expression indiquant une forte supposition du locuteur quant aux propos précédents, tout
  en poursuivant sur un sujet qui leur est lié.

• **왜 (adverbe)** : 무슨 이유로. 또는 어째서.
  pourquoi, dans quelle intention, à quelle fin
  Pour quelle raison ; comment se fait-il que.

• **밥 (nom)** : 쌀과 다른 곡식에 물을 붓고 물이 없어질 때까지 끓여서 익힌 음식.
  riz, riz cuit
  Plat préparé en versant de l'eau sur du riz ou une autre céréale en faisant bouillir ce
  mélange et en le faisant cuire.

• **을** : 동작이 직접적으로 영향을 미치는 대상을 나타내는 조사.
  Pas d'expression équivalente
  Particule indiquant un objet directement influencé par un acte.

• **많이 (adverbe)** : 수나 양, 정도 등이 일정한 기준보다 넘게.
beaucoup
(Nombre, quantité, degré, etc.) De manière à être au-delà d'un critère donné.

• **남기다 (verbe)** : 다 쓰지 않고 나머지가 있게 하다.
laisser, léguer, mettre de côté, garder de côté
Faire en sorte de ne pas tout consommer pour en laisser quelque chose.

• **-었-** : 어떤 사건이 과거에 완료되었거나 그 사건의 결과가 현재까지 지속되는 상황을 나타내는 어미.
Pas d'expression équivalente
Terminaison indiquant une situation où un évènement a été accompli dans le passé ou que le résultat de cet évènement se poursuit jusqu'à présent.

• **-어** : (두루낮춤으로) 어떤 사실을 서술하거나 **물음**, 명령, 권유를 나타내는 종결 어미.
Pas d'expression équivalente
(forme non honorifique non formelle) Terminaison finale pour décrire un fait ou pour indiquer une question, un ordre, ou une recommandation. **<question>**

사실+은 조금 전+에 간식+으로 빵+을 먹+었+거든요.

• **사실 (nom)** : 겉으로 드러나지 않은 일을 솔직하게 말할 때 쓰는 말.
(n.) en fait
Terme employé pour avouer honnêtement une chose qui n'était pas explicite.

• **은** : 문장 속에서 어떤 대상이 화제임을 나타내는 조사.
Pas d'expression équivalente
Particule indiquant qu'un objet est le principal sujet (de conversation) d'une phrase.

• **조금 (nom)** : 짧은 시간 동안.
moment, instant
Temps court.

• **전 (nom)** : 일정한 때보다 앞.
Pas d'expression équivalente
Ce qui précède un certain moment.

• **에** : 앞말이 시간이나 때임을 나타내는 조사.
à, en
Particule indiquant que la proposition précédente (en coréen) est l'heure ou le moment.

• **간식 (nom)** : 식사와 식사 사이에 간단히 먹는 음식.
goûter, de quoi grignoter, casse-croûte, encas
Mets simple que l'on mange entre deux repas.

• 으로 : 신분이나 자격을 나타내는 조사.
en tant que
Particule indiquant le statut ou la qualification d'une personne.

• 빵 (nom) : 밀가루를 반죽하여 발효시켜 찌거나 구운 음식.
pain
Aliment préparé à base de pâte de farine fermentée, et cuite à la vapeur ou au four.

• 을 : 동작이 직접적으로 영향을 미치는 대상을 나타내는 조사.
Pas d'expression équivalente
Particule indiquant un objet directement influencé par un acte.

• 먹다 (verbe) : 음식 등을 입을 통하여 배 속에 들여보내다.
manger, prendre
Mettre de la nourriture dans sa bouche et l'avaler.

• -었- : 사건이 과거에 일어났음을 나타내는 어미.
Pas d'expression équivalente
Terminaison indiquant qu'un évènement s'est produit dans le passé.

• -거든요 : (두루높임으로) 앞의 내용에 대해 말하는 사람이 생각한 이유나 원인, 근거를 나타내는 표현.
Pas d'expression équivalente
(forme honorifique non formelle) Expression indiquant la raison, la cause ou le fondement de ce que pense le locuteur sur le contenu précédent.

< 대화(conversation) > - 2

제가 지금 돈이 얼마 없거든요. 회비를 다음에 드려도 될까요?
제가 지금 도니 얼마 업꺼드뇨. 회비를 다으메 드려도 될까요?
jega jigeum doni eolma eopgeodeunyo. hoebireul daeume deuryeodo doelkkayo?

네. 그럼 다음 주 모임에 오실 때 주세요.
네. 그럼 다음 주 모이메 오실 때 주세요.
ne. geureom daeum ju moime osil ttae juseyo.

< 설명(explication) / 번역(traduction) >

제+가 지금 돈+이 얼마 없+거든요.

회비+를 다음+에 드리+[어도 되]+ㄹ까요?
        드려도 될까요

- **제 (pronom)** : 말하는 사람이 자신을 낮추어 가리키는 말인 '저'에 조사 '가'가 붙을 때의 형태.
  Pas d'expression équivalente
  Forme issue de l'ajout de la particule '가' au terme '저', utilisé par le locuteur qui se désigne lui-même en s'abaissant.

- **가** : 어떤 상태나 상황에 놓인 대상이나 동작의 주체를 나타내는 조사.
  Pas d'expression équivalente
  Particule indiquant l'objet d'un état ou d'une situation, ou le sujet d'une action.

- **지금 (adverbe)** : 말을 하고 있는 바로 이때에. 또는 그 즉시에.
  à l'heure qu'il est, maintenant, tout de suite
  Au moment précis où l'on est en train de parler ; dans l'immédiat.

- **돈 (nom)** : 물건을 사고팔 때나 일한 값으로 주고받는 동전이나 지폐.
  argent, argent comptant, monnaie, espèces, pièce de monnaie, fonds
  Pièce de monnaie ou billet échangé lors de l'achat ou de la vente de produits ou bien versé en contrepartie d'un travail accompli.

- **이** : 어떤 상태나 상황의 대상이나 동작의 주체를 나타내는 조사.
  Pas d'expression équivalente
  Particule qui indique l'objet d'un état ou d'une situation, ou le sujet d'une action.

• 얼마 (nom) : 밝힐 필요가 없는 적은 수량, 값, 정도.
  tant, un peu, quelque temps après, bientôt
  Quantité, prix ou niveau peu important que l'on n'a pas besoin de préciser.

• 없다 (adjectif) : 어떤 물건을 가지고 있지 않거나 자격이나 능력 등을 갖추지 않은 상태이다.
  Pas d'expression équivalente
  Qui ne possède pas un certain objet ou qui n'a pas acquis une certaine qualification, une
  certaine capacité, etc.

• -거든요 : (두루높임으로) 앞으로 이어질 내용의 전제를 이야기하면서 뒤에 이야기가 계속 이어짐을 나
          타내는 표현.
  Pas d'expression équivalente
  (forme honorifique non formelle) Expression indiquant, tout en parlant d'une prémisse du
  contenu qui succédera, qu'une histoire continue par la suite.

• 회비 (nom) : 모임에서 사용하기 위하여 그 모임의 회원들이 내는 돈.
  cotisation
  Argent payé par les membres d'une réunion pour une utilisation interne.

• 를 : 동작이 직접적으로 영향을 미치는 대상을 나타내는 조사.
  Pas d'expression équivalente
  Particule indiquant un objet directement influencé par un mouvement.

• 다음 (nom) : 시간이 지난 뒤.
  Pas d'expression équivalente
  Après que le temps a passé.

• 에 : 앞말이 시간이나 때임을 나타내는 조사.
  à, en
  Particule indiquant que la proposition précédente (en coréen) est l'heure ou le moment.

• 드리다 (verbe) : (높임말로) 주다. 무엇을 다른 사람에게 건네어 가지게 하거나 사용하게 하다.
  Pas d'expression équivalente
  (forme honorifique) 주다. Verbe auxiliaire indiquant que l'on offre quelque chose à
  quelqu'un pour qu'il en prenne possession ou l'utilise.

• -어도 되다 : 어떤 행동에 대한 허락이나 허용을 나타낼 때 쓰는 표현.
  Pas d'expression équivalente
  Expression utilisée pour manifester l'autorisation ou la permission concernant une action.

• -ㄹ까요 : (두루높임으로) 듣는 사람에게 의견을 묻거나 제안함을 나타내는 표현.
  Pas d'expression équivalente
  (forme honorifique non formelle) Expression pour demander l'avis de son interlocuteur ou
  pour lui faire une proposition.

네.

그럼 다음 주 모임+에 <u>오+시|+[ㄹ 때]</u> 주+세요.
오실 때

- 네 (exclamatif) : 윗사람의 물음이나 명령 등에 긍정하여 대답할 때 쓰는 말.
oui, très bien
Exclamation utilisée pour répondre positivement à une demande ou à un ordre d'une personne supérieure, etc.

- 그럼 (adverbe) : 앞의 내용을 받아들이거나 그 내용을 바탕으로 하여 새로운 주장을 할 때 쓰는 말.
alors, en effet
Terme utilisé lorsqu'on accepte les propos qui ont été dits auparavant ou lorsqu' on veut présenter un nouvel argument sur la base de ces propos.

- 다음 (nom) : 이번 차례의 바로 뒤.
suivant, prochain
Juste après ce tour.

- 주 (nom) : 월요일부터 일요일까지의 칠 일 동안.
semaine
Période de sept jours allant du lundi au dimanche.

- 모임 (nom) : 어떤 일을 하기 위하여 여러 사람이 모이는 일.
réunion
Action de se rassembler à plusieurs pour faire quelque chose.

- 에 : 앞말이 목적지이거나 어떤 행위의 진행 방향임을 나타내는 조사.
à, en, sur, dans
Particule indiquant que la proposition précédente (en coréen) est la destination ou la direction de progression d'une action.

- 오다 (verbe) : 어떤 목적이 있는 모임에 참석하기 위해 다른 곳에 있다가 이곳으로 위치를 옮기다.
Pas d'expression équivalente
Être dans un lieu et en changer, afin de participer à une réunion ayant un objectif particulier.

- -시- : 어떤 동작이나 상태의 주체를 높이는 뜻을 나타내는 어미.
Pas d'expression équivalente
Terminaison signifiant le fait de montrer du respect à l'auteur d'une action ou d'un état.

• -ㄹ 때 : 어떤 행동이나 상황이 일어나는 동안이나 그 시기 또는 그러한 일이 일어난 경우를 나타내는
　　　　표현.
Pas d'expression équivalente
Expression indiquant le moment pendant lequel une action a lieu ou une situation se
produit, ou cette période, ou le cas où une telle chose arrive.

• 주다 (verbe) : 물건 등을 남에게 건네어 가지거나 쓰게 하다.
donner, offrir, allouer
Passer un objet ou autre à autrui pour qu'il le possède ou l'utilise.

• -세요 : (두루높임으로) 설명, 의문, 명령, 요청의 뜻을 나타내는 종결 어미.
Pas d'expression équivalente
(forme honorifique non formelle) Terminaison finale pour indiquer une explication, une
interrogation, un ordre ou une demande. <demande>

< 대화(conversation) > - 3

내가 급한 사정이 생겨서 못 가게 된 공연 티켓이 있는데 네가 갈래?
내가 그판 사정이 생겨서 몯 가게 된 공연 티케시 인는데 네가 갈래?
naega geupan sajeongi saenggyeoseo mot gage doen gongyeon tikesi inneunde nega gallae?

정말? 그러면 나야 고맙지.
정말? 그러면 나야 고맙찌.
jeongmal? geureomyeon naya gomapji.

< 설명(explication) / 번역(traduction) >

내+가 급하+ㄴ 사정+이 생기+어서 못 가+[게 되]+ㄴ 공연 티켓+이 있+는데
　　　 급한　　　　　　 생겨서　　　　 가게 된

네+가 가+ㄹ래?
　　　 갈래

- 내 (pronom) : '나'에 조사 '가'가 붙을 때의 형태.
  je
  Forme issue de l'ajout de la particule '가' au pronom '나'.

- 가 : 어떤 상태나 상황에 놓인 대상이나 동작의 주체를 나타내는 조사.
  Pas d'expression équivalente
  Particule indiquant l'objet d'un état ou d'une situation, ou le sujet d'une action.

- 급하다 (adjectif) : 사정이나 형편이 빨리 처리해야 할 상태에 있다.
  imminent, pressant, pressé
  (Situation ou circonstance) Qui est à régler d'urgence.

- -ㄴ : 앞의 말이 관형어의 기능을 하게 만들고 현재의 상태를 나타내는 어미.
  Pas d'expression équivalente
  Terminaison donnant la fonction de déterminant à la proposition précédente et exprimant l'état présent.

- **사정 (nom)** : 일의 형편이나 이유.
  Pas d'expression équivalente
  Situation ou conditions d'une chose.

- **이** : 어떤 상태나 상황의 대상이나 동작의 주체를 나타내는 조사.
  Pas d'expression équivalente
  Particule qui indique l'objet d'un état ou d'une situation, ou le sujet d'une action.

- **생기다 (verbe)** : 사고나 일, 문제 등이 일어나다.
  surgir, avoir lieu, survenir, arriver, advenir, intervenir, se passer, se dérouler
  (Accident, affaire ou problème) Se produire.

- **-어서** : 이유나 근거를 나타내는 연결 어미.
  Pas d'expression équivalente
  Terminaison connective indiquant une raison ou une base.

- **못 (adverbe)** : 동사가 나타내는 동작을 할 수 없게.
  Pas d'expression équivalente
  De façon à ce que l'action exprimée par le verbe ne puisse pas s'effectuer.

- **가다 (verbe)** : 어떤 목적을 가진 모임에 참석하기 위해 이동하다.
  aller à, assister à, participer à
  Se déplacer en vue de participer à une réunion ayant un certain objectif.

- **-게 되다** : 앞의 말이 나타내는 상태나 상황이 됨을 나타내는 표현.
  Pas d'expression équivalente
  Expression indiquant que l'état ou la situation exprimé(e) par les propos précédents se produit.

- **-ㄴ** : 앞의 말이 관형어의 기능을 하게 만들고 사건이나 동작이 완료되어 그 상태가 유지되고 있음을 나타내는 어미.
  Pas d'expression équivalente
  Terminaison donnant la fonction de déterminant à la proposition précédente et indiquant que l'événement ou l'action en question est achevé et que cet état est maintenu.

- **공연 (nom)** : 음악, 무용, 연극 등을 많은 사람들 앞에서 보이는 것.
  représentation, séance
  Action de donner un spectacle de musique, de danse, une pièce de théâtre, etc. devant de nombreuses personnes.

- **티켓 (nom)** : 입장권, 승차권 등의 표.
  ticket
  Billet comme billet d'entrée ou titre de transport.

- 이 : 어떤 상태나 상황의 대상이나 동작의 주체를 나타내는 조사.
  Pas d'expression équivalente
  Particule qui indique l'objet d'un état ou d'une situation, ou le sujet d'une action.

- 있다 (adjectif) : 어떤 물건을 가지고 있거나 자격이나 능력 등을 갖춘 상태이다.
  (adj.) avoir
  Qui détient un objet, une qualification, une compétence, etc.

- -는데 : 뒤의 말을 하기 위하여 그 대상과 관련이 있는 상황을 미리 말함을 나타내는 연결 어미.
  Pas d'expression équivalente
  Terminaison connective indiquant le fait de parler à l'avance d'une situation en rapport avec l'objet des propos suivants.

- 네 (pronom) : '너'에 조사 '가'가 붙을 때의 형태.
  toi, tu
  Forme issue de l'ajout de la particule '가' au pronom '너'.

- 가 : 어떤 상태나 상황에 놓인 대상이나 동작의 주체를 나타내는 조사.
  Pas d'expression équivalente
  Particule indiquant l'objet d'un état ou d'une situation, ou le sujet d'une action.

- 가다 (verbe) : 어떤 목적을 가진 모임에 참석하기 위해 이동하다.
  aller à, assister à, participer à
  Se déplacer en vue de participer à une réunion ayant un certain objectif.

- -ㄹ래 : (두루낮춤으로) 앞으로 어떤 일을 하려고 하는 자신의 의사를 나타내거나 그 일에 대하여 듣는 사람의 의사를 물어봄을 나타내는 종결 어미.
  Pas d'expression équivalente
  (forme non honorifique non formelle) Terminaison finale indiquant la volonté du locuteur d'entreprendre quelque chose dans l'avenir ou le fait de demander son avis à l'interlocuteur qui en entend parler.

정말?

그러면 나+야 고맙+지.

- 정말 (nom) : 거짓이 없는 사실. 또는 사실과 조금도 틀림이 없는 말.
  Pas d'expression équivalente
  Vérité qui ne contient aucun mensonge ; propos qui n'est point différent de la vérité.

· **그러면 (adverbe)** : 앞의 내용이 뒤의 내용의 조건이 될 때 쓰는 말.
  alors, donc, comme cela, comme ça, ainsi, et
  Terme utilisé lorsque le contenu précédent constitue la condition du suivant.

· **나 (pronom)** : 말하는 사람이 친구나 아랫사람에게 자기를 가리키는 말.
  je, moi, me
  Terme employé par le locuteur pour se désigner, lorsqu'il s'adresse à une personne du même âge ou plus jeune.

· **야** : 강조의 뜻을 나타내는 조사.
  Pas d'expression équivalente
  Particule exprimant l'insistance.

· **고맙다 (adjectif)** : 남이 자신을 위해 무엇을 해주어서 마음이 흐뭇하고 보답하고 싶다.
  reconnaissant
  Être touché par l'action que quelqu'un nous porte et avoir envie de faire de même.

· **-지** : (두루낮춤으로) 말하는 사람이 자신에 대한 이야기나 자신의 생각을 친근하게 말할 때 쓰는 종결어미.
  Pas d'expression équivalente
  (forme non honorifique non formelle) Terminaison finale utilisée par le locuteur pour parler d'une chose qui le concerne, ou pour affirmer sa pensée sur un ton familier.

< 대화(conversation) > - 4

저녁때 손님이 오신다고 불고기에다가 잡채까지 준비하게요?
저녁때 손니미 오신다고 불고기에다가 잡채까지 준비하게요?
jeonyeokttae sonnimi osindago bulgogiedaga japchaekkaji junbihageyo?

그럼, 그 정도는 준비해야지.
그럼, 그 정도는 준비해야지.
geureom, geu jeongdoneun junbihaeyaji.

< 설명(explication) / 번역(traduction) >

저녁때 손님+이 오+시+ㄴ다고 불고기+에다가 잡채+까지 준비하+게요?
오신다고

• **저녁때 (nom)** : 저녁밥을 먹는 때.
heure du dîner
Heure aux alentours de laquelle l'on prend le dîner.

• **손님 (nom)** : (높임말로) 다른 곳에서 찾아온 사람.
invité(e), visiteur, hôte
(forme honorifique) Personne qui rend visite.

• 이 : 어떤 상태나 상황의 대상이나 동작의 주체를 나타내는 조사.
Pas d'expression équivalente
Particule qui indique l'objet d'un état ou d'une situation, ou le sujet d'une action.

• **오다 (verbe)** : 무엇이 다른 곳에서 이곳으로 움직이다.
venir, arriver, apparaître
(Quelque chose) Bouger d'un lieu à celui où l'on se trouve.

• -시- : 어떤 동작이나 상태의 주체를 높이는 뜻을 나타내는 어미.
Pas d'expression équivalente
Terminaison signifiant le fait de montrer du respect à l'auteur d'une action ou d'un état.

• -ㄴ다고 : 어떤 행위의 목적, 의도를 나타내거나 어떤 상황의 이유, 원인을 나타내는 연결 어미.
Pas d'expression équivalente
Terminaison connective indiquant l'objectif ou le dessein d'une action, ou la raison ou la cause d'une situation.

• 불고기 (nom) : 얇게 썰어 양념한 돼지고기나 쇠고기를 불에 구운 한국 전통 음식.
bulgogi, barbecue coréen
Plat traditionnel coréen à base de viande de bœuf ou de porc en fines tranches marinées et grillées.

• 에다가 : 더해지는 대상을 나타내는 조사.
Pas d'expression équivalente
Particule servant à indiquer quelque chose qui s'ajoute.

• 잡채 (nom) : 여러 가지 채소와 고기 등을 가늘게 썰어 기름에 볶은 것을 당면과 섞어 만든 음식.
jabchae, vermicelles sautés avec des légumes et de la viande coupés en julienne
Préparation culinaire à base de vermicelles transparents additionnés de divers légumes et de viande coupés en julienne et sautés à l'huile.

• 까지 : 현재의 상태나 정도에서 그 위에 더함을 나타내는 조사.
Pas d'expression équivalente
Particule indiquant l'ajout de quelque chose à un état ou à un degré actuel.

• 준비하다 (verbe) : 미리 마련하여 갖추다.
préparer, se préparer
Se procurer et s'équiper du nécessaire à l'avance.

• -게요 : (두루높임으로) 앞의 내용이 그러하다면 뒤의 내용은 어떠할 것이라고 추측해 물음을 나타내는 표현.
Pas d'expression équivalente
(forme honorifique non formelle) Expression pour poser une question en supposant que si tel est le contenu précédent, alors le contenu suivant sera ainsi.

그럼, 그 정도+는 준비하+여야지.
준비해야지

• 그럼 (exclamatif) : 말할 것도 없이 당연하다는 뜻으로 대답할 때 쓰는 말.
bien sûr, évidemment, certainement
Exclamation utilisée pour appuyer une réponse lorsque quelque chose est complètement évident.

• 그 (déterminant) : 앞에서 이미 이야기한 대상을 가리킬 때 쓰는 말.
ce, cette, ces
Terme désignant un objet précédemment évoqué.

- **정도 (nom)** : 사물의 성질이나 가치를 좋고 나쁨이나 더하고 덜한 정도로 나타내는 분량이나 수준.
  degré, mesure
  Quantité ou niveau indiquant le bon ou le mauvais ou le plus ou le moins pour évaluer la nature ou la valeur d'une chose.

- **는** : 강조의 뜻을 나타내는 조사.
  Pas d'expression équivalente
  Particule servant à insister.

- **준비하다 (verbe)** : 미리 마련하여 갖추다.
  préparer, se préparer
  Se procurer et s'équiper du nécessaire à l'avance.

- **-여야지** : (두루낮춤으로) 말하는 사람의 결심이나 의지를 나타내는 종결 어미.
  Pas d'expression équivalente
  (forme non honorifique non formelle) Terminaison finale indiquant la détermination ou la volonté du locuteur.

< 대화(conversation) > - 5

장사가 잘됐으면 제가 그만뒀게요?
장사가 잘돼쓰면 제가 그만뒐께요?
jangsaga jaldwaesseumyeon jega geumandwotgeyo?

요즘은 장사하는 사람들이 다 어렵다고 하더라고요.
요즈믄 장사하는 사람드리 다 어렵따고 하더라고요.
yojeumeun jangsahaneun saramdeuri da eoryeopdago hadeoragoyo.

< 설명(explication) / 번역(traduction) >

장사+가 잘되+었으면 제+가 그만두+었+게요?
　　　잘됐으면　　　　　　그만뒀게요

- **장사 (nom)** : 이익을 얻으려고 물건을 사서 팖. 또는 그런 일.
  commerce, vente
  Fait d'acheter et de revendre des objets pour obtenir du profit ; une telle chose.

- **가** : 어떤 상태나 상황에 놓인 대상이나 동작의 주체를 나타내는 조사.
  Pas d'expression équivalente
  Particule indiquant l'objet d'un état ou d'une situation, ou le sujet d'une action.

- **잘되다 (verbe)** : 어떤 일이나 현상이 좋게 이루어지다.
  bien se passer
  (Chose ou phénomène) Bien se réaliser.

- **-었으면** : 현재 그렇지 않음을 표현하기 위해 실제 상황과 반대되는 가정을 할 때 쓰는 표현.
  Pas d'expression équivalente
  Expression indiquant une supposition s'opposant à la situation réelle pour exprimer le fait de ne pas être maintenant ainsi.

- **제 (pronom)** : 말하는 사람이 자신을 낮추어 가리키는 말인 '저'에 조사 '가'가 붙을 때의 형태.
  Pas d'expression équivalente
  Forme issue de l'ajout de la particule '가' au terme '저', utilisé par le locuteur qui se désigne lui-même en s'abaissant.

• 가 : 어떤 상태나 상황에 놓인 대상이나 동작의 주체를 나타내는 조사.

Pas d'expression équivalente

Particule indiquant l'objet d'un état ou d'une situation, ou le sujet d'une action.

• 그만두다 (verbe) : 하던 일을 중간에 그치고 하지 않다.

arrêter, interrompre, abandonner

Cesser ce qu'on était en train de faire et ne plus le faire.

• -었- : 어떤 사건이 과거에 완료되었거나 그 사건의 결과가 현재까지 지속되는 상황을 나타내는 어미.

Pas d'expression équivalente

Terminaison indiquant une situation où un évènement a été accompli dans le passé ou que le résultat de cet évènement se poursuit jusqu'à présent.

• -게요 : (두루높임으로) 앞의 내용이 사실이라면 당연히 뒤의 내용이 이루어지겠지만 실제로는 그렇지 않음을 나타내는 표현.

Pas d'expression équivalente

(forme honorifique non formelle) Expression indiquant que si le contenu précédent est vrai, alors le contenu suivant devrait naturellement se réaliser, mais qu'en réalité ce n'est pas le cas.

요즘+은 장사하+는 사람+들+이 다 어렵+다고 하+더라고요.

• 요즘 (nom) : 아주 가까운 과거부터 지금까지의 사이.

aujourd'hui, maintenant

Période entre le passé très proche et le présent.

• 은 : 문장 속에서 어떤 대상이 화제임을 나타내는 조사.

Pas d'expression équivalente

Particule indiquant qu'un objet est le principal sujet (de conversation) d'une phrase.

• 장사하다 (verbe) : 이익을 얻으려고 물건을 사서 팔다.

tenir un commerce

Acheter et revendre des objets pour obtenir du profit.

• -는 : 앞의 말이 관형어의 기능을 하게 만들고 사건이나 동작이 현재 일어남을 나타내는 어미.

Pas d'expression équivalente

Terminaison attribuant la fonction de déterminant à la proposition précédente, et pour indiquer que la situation ou l'action en question se réalise au présent.

• 사람 (nom) : 특별히 정해지지 않은 자기 외의 남을 가리키는 말.

monde, gens, les autres, autrui, quelqu'un

Terme désignant les autres personnes que soi qui ne sont pas spécialement déterminées.

• 들 : '복수'의 뜻을 더하는 접미사.
Pas d'expression équivalente
Suffixe signifiant « pluriel ».

• 이 : 어떤 상태나 상황의 대상이나 동작의 주체를 나타내는 조사.
Pas d'expression équivalente
Particule qui indique l'objet d'un état ou d'une situation, ou le sujet d'une action.

• 다 (adverbe) : 남거나 빠진 것이 없이 모두.
tout, toute, tous, toutes, complètement, parfaitement, vraiment, même, dans son intégralité
Tout sans que rien ne reste ou ne soit ôté.

• 어렵다 (adjectif) : 곤란한 일이나 고난이 많다.
difficile, pénible
Qui a beaucoup d'affaires difficiles à résoudre ou beaucoup de souffrances.

• -다고 : 다른 사람에게서 들은 내용을 간접적으로 전달하거나 주어의 생각, 의견 등을 나타내는 표현.
Pas d'expression équivalente
Expression indiquant le fait de transmettre indirectement le contenu des propos énoncés par une autre personne, ou exprimant une pensée, une opinion, etc. du sujet d'une certaine phrase.

• 하다 (verbe) : 무엇에 대해 말하다.
Pas d'expression équivalente
Parler de quelque chose.

• -더라고요 : (두루높임으로) 과거에 경험하여 새로 알게 된 사실에 대해 지금 상대방에게 옮겨 전할 때 쓰는 표현.
Pas d'expression équivalente
(forme honorifique non formelle) Expression utilisée pour rapporter maintenant à l'interlocuteur un fait que l'on a appris pour la première fois en en faisant l'expérience dans le passé.

< 대화(conversation) > - 6

우리 가족 중에서 누가 가장 늦게 일어나게요?
우리 가족 중에서 누가 가장 늗께 이러나게요?
uri gajok jungeseo nuga gajang neutge ireonageyo?

보나 마나 너겠지, 뭐.
보나 마나 너겓찌, 뭐.
bona mana neogetji, mwo.

< 설명(explication) / 번역(traduction) >

우리 가족 중+에서 <u>누(구)+가</u> 가장 늦+게 일어나+게요?
누가

• **우리 (pronom)** : 말하는 사람이 자기보다 높지 않은 사람에게 자기와 관련된 것을 친근하게 나타낼 때
　　　　쓰는 말.
(pro.) notre, nos, mon, ma, mes
Terme utilisé par le locuteur pour désigner affectueusement quelque chose lié à lui-même,
lorsqu'il s'adresse à quelqu'un qui occupe une position moins élevée que lui.

• **가족 (nom)** : 주로 한 집에 모여 살고 결혼이나 부모, 자식, 형제 등의 관계로 이루어진 사람들의 집단.
　　　　또는 그 구성원.
famille
Groupe de personnes vivant généralement dans la même maison et entretenant une relation
de parents-enfants, de frères-sœurs, etc. ; membre d'un tel groupe.

• **중 (nom)** : 여럿 가운데.
Pas d'expression équivalente
Nom dépendant signifiant 'parmi plusieurs'.

• **에서** : 여럿으로 이루어진 일정한 범위의 안.
Pas d'expression équivalente
Champ défini, composé de plusieurs personnes ou choses.

• **누구 (pronom)** : 모르는 사람을 가리키는 말.
qui
Pronom interrogatif désignant une personne inconnue.

- **가** : 어떤 상태나 상황에 놓인 대상이나 동작의 주체를 나타내는 조사.
  Pas d'expression équivalente
  Particule indiquant l'objet d'un état ou d'une situation, ou le sujet d'une action.

- **가장 (adverbe)** : 여럿 가운데에서 제일로.
  le plus
  Le plus + (adj.) parmi plusieurs.

- **늦다 (adjectif)** : 기준이 되는 때보다 뒤져 있다.
  Pas d'expression équivalente
  Qui se situe après l'instant pris comme standard.

- **-게** : 앞의 말이 뒤에서 가리키는 일의 목적이나 결과, 방식, 정도 등이 됨을 나타내는 연결 어미.
  Pas d'expression équivalente
  Terminaison connective indiquant que les propos précédents constituent l'objectif, le résultat, la méthode ou le degré des propos qui suivent.

- **일어나다 (verbe)** : 잠에서 깨어나다.
  se lever
  Se réveiller de son sommeil.

- **-게요** : (두루높임으로) 듣는 사람에게 한 번 추측해서 대답해 보라고 물을 때 쓰는 표현.
  Pas d'expression équivalente
  (forme honorifique non formelle) Expression utilisée pour demander à son interlocuteur de deviner une réponse.

보+[나 마나] 너+(이)+겠+지, 뭐.
너겠지

- **보다 (verbe)** : 눈으로 대상의 존재나 겉모습을 알다.
  voir, regarder, distinguer, apercevoir, percevoir, remarquer, repérer, constater
  Reconnaître visuellement l'existence, l'apparence d'un objet.

- **-나 마나** : 그렇게 하나 그렇게 하지 않으나 다름이 없는 상황임을 나타내는 표현.
  Pas d'expression équivalente
  Expression pour indiquer que cela ne change rien, que l'on fasse ou pas ce qui est précisé.

- **너 (pronom)** : 듣는 사람이 친구나 아랫사람일 때, 그 사람을 가리키는 말.
  tu, toi
  Terme designant l'interlocuteur, quand celui-ci est un ami ou une personne de rang inférieur.

• 이다 : 주어가 지시하는 대상의 속성이나 부류를 지정하는 뜻을 나타내는 서술격 조사.

Pas d'expression équivalente

Particule du cas prédicatif pour indiquer la caractéristique ou la catégorie d'un objet qui se rapporte au sujet d'une phrase.

• -겠- : 미래의 일이나 추측을 나타내는 어미.

Pas d'expression équivalente

Terminaison exprimant un fait à venir ou une supposition.

• -지 : (두루낮춤으로) 말하는 사람이 자신에 대한 이야기나 자신의 생각을 친근하게 말할 때 쓰는 종결 어미.

Pas d'expression équivalente

(forme non honorifique non formelle) Terminaison finale utilisée par le locuteur pour parler d'une chose qui le concerne, ou pour affirmer sa pensée sur un ton familier.

• **뭐 (exclamatif)** : 사실을 말할 때, 상대의 생각을 가볍게 반박하거나 새롭게 일깨워 주는 뜻으로 하는 말.

hein?, quoi ?

Exclamation utilisée pour parler d'un fait à quelqu'un, en répliquant légèrement ou en le sensibilisant.

< 대화(conversation) > - 7

저 앞 도로에서 무슨 일이 생겼나 봐요. 길이 이렇게 막히게요.
저 압 도로에서 무슨 이리 생견나 봐요. 기리 이러케 마키게요.
jeo ap doroeseo museun iri saenggyeonna bwayo. giri ireoke makigeyo.

사고라도 난 모양이네.
사고라도 난 모양이네.
sagorado nan moyangine.

< 설명(explication) / 번역(traduction) >

저 앞 도로+에서 무슨 일+이 <u>생기+었+[나 보]+아요</u>.
생겼나 봐요

길+이 이렇+게 막히+게요.

- **저 (déterminant)** : 말하는 사람과 듣는 사람에게서 멀리 떨어져 있는 대상을 가리킬 때 쓰는 말.
  ce, celui-là(celle-là)
  Terme utilisé pour désigner un tiers qui est éloigné, dans la conversation entre une personne qui parle et une autre qui écoute.

- **앞 (nom)** : 향하고 있는 쪽이나 곳.
  l'avant, le devant
  Direction ou lieu vers lequel (laquelle) se dirige quelqu'un ou quelque chose.

- **도로 (nom)** : 사람이나 차가 잘 다닐 수 있도록 만들어 놓은 길.
  route
  Chemin tracé pour permettre la circulation des véhicules et des personnes.

- **에서** : 앞말이 행동이 이루어지고 있는 장소임을 나타내는 조사.
  à, dans, en, chez
  Particule indiquant que la proposition précédente est le lieu où se passe une action.

- **무슨 (déterminant)** : 확실하지 않거나 잘 모르는 일, 대상, 물건 등을 물을 때 쓰는 말.
  Pas d'expression équivalente
  Terme utilisé pour souligner ce qui est insatisfasant contre toute attente.

- **일 (nom)** : 어떤 내용을 가진 상황이나 사실.
  chose
  Situation ou fait avec un certain contenu.

- **이** : 어떤 상태나 상황의 대상이나 동작의 주체를 나타내는 조사.
  Pas d'expression équivalente
  Particule qui indique l'objet d'un état ou d'une situation, ou le sujet d'une action.

- **생기다 (verbe)** : 사고나 일, 문제 등이 일어나다.
  surgir, avoir lieu, survenir, arriver, advenir, intervenir, se passer, se dérouler
  (Accident, affaire ou problème) Se produire.

- **-었-** : 어떤 사건이 과거에 완료되었거나 그 사건의 결과가 현재까지 지속되는 상황을 나타내는 어미.
  Pas d'expression équivalente
  Terminaison indiquant une situation où un évènement a été accompli dans le passé ou que le résultat de cet évènement se poursuit jusqu'à présent.

- **-나 보다** : 앞의 말이 나타내는 사실을 추측함을 나타내는 표현.
  Pas d'expression équivalente
  Expression indiquant la supposition quant au fait mentionné dans la proposition précédente.

- **-아요** : (두루높임으로) 어떤 사실을 서술하거나 질문, 명령, 권유함을 나타내는 종결 어미.
  Pas d'expression équivalente
  (forme honorifique non formelle) Terminaison finale pour décrire un fait ou pour indiquer une question, un ordre ou une recommandation. <description>

- **길 (nom)** : 사람이나 차 등이 지나다닐 수 있게 땅 위에 일정한 너비로 길게 이어져 있는 공간.
  voie, route, chaussée, rue, chemin, sentier, passage
  Espace que l'on emprunte pour atteindre une destination.

- **이** : 어떤 상태나 상황의 대상이나 동작의 주체를 나타내는 조사.
  Pas d'expression équivalente
  Particule qui indique l'objet d'un état ou d'une situation, ou le sujet d'une action.

- **이렇다 (adjectif)** : 상태, 모양, 성질 등이 이와 같다.
  tel
  (État, forme, nature, etc.) Qui est semblable à cela.

- **-게** : 앞의 말이 뒤에서 가리키는 일의 목적이나 결과, 방식, 정도 등이 됨을 나타내는 연결 어미.
  Pas d'expression équivalente
  Terminaison connective indiquant que les propos précédents constituent l'objectif, le résultat, la méthode ou le degré des propos qui suivent.

· **막히다 (verbe)** : 길에 차가 많아 차가 제대로 가지 못하게 되다.
  être obstrué, être encombré, être barré
  (Rue) Être encombré par un embouteillage empêchant les voitures d'avancer.

· **-게요** : (두루높임으로) 앞 문장의 내용에 대한 근거를 제시할 때 쓰는 표현.
  Pas d'expression équivalente
  (forme honorifique non formelle) Expression utilisée quand le locuteur présente le
  fondement du contenu de la phrase précédente.

사고+라도 나+[ㄴ 모양이]+네.
난 모양이네

· **사고 (nom)** : 예상하지 못하게 일어난 좋지 않은 일.
  accident
  Incident malheureux imprévu.

· **라도** : 유사한 것을 예로 들어 설명할 때 쓰는 조사.
  Pas d'expression équivalente
  Particule utilisée pour expliquer quelque chose en prenant pour exemple une chose
  similaire.

· **나다 (verbe)** : 어떤 현상이나 사건이 일어나다.
  Pas d'expression équivalente
  (Phénomène ou incident) Avoir lieu.

· **-ㄴ 모양이다** : 다른 사실이나 상황으로 보아 현재 어떤 일이 일어났거나 어떤 상태라고 추측함을 나타
                  내는 표현.
  Pas d'expression équivalente
  Expression indiquant une supposition sur un fait ou sur un état présent, compte tenu d'un
  autre fait ou de la situation.

· **-네** : (아주낮춤으로) 지금 깨달은 일에 대하여 말함을 나타내는 종결 어미.
  Pas d'expression équivalente
  (forme non honorifique très marquée) Terminaison finale pour indiquer que le locuteur
  parle d'une chose dont il vient de se rendre compte.

< 대화(conversation) > - 8

다음 달에 적금을 타면 뭐 하게요?
다음 다레 적끄믈 타면 뭐 하게요?
daeum dare jeokgeumeul tamyeon mwo hageyo?

그걸로 딸아이 피아노 사 주려고 해요.
그걸로 따라이 피아노 사 주려고 해요.
geugeollo ttarai piano sa juryeogo haeyo.

< 설명(explication) / 번역(traduction) >

다음 달+에 적금+을 타+면 뭐 하+게요?

• **다음 (nom)** : 어떤 차례에서 바로 뒤.
  suite
  Dans un ordre, ce qui vient juste après.

• **달 (nom)** : 일 년을 열둘로 나누어 놓은 기간.
  mois
  Période issue de la division d'une année en douze.

• **에** : 앞말이 시간이나 때임을 나타내는 조사.
  à, en
  Particule indiquant que la proposition précédente (en coréen) est l'heure ou le moment.

• **적금 (nom)** : 은행에 일정한 돈을 일정한 기간 동안 낸 다음에 찾는 저금.
  épargne rachetable
  Épargne que l'on reçoit après avoir déposé de l'argent à la banque pendant une durée déterminée.

• **을** : 동작이 직접적으로 영향을 미치는 대상을 나타내는 조사.
  Pas d'expression équivalente
  Particule indiquant un objet directement influencé par un acte.

• **타다 (verbe)** : 몫이나 상으로 주는 돈이나 물건을 받다.
  empocher, encaisser, recevoir, obtenir, toucher
  Recevoir une somme d'argent ou un objet donné comme lot ou prix.

• -면 : 뒤에 오는 말에 대한 근거나 조건이 됨을 나타내는 연결 어미.
Pas d'expression équivalente
Terminaison connective indiquant une chose qui constitue le fondement ou la condition des propos suivants.

• 뭐 (pronom) : 모르는 사실이나 사물을 가리키는 말.
que, quoi, quelque chose
Terme désignant un fait ou un objet inconnu.

• 하다 (verbe) : 어떤 행동이나 동작, 활동 등을 행하다.
faire, exécuter, effectuer, s'occuper de
Effectuer une action, un mouvement, une activité, etc.

• -게요 : (두루높임으로) 상대의 의도를 물을 때 쓰는 표현.
Pas d'expression équivalente
(forme honorifique non formelle) Expression utilisée pour demander l'intention de son interlocuteur.

그것(그거)+ㄹ로 딸아이 피아노 사+[(아) 주]+[려고 하]+여요.
그걸로   사 주려고 해요

• 그것 (pronom) : 앞에서 이미 이야기한 대상을 가리키는 말.
il, elle
Terme désignant un objet précédemment évoqué.

• ㄹ로 : 어떤 일의 수단이나 도구를 나타내는 조사.
à l'aide de
Particule indiquant le moyen ou l'outil d'une action.

• 딸아이 (nom) : 남에게 자기 딸을 이르는 말.
sa propre fille
Appellatif désignant sa propre fille utilisé lorsque l'on s'adresse à autrui.

• 피아노 (nom) : 검은색과 흰색 건반을 손가락으로 두드리거나 눌러서 소리를 내는 큰 악기.
piano
Grand instrument de musique avec lequel on produit des sons en frappant ou en appuyant sur des touches noires et blanches avec les doigts.

• 사다 (verbe) : 돈을 주고 어떤 물건이나 권리 등을 자기 것으로 만들다.
acheter
Donner de l'argent pour s'approprier un objet, un droit, etc.

- -아 주다 : 남을 위해 앞의 말이 나타내는 행동을 함을 나타내는 표현.
  Pas d'expression équivalente
  Expression indiquant le fait d'effectuer pour autrui une action exprimée par les propos précédents.

- -려고 하다 : 앞의 말이 나타내는 행동을 할 의도나 의향이 있음을 나타내는 표현.
  Pas d'expression équivalente
  Expression indiquant le fait d'avoir l'intention ou la volonté d'effectuer l'action exprimée par les propos précédents.

- -여요 : (두루높임으로) 어떤 사실을 서술하거나 질문, 명령, 권유함을 나타내는 종결 어미.
  Pas d'expression équivalente
  (forme honorifique non formelle) Terminaison finale pour décrire un fait ou pour indiquer une question, un ordre ou une recommandation. **<description>**

< 대화(conversation) > - 9

누가 책상을 치우라고 시켰어요?
누가 책상을 치우라고 시켜써요?
nuga chaeksangeul chiurago sikyeosseoyo?

제가 영수에게 치우게 했습니다.
제가 영수에게 치우게 핻씀니다.
jega yeongsuege chiuge haetseumnida.

< 설명(explication) / 번역(traduction) >

누(구)+가 책상+을 치우+라고 시키+었+어요?
   누가   **시켰어요**

• **누구 (pronom)** : 모르는 사람을 가리키는 말.
  qui
  Pronom interrogatif désignant une personne inconnue.

• **가** : 어떤 상태나 상황에 놓인 대상이나 동작의 주체를 나타내는 조사.
  Pas d'expression équivalente
  Particule indiquant l'objet d'un état ou d'une situation, ou le sujet d'une action.

• **책상 (nom)** : 책을 읽거나 글을 쓰거나 사무를 볼 때 앞에 놓고 쓰는 상.
  table, bureau
  Meuble que l'on utilise devant soi lorsque l'on lit, écrit ou travaille.

• **을** : 동작이 직접적으로 영향을 미치는 대상을 나타내는 조사.
  Pas d'expression équivalente
  Particule indiquant un objet directement influencé par un acte.

• **치우다 (verbe)** : 물건을 다른 데로 옮기다.
  déplacer, porter, transporter
  Déplacer un objet dans un autre lieu.

• **-라고** : 다른 사람에게 들은 명령이나 권유 등의 내용을 간접적으로 전할 때 쓰는 표현.
  Pas d'expression équivalente
  Expression utilisée pour indiquer indirectement un ordre ou une invitation, etc. que l'on a entendu par une autre personne.

- **시키다 (verbe)** : 어떤 일이나 행동을 하게 하다.
  Pas d'expression équivalente
  Faire faire une chose ou une action à quelqu'un.

- **-었-** : 사건이 과거에 일어났음을 나타내는 어미.
  Pas d'expression équivalente
  Terminaison indiquant qu'un évènement s'est produit dans le passé.

- **-어요** : (두루높임으로) 어떤 사실을 서술하거나 질문, 명령, 권유함을 나타내는 종결 어미.
  Pas d'expression équivalente
  (forme honorifique non formelle) Terminaison finale pour décrire un fait ou pour indiquer une question, un ordre ou une recommandation. <question>

제+가 영수+에게 치우+[게 하]+였+습니다.
치우게 했습니다

- **제 (pronom)** : 말하는 사람이 자신을 낮추어 가리키는 말인 '저'에 조사 '가'가 붙을 때의 형태.
  Pas d'expression équivalente
  Forme issue de l'ajout de la particule '가' au terme '저', utilisé par le locuteur qui se désigne lui-même en s'abaissant.

- **가** : 어떤 상태나 상황에 놓인 대상이나 동작의 주체를 나타내는 조사.
  Pas d'expression équivalente
  Particule indiquant l'objet d'un état ou d'une situation, ou le sujet d'une action.

- **영수 (nom)** : nom de personne

- **에게** : 어떤 행동이 미치는 대상임을 나타내는 조사.
  Pas d'expression équivalente
  Particule indiquant l'objet affecté par une action.

- **치우다 (verbe)** : 물건을 다른 데로 옮기다.
  déplacer, porter, transporter
  Déplacer un objet dans un autre lieu.

- **-게 하다** : 남에게 어떤 행동을 하도록 시키거나 물건이 어떤 작동을 하게 만듦을 나타내는 표현.
  Pas d'expression équivalente
  Expression indiquant le fait de faire faire une action à quelqu'un, ou de faire en sorte qu'un objet fonctionne d'une certaine façon.

- **-였-** : 사건이 과거에 일어났음을 나타내는 어미.
  Pas d'expression équivalente
  Terminaison indiquant qu'un évènement s'est produit dans le passé.

• -습니다 : (아주높임으로) 현재의 동작이나 상태, 사실을 정중하게 설명함을 나타내는 종결 어미.
  Pas d'expression équivalente
  (forme honorifique très marquée) Terminaison finale indiquant que l'on explique poliment l'action, l'état ou un fait présent.

< 대화(conversation) > - 10

어머니가 아직도 여행을 못 가게 하셔?
어머니가 아직또 여행을 몯 가게 하셔?
eomeoniga ajikdo yeohaengeul mot gage hasyeo?

응. 끝까지 허락을 안 해 주실 모양이야.
응. 끋까지 허라글 안 해 주실 모양이야.
eung. kkeutkkaji heorageul an hae jusil moyangiya.

< 설명(explication) / 번역(traduction) >

어머니+가 아직+도 여행+을 못 <u>가+[게 하]+시+어</u>?
가게 하셔

• **어머니 (nom)** : 자기를 낳아 준 여자를 이르거나 부르는 말.
mère
Terme pour désigner ou s'adresser à sa propre mère.

• **가** : 어떤 상태나 상황에 놓인 대상이나 동작의 주체를 나타내는 조사.
Pas d'expression équivalente
Particule indiquant l'objet d'un état ou d'une situation, ou le sujet d'une action.

• **아직 (adverbe)** : 어떤 일이나 상태 또는 어떻게 되기까지 시간이 더 지나야 함을 나타내거나, 어떤 일이나 상태가 끝나지 않고 계속 이어지고 있음을 나타내는 말.
encore, toujours
Terme indiquant qu'il faut encore qu'une certaine période s'écoule pour qu'une chose ou un état devienne tel ou tel, ou continue sans s'arrêter.

• **도** : 놀라움, 감탄, 실망 등의 감정을 강조함을 나타내는 조사.
Pas d'expression équivalente
Particule indiquant le fait d'insister sur un sentiment d'étonnement, d'admiration ou de déception.

• **여행 (nom)** : 집을 떠나 다른 지역이나 외국을 두루 구경하며 다니는 일.
voyage
Fait de visiter beaucoup d'endroits, dans une région éloignée du lieu de sa résidence ou à l'étranger.

• 을 : 그 행동의 목적이 되는 일을 나타내는 조사.
Pas d'expression équivalente
Particule indiquant un événement qui est l'objet d'une action.

• 못 (adverbe) : 동사가 나타내는 동작을 할 수 없게.
Pas d'expression équivalente
De façon à ce que l'action exprimée par le verbe ne puisse pas s'effectuer.

• 가다 (verbe) : 어떤 목적을 가지고 일정한 곳으로 움직이다.
aller, se rendre, partir, partir pour
Se déplacer pour aller à un certain endroit en ayant un certain objectif.

• -게 하다 : 다른 사람의 어떤 행동을 허용하거나 허락함을 나타내는 표현.
Pas d'expression équivalente
Expression indiquant le fait d'autoriser ou d'approuver l'action d'une autre personne.

• -시- : 어떤 동작이나 상태의 주체를 높이는 뜻을 나타내는 어미.
Pas d'expression équivalente
Terminaison signifiant le fait de montrer du respect à l'auteur d'une action ou d'un état.

• -어 : (두루낮춤으로) 어떤 사실을 서술하거나 물음, 명령, 권유를 나타내는 종결 어미.
Pas d'expression équivalente
(forme non honorifique non formelle) Terminaison finale pour décrire un fait ou pour indiquer une question, un ordre, ou une recommandation. <question>

응.

끝+까지 허락+을 안 하+[여 주]+시+[ㄹ 모양이]+야.
해 주실 모양이야

• 응 (exclamatif) : 상대방의 물음이나 명령 등에 긍정하여 대답할 때 쓰는 말.
oui, ouais
Terme utilisé pour donner une réponse positive à la demande, à l'ordre, etc., d'un interlocuteur.

• 끝 (nom) : 시간에서의 마지막 때.
fin
Dernier moment d'un temps.

• 까지 : 어떤 범위의 끝임을 나타내는 조사.
Pas d'expression équivalente
Particule indiquant la limite d'un champ.

- **허락 (nom)** : 요청하는 일을 하도록 들어줌.
  approbation, consentement, permission, admission
  Action d'autoriser à faire ce que l'on demande.

- **을** : 동작이 직접적으로 영향을 미치는 대상을 나타내는 조사.
  Pas d'expression équivalente
  Particule indiquant un objet directement influencé par un acte.

- **안 (adverbe)** : 부정이나 반대의 뜻을 나타내는 말.
  Pas d'expression équivalente
  Terme désignant une négation ou une opposition.

- **하다 (verbe)** : 어떤 행동이나 동작, 활동 등을 행하다.
  faire, exécuter, effectuer, s'occuper de
  Effectuer une action, un mouvement, une activité, etc.

- **-여 주다** : 남을 위해 앞의 말이 나타내는 행동을 함을 나타내는 표현.
  Pas d'expression équivalente
  Expression indiquant le fait d'effectuer l'action exprimée par les propos précédents pour autrui.

- **-시-** : 어떤 동작이나 상태의 주체를 높이는 뜻을 나타내는 어미.
  Pas d'expression équivalente
  Terminaison signifiant le fait de montrer du respect à l'auteur d'une action ou d'un état.

- **-ㄹ 모양이다** : 다른 사실이나 상황으로 보아 앞으로 어떤 일이 일어나거나 어떤 상태일 것이라고 추측함을 나타내는 표현.
  Pas d'expression équivalente
  Expression indiquant une supposition sur un fait ou sur un état présent, compte tenu d'un autre fait ou de la situation.

- **-야** : (두루낮춤으로) 어떤 사실에 대하여 서술하거나 물음을 나타내는 종결 어미.
  Pas d'expression équivalente
  (forme non honorifique non formelle) Terminaison finale indiquant une description ou une interrogation sur un fait. **<description>**

< 대화(conversation) > - 11

할머니는 집에 계세요?
할머니는 지베 계세요(게세요)?
halmeonineun jibe gyeseyo(geseyo)?

응. 그런데 주무시고 계시니 깨우지 말고 좀 기다려.
응. 그런데 주무시고 계시니(게시니) 깨우지 말고 좀 기다려.
eung. geureonde jumusigo gyesini(gesini) kkaeuji malgo jom gidaryeo.

< 설명(explication) / 번역(traduction) >

할머니+는 집+에 <u>계시+어요</u>?
계세요

• **할머니 (nom)** : 아버지의 어머니, 또는 어머니의 어머니를 이르거나 부르는 말.
  grand-mère
  Terme pour désigner ou s'adresser à la mère du père ou à celle de la mère.

• **는** : 문장 속에서 어떤 대상이 화제임을 나타내는 조사.
  Pas d'expression équivalente
  Particule indiquant qu'un objet est le principal sujet d'une phrase.

• **집 (nom)** : 사람이나 동물이 추위나 더위 등을 막고 그 속에 들어 살기 위해 지은 건물.
  maison, foyer, demeure, habitation, domicile, résidence, logis, pavillon, lotissement, appartement, logement, immeuble
  Bâtiment construit pour servir de lieu d'habitation et protéger des personnes ou des animaux du froid, du chaud, etc.

• **에** : 앞말이 어떤 장소나 자리임을 나타내는 조사.
  à, dans, en, sur
  Particule indiquant que la proposition précédente (en coréen) est un lieu ou un emplacement.

• **계시다 (verbe)** : (높임말로) 높은 분이나 어른이 어느 곳에 있다.
  être, se trouver, rester
  (forme honorifique) (Personne à un poste supérieur ou aîné) Se trouver en un lieu.

- -어요 : (두루높임으로) 어떤 사실을 서술하거나 질문, 명령, 권유함을 나타내는 종결 어미.
  Pas d'expression équivalente
  (forme honorifique non formelle) Terminaison finale pour décrire un fait ou pour indiquer une question, un ordre ou une recommandation. <question>

응.

그런데 주무시+[고 계시]+니 깨우+[지 말]+고 좀 기다리+어.
기다려

- **응 (exclamatif)** : 상대방의 물음이나 명령 등에 긍정하여 대답할 때 쓰는 말.
  oui, ouais
  Terme utilisé pour donner une réponse positive à la demande, à l'ordre, etc., d'un interlocuteur.

- **그런데 (adverbe)** : 이야기를 앞의 내용과 관련시키면서 다른 방향으로 바꿀 때 쓰는 말.
  en fait, alors
  Terme employé pour changer la direction d'une conversation, en la reliant aux éléments énoncés auparavant.

- **주무시다 (verbe)** : (높임말로) 자다.
  Pas d'expression équivalente
  (forme honorifique) Dormir.

- **-고 계시다** : (높임말로) 앞의 말이 나타내는 행동이 계속 진행됨을 나타내는 표현.
  Pas d'expression équivalente
  (forme honorifique) Expression pour indiquer que l'action de la proposition précédente est en cours.

- **-니** : 뒤에 오는 말에 대하여 앞에 오는 말이 원인이나 근거, 전제가 됨을 나타내는 연결 어미.
  Pas d'expression équivalente
  Terminaison connective indiquant que les propos précédents constituent la cause, la base et la présupposition des propos suivants.

- **깨우다 (verbe)** : 잠들거나 취한 상태 등에서 벗어나 온전한 정신 상태로 돌아오게 하다.
  réveiller
  Faire retrouver toute sa lucidité à quelqu'un en le sortant de son sommeil ou de son ivresse.

- **-지 말다** : 앞의 말이 나타내는 행동을 하지 못하게 함을 나타내는 표현.
  Pas d'expression équivalente
  Expression pour indiquer que le locuteur interdit l'action de la proposition précédente.

• -고 : 앞의 말과 뒤의 말이 차례대로 일어남을 나타내는 연결 어미.

Pas d'expression équivalente

Terminaison connective indiquant que les propos précédents et les propos suivants se succèdent tour à tour.

• 좀 (adverbe) : 시간이 짧게.

brièvement, instantanément, momentanément, dans un instant

(Temps) Courtement.

• 기다리다 (verbe) : 사람, 때가 오거나 어떤 일이 이루어질 때까지 시간을 보내다.

attendre, patienter, temporiser, espérer, prévoir

Faire passer le temps jusqu'à ce qu'une personne ou le moment vienne, ou que quelque chose se réalise.

• -어 : (두루낮춤으로) 어떤 사실을 서술하거나 물음, 명령, 권유를 나타내는 종결 어미.

Pas d'expression équivalente

(forme non honorifique non formelle) Terminaison finale pour décrire un fait ou pour indiquer une question, un ordre, ou une recommandation. **<ordre>**

< 대화(conversation) > - 12

여기서 산 가방을 환불하고 싶은데 어떻게 하면 되나요?
여기서 산 가방을 환불하고 시픈데 어떠케 하면 되나요?
yeogiseo san gabangeul hwanbulhago sipeunde eotteoke hamyeon doenayo?

네, 손님. 영수증은 가지고 계신가요?
네, 손님. 영수증은 가지고 계신가요(게신가요)?
ne, sonnim. yeongsujeungeun gajigo gyesingayo(gesingayo)?

< 설명(explication) / 번역(traduction) >

여기+서 <u>사+ㄴ</u> 가방+을 환불하+[고 싶]+은데 어떻게 하+[면 되]+나요?
　　　　산

- **여기 (pronom)** : 말하는 사람에게 가까운 곳을 가리키는 말.
  ici
  Pronom désignant un lieu près du locuteur.

- **서** : 앞말이 행동이 이루어지고 있는 장소임을 나타내는 조사.
  Pas d'expression équivalente
  Particule indiquant que le mot précédent signifie l'endroit où a lieu une action.

- **사다 (verbe)** : 돈을 주고 어떤 물건이나 권리 등을 자기 것으로 만들다.
  acheter
  Donner de l'argent pour s'approprier un objet, un droit, etc.

- **-ㄴ** : 앞의 말이 관형어의 기능을 하게 만들고 사건이나 동작이 과거에 일어났음을 나타내는 어미.
  Pas d'expression équivalente
  Terminaison donnant la fonction de déterminant à la proposition précédente et indiquant que l'événement ou l'action en question s'est déroulé dans le passé.

- **가방 (nom)** : 물건을 넣어 손에 들거나 어깨에 멜 수 있게 만든 것.
  sac, valise, serviette
  Objet destiné à contenir des choses, que l'on tient à la main ou que l'on porte sur l'épaule.

- **을** : 동작이 직접적으로 영향을 미치는 대상을 나타내는 조사.
  Pas d'expression équivalente
  Particule indiquant un objet directement influencé par un acte.

• **환불하다 (verbe)** : 이미 낸 돈을 되돌려주다.
rembourser
Rendre de l'argent déjà payé.

• **-고 싶다** : 앞의 말이 나타내는 행동을 하기를 원함을 나타내는 표현.
Pas d'expression équivalente
Expression utilisée pour montrer le désir à vouloir faire l'action de la proposition précédente.

• **-은데** : 뒤의 말을 하기 위하여 그 대상과 관련이 있는 상황을 미리 말함을 나타내는 연결 어미.
Pas d'expression équivalente
Terminaison connective indiquant qu'afin de formuler les propos suivants, le locuteur parle à l'avance d'une situation en rapport avec l'objet de ces propos.

• **어떻게 (adverbe)** : 어떤 방법으로. 또는 어떤 방식으로.
comment
Par quel moyen ; de quelle manière.

• **하다 (verbe)** : 어떤 방식으로 행위를 이루다.
Pas d'expression équivalente
Accomplir une action d'une certaine manière.

• **-면 되다** : 조건이 되는 어떤 행동을 하거나 어떤 상태만 갖추어지면 문제가 없거나 충분함을 나타내는 표현.
Pas d'expression équivalente
Expression indiquant qu'il suffit qu'une action qui remplit une certaine condition soit effectuée ou qu'un certain état se produise pour être sans problème ou suffisant.

• **-나요** : (두루높임으로) 앞의 내용에 대해 상대방에게 물어볼 때 쓰는 표현.
Pas d'expression équivalente
(forme honorifique non formelle) Expression pour poser une question sur la proposition précédente à l'interlocuteur.

네, 손님.

영수증+은 <u>가지</u>+[고 계시]+ㄴ가요?
가지고 계신가요

• **네 (exclamatif)** : 윗사람의 물음이나 명령 등에 긍정하여 대답할 때 쓰는 말.
oui, très bien
Exclamation utilisée pour répondre positivement à une demande ou à un ordre d'une personne supérieure, etc.

- **손님** (nom) : (높임말로) 여관이나 음식점 등의 가게에 찾아온 사람.

  client(e), hôte

  (forme honorifique) Personne qui achète des marchandises ou des services dans un établissement commercial comme une auberge ou un restaurant.

- **영수증** (nom) : 돈이나 물건을 주고받은 사실이 적힌 종이.

  reçu, récépissé

  Document sur lequel figurent les détails d'une transaction financière ou par lequel on reconnaît avoir reçu quelque chose.

- **은** : 문장 속에서 어떤 대상이 화제임을 나타내는 조사.

  Pas d'expression équivalente

  Particule indiquant qu'un objet est le principal sujet (de conversation) d'une phrase.

- **가지다** (verbe) : 무엇을 손에 쥐거나 몸에 지니다.

  avoir, porter, tenir

  Tenir quelque chose dans ses mains ou le porter sur le corps.

- **-고 계시다** : (높임말로) 앞의 말이 나타내는 행동의 결과가 계속됨을 나타내는 표현.

  Pas d'expression équivalente

  (forme honorifique) Expression pour indiquer que le résultat de l'action évoquée précédemment est en cours.

- **-ㄴ가요** : (두루높임으로) 현재의 사실에 대한 물음을 나타내는 종결 어미.

  Pas d'expression équivalente

  (forme honorifique non formelle) Terminaison finale indiquant que le locuteur s'interroge sur un fait présent.

< 대화(conversation) > - 13

숙제는 다 하고 나서 놀아라.
숙쩨는 다 하고 나서 노라라.
sukjeneun da hago naseo norara.

벌써 다 했어요. 저 놀다 올게요.
벌써 다 해써요. 저 놀다 올께요.
beolsseo da haesseoyo. jeo nolda olgeyo.

< 설명(explication) / 번역(traduction) >

숙제+는 다 <u>하+[고 나]+(아)서</u> 놀+아라.
하고 나서

- **숙제 (nom)** : 학생들에게 복습이나 예습을 위하여 수업 후에 하도록 내 주는 과제.
  devoir(s)
  Travail que l'on donne à faire aux élèves après les cours pour les faire réviser ou se préparer à l'avance.

- **는** : 문장 속에서 어떤 대상이 화제임을 나타내는 조사.
  Pas d'expression équivalente
  Particule indiquant qu'un objet est le principal sujet d'une phrase.

- **다 (adverbe)** : 남거나 빠진 것이 없이 모두.
  tout, toute, tous, toutes, complètement, parfaitement, vraiment, même, dans son intégralité
  Tout sans que rien ne reste ou ne soit ôté.

- **하다 (verbe)** : 어떤 행동이나 동작, 활동 등을 행하다.
  faire, exécuter, effectuer, s'occuper de
  Effectuer une action, un mouvement, une activité, etc.

- **-고 나다** : 앞에 오는 말이 나타내는 행동이 끝났음을 나타내는 표현.
  Pas d'expression équivalente
  Expression pour indiquer que l'action de la proposition précédente est terminée.

- -아서 : 앞의 말과 뒤의 말이 순차적으로 일어남을 나타내는 연결 어미.
  Pas d'expression équivalente
  Terminaison connective indiquant que les propos précédents et les propos suivants se succèdent.

- 놀다 (verbe) : 놀이 등을 하면서 재미있고 즐겁게 지내다.
  jouer, s'amuser
  Vivre de façon amusante et joyeuse en jouant, etc.

- -아라 : (아주낮춤으로) 명령을 나타내는 종결 어미.
  Pas d'expression équivalente
  (forme non honorifique très marquée) Terminaison finale indiquant un ordre.

벌써 다 하+였+어요.
    했어요

저 놀+다 오+ㄹ게요.
    올게요

- 벌써 (adverbe) : 이미 오래전에.
  déjà
  Il y a bien longtemps.

- 다 (adverbe) : 남거나 빠진 것이 없이 모두.
  tout, toute, tous, toutes, complètement, parfaitement, vraiment, même, dans son intégralité
  Tout sans que rien ne reste ou ne soit ôté.

- 하다 (verbe) : 어떤 행동이나 동작, 활동 등을 행하다.
  faire, exécuter, effectuer, s'occuper de
  Effectuer une action, un mouvement, une activité, etc.

- -였- : 어떤 사건이 과거에 완료되었거나 그 사건의 결과가 현재까지 지속되는 상황을 나타내는 어미.
  Pas d'expression équivalente
  Terminaison indiquant qu'un évènement a été accompli dans le passé ou que le résultat de cet évènement perdure jusqu'à présent.

- -어요 : (두루높임으로) 어떤 사실을 서술하거나 질문, 명령, 권유함을 나타내는 종결 어미.
  Pas d'expression équivalente
  (forme honorifique non formelle) Terminaison finale pour décrire un fait ou pour indiquer une question, un ordre ou une recommandation. <description>

· **저 (pronom)** : 말하는 사람이 듣는 사람에게 자신을 낮추어 가리키는 말.
  moi, je
  Terme utilisé par le locuteur pour se désigner en s'abaissant.

· **놀다 (verbe)** : 놀이 등을 하면서 재미있고 즐겁게 지내다.
  jouer, s'amuser
  Vivre de façon amusante et joyeuse en jouant, etc.

· **-다** : 어떤 행동이나 상태 등이 중단되고 다른 행동이나 상태로 바뀜을 나타내는 연결 어미.
  Pas d'expression équivalente
  Terminaison connective indiquant que l'action, l'état, etc., du sujet prend fin et se transforme en une autre action ou en un autre état.

· **오다 (verbe)** : 무엇이 다른 곳에서 이곳으로 움직이다.
  venir, arriver, apparaître
  (Quelque chose) Bouger d'un lieu à celui où l'on se trouve.

· **-ㄹ게요** : (두루높임으로) 말하는 사람이 어떤 행동을 할 것을 듣는 사람에게 약속하거나 의지를 나타내는 표현.
  Pas d'expression équivalente
  (forme honorifique non formelle) Expression indiquant que le locuteur promet à son interlocuteur de faire une action ou lui montre sa volonté de le faire.

< 대화(conversation) > - 14

이번 달리기 대회에서 시우가 일 등 할 줄 알았는데.
이번 달리기 대회에서 시우가 일 등 할 쭐 아란는데.
ibeon dalligi daehoeeseo siuga il deung hal jul aranneunde.

그러게, 너무 욕심을 부리다 넘어지고 만 거지.
그러게, 너무 욕씨믈 부리다 너머지고 만 거지.
geureoge, neomu yoksimeul burida neomeojigo man geoji.

< 설명(explication) / 번역(traduction) >

이번 달리기 대회+에서 시우+가 일 등 <u>하</u>+[<u>ㄹ 줄</u>] 알+았+는데.
할 줄

- **이번 (nom)** : 곧 돌아올 차례. 또는 막 지나간 차례.
  cette fois-ici, (n.) ce
  Tour qui reviendra bientôt ; tour qui vient de passer.

- **달리기 (nom)** : 일정한 거리를 누가 빨리 뛰는지 겨루는 경기.
  course de vitesse
  Compétition de vitesse pour désigner la personne la plus rapide sur une distance donnée.

- **대회 (nom)** : 여러 사람이 실력이나 기술을 겨루는 행사.
  concours, tournoi, compétition, épreuve
  Évènement où plusieurs personnes comparent leurs capacités ou techniques.

- **에서** : 앞말이 행동이 이루어지고 있는 장소임을 나타내는 조사.
  à, dans, en, chez
  Particule indiquant que la proposition précédente est le lieu où se passe une action.

- **시우 (nom)** : nom de personne

- **가** : 어떤 상태나 상황에 놓인 대상이나 동작의 주체를 나타내는 조사.
  Pas d'expression équivalente
  Particule indiquant l'objet d'un état ou d'une situation, ou le sujet d'une action.

• **일 (déterminant)** : 첫 번째의.

premier

Premier.

• **등 (nom)** : 등급이나 등수를 나타내는 단위.

Pas d'expression équivalente

Nom dépendant indiquant un niveau ou un rang.

• **하다 (verbe)** : 어떠한 결과를 이루어 내다.

faire

Réaliser un résultat.

• **-ㄹ 줄** : 어떤 사실이나 상태에 대해 알고 있거나 모르고 있음을 나타내는 표현.

Pas d'expression équivalente

Expression indiquant le fait d'être au courant ou non d'un fait ou d'un état.

• **알다 (verbe)** : 어떤 사실을 그러하다고 여기거나 생각하다.

prendre pour, considérer comme, croire, estimer

Considérer ou imaginer un fait comme tel.

• **-았-** : 사건이 과거에 일어났음을 나타내는 어미.

Pas d'expression équivalente

Terminaison indiquant qu'un évènement s'est produit dans le passé.

• **-는데** : (두루낮춤으로) 듣는 사람의 반응을 기대하며 어떤 일에 대해 감탄함을 나타내는 종결 어미.

Pas d'expression équivalente

(forme non honorifique non formelle) Terminaison finale indiquant une exclamation au sujet d'un fait sur lequel le locuteur s'attend à une réaction de son interlocuteur.

그러게, 너무 욕심+을 부리+다 넘어지+[고 말(마)]+[ㄴ 것(거)]+(이)+지.
넘어지고 만 거지

• **그러게 (exclamatif)** : 상대방의 말에 찬성하거나 동의하는 뜻을 나타낼 때 쓰는 말.

oui, c'est vrai, tu as raison

Exclamation utilisée pour indiquer qu'on est pour ou d'accord avec les commentaires de son interlocuteur.

• **너무 (adverbe)** : 일정한 정도나 한계를 훨씬 넘어선 상태로.

trop, excessivement, à l'excès, avec excès, outre mesure, démesurément

De manière à dépasser de loin un certain niveau ou une limite.

- **욕심 (nom)** : 무엇을 지나치게 탐내거나 가지고 싶어 하는 마음.
  cupidité, convoitise, avidité, soif, désir, envie, intérêt
  Sentiment de convoiter ou de trop désirer quelque chose.

- **을** : 동작이 직접적으로 영향을 미치는 대상을 나타내는 조사.
  Pas d'expression équivalente
  Particule indiquant un objet directement influencé par un acte.

- **부리다 (verbe)** : 바람직하지 못한 행동이나 성질을 계속 드러내거나 보이다.
  s'obstiner, s'attacher à
  Révéler ou montrer sans cesse un acte ou un tempérament discutable.

- **-다** : 앞에 오는 말이 뒤에 오는 말의 원인이나 근거가 됨을 나타내는 연결 어미.
  Pas d'expression équivalente
  Terminaison connective indiquant que les propos précédents constituent la cause ou le fondement des propos suivants.

- **넘어지다 (verbe)** : 서 있던 사람이나 물체가 중심을 잃고 한쪽으로 기울어지며 쓰러지다.
  tomber, se renverser, être renversé, s'écrouler, choir, chuter, trébucher, s'effondrer
  (Personne ou objet qui se tenait debout) Perdre l'équilibre, pencher vers un côté et tomber.

- **-고 말다** : 앞에 오는 말이 가리키는 행동이 안타깝게도 끝내 일어났음을 나타내는 표현.
  Pas d'expression équivalente
  Expression pour indiquer que l'action de la proposition précédente a malheureusement fini par se réaliser.

- **-ㄴ 것** : 명사가 아닌 것을 문장에서 명사처럼 쓰이게 하거나 '이다' 앞에 쓰일 수 있게 할 때 쓰는 표현.
  Pas d'expression équivalente
  Expression permettant à un mot qui n'est pas un nom d'être utilisé comme tel, ou d'être utilisé devant '이다'.

- **이다** : 주어가 지시하는 대상의 속성이나 부류를 지정하는 뜻을 나타내는 서술격 조사.
  Pas d'expression équivalente
  Particule du cas prédicatif pour indiquer la caractéristique ou la catégorie d'un objet qui se rapporte au sujet d'une phrase.

- **-지** : (두루낮춤으로) 말하는 사람이 자신에 대한 이야기나 자신의 생각을 친근하게 말할 때 쓰는 종결 어미.
  Pas d'expression équivalente
  (forme non honorifique non formelle) Terminaison finale utilisée par le locuteur pour parler d'une chose qui le concerne, ou pour affirmer sa pensée sur un ton familier.

< 대화(conversation) > - 15

감독님, 저희 모두가 마지막 경기에 거는 기대가 큽니다.
감동님, 저히 모두가 마지막 경기에 거는 기대가 큼니다.
gamdongnim, jeohi moduga majimak gyeonggie geoneun gidaega keumnida.

네. 마지막 경기는 꼭 승리하고 말겠습니다.
네. 마지막 경기는 꼭 승니하고 말겓씀니다.
ne. majimak gyeonggineun kkok seungnihago malgetseumnida.

< 설명(explication) / 번역(traduction) >

감독+님, 저희 모두+가 마지막 경기+에 <u>걸(거)</u>+는 기대+가 <u>크</u>+ㅂ니다.
거는   큽니다

• **감독 (nom)** : 공연, 영화, 운동 경기 등에서 일의 전체를 지휘하며 책임지는 사람.
  réalisateur(trice), metteur en scène, directeur(trice), entraîneur, coach
  Personne qui conduit tout le déroulement d'un spectacle, d'un film, d'un match de sport, etc. et qui en est responsable.

• **님** : '높임'의 뜻을 더하는 접미사.
  Pas d'expression équivalente
  Suffixe signifiant « respect ».

• **저희 (pronom)** : 말하는 사람이 자기보다 높은 사람에게 자기를 포함한 여러 사람들을 가리키는 말.
  nous, notre, nôtre, nos, je, moi, mon, ma, mes
  Terme employé lorsqu'on s'adresse à une personne plus âgée ou qui a un statut supérieur, pour se désigner ou pour désigner un groupe de gens l'incluant.

• **모두 (nom)** : 남거나 빠진 것이 없는 전체.
  tout, tous toutes, tout le monde
  Tout sans rien laisser ni oublier.

• **가** : 어떤 상태나 상황에 놓인 대상이나 동작의 주체를 나타내는 조사.
  Pas d'expression équivalente
  Particule indiquant l'objet d'un état ou d'une situation, ou le sujet d'une action.

• **마지막 (nom)** : 시간이나 순서의 맨 끝.

  fin, achèvement, terme, bout

  Dernier point dans le temps ou dans l'ordre.

• **경기 (nom)** : 운동이나 기술 등의 능력을 서로 겨룸.

  jeu (sportif), match, compétition, épreuve

  Fait de se disputer le titre du plus compétent dans les domaines sportif, technique, etc.

• **에** : 앞말이 어떤 행위나 감정 등의 대상임을 나타내는 조사.

  Pas d'expression équivalente

  Particule indiquant que la proposition précédente est l'objet d'une action ou d'un sentiment.

• **걸다 (verbe)** : 앞으로의 일에 대한 희망 등을 품거나 기대하다.

  attendre, espérer, escompter, caresser (l'espoir), nourrir (un espoir)

  Garder l'espoir sur l'avenir ou compter sur quelque chose.

• **-는** : 앞의 말이 관형어의 기능을 하게 만들고 사건이나 동작이 현재 일어남을 나타내는 어미.

  Pas d'expression équivalente

  Terminaison attribuant la fonction de déterminant à la proposition précédente, et pour indiquer que la situation ou l'action en question se réalise au présent.

• **기대 (nom)** : 어떤 일이 이루어지기를 바라며 기다림.

  attente, espérance, espoir

  Action d'attendre et d'espérer la réalisation de quelque chose.

• **가** : 어떤 상태나 상황에 놓인 대상이나 동작의 주체를 나타내는 조사.

  Pas d'expression équivalente

  Particule indiquant l'objet d'un état ou d'une situation, ou le sujet d'une action.

• **크다 (adjectif)** : 어떤 일의 규모, 범위, 정도, 힘 등이 보통 수준을 넘다.

  grand, considérable, sérieux

  Qui dépasse le niveau ordinaire, en parlant de l'envergure, de l'étendue, du degré, de la force, etc.

• **-ㅂ니다** : (아주높임으로) 현재의 동작이나 상태, 사실을 정중하게 설명함을 나타내는 종결 어미.

  Pas d'expression équivalente

  (forme honorifique très marquée) Terminaison finale indiquant que l'on explique poliment l'action, l'état ou un fait présent.

네.

마지막 경기+는 꼭 승리하+[고 말]+겠+습니다.

• **네 (exclamatif)** : 윗사람의 물음이나 명령 등에 긍정하여 대답할 때 쓰는 말.
　oui, très bien
　Exclamation utilisée pour répondre positivement à une demande ou à un ordre d'une personne supérieure, etc.

• **마지막 (nom)** : 시간이나 순서의 맨 끝.
　fin, achèvement, terme, bout
　Dernier point dans le temps ou dans l'ordre.

• **경기 (nom)** : 운동이나 기술 등의 능력을 서로 겨룸.
　jeu (sportif), match, compétition, épreuve
　Fait de se disputer le titre du plus compétent dans les domaines sportif, technique, etc.

• **는** : 문장 속에서 어떤 대상이 화제임을 나타내는 조사.
　Pas d'expression équivalente
　Particule indiquant qu'un objet est le principal sujet d'une phrase.

• **꼭 (adverbe)** : 어떤 일이 있어도 반드시.
　certainement, sûrement, sans doute
　Absolument à faire quoi qu'il arrive.

• **승리하다 (verbe)** : 전쟁이나 경기 등에서 이기다.
　obtenir la victoire, triompher
　Gagner une guerre, un match, etc.

• **-고 말다** : 앞에 오는 말이 가리키는 일을 이루고자 하는 말하는 사람의 강한 의지를 나타내는 표현.
　Pas d'expression équivalente
　Expression montrant la volonté forte du locuteur de réaliser ce qui est exprimé dans la proposition précédente.

• **-겠-** : 말하는 사람의 의지를 나타내는 어미.
　Pas d'expression équivalente
　Terminaison indiquant la volonté du locuteur.

• **-습니다** : (아주높임으로) 현재의 동작이나 상태, 사실을 정중하게 설명함을 나타내는 종결 어미.
　Pas d'expression équivalente
　(forme honorifique très marquée) Terminaison finale indiquant que l'on explique poliment l'action, l'état ou un fait présent.

< 대화(conversation) > - 16

시간이 지나고 보니 모든 순간이 다 소중한 것 같아.
시가니 지나고 보니 모든 순가니 다 소중한 걸 가타.
sigani jinago boni modeun sungani da sojunghan geot gata.

무슨 일 있어? 갑자기 왜 그런 말을 해?
무슨 일 이써? 갑짜기 왜 그런 마를 해?
museun il isseo? gapjagi wae geureon mareul hae?

< 설명(explication) / 번역(traduction) >

시간+이 지나+[고 보]+니 모든 순간+이 다 <u>소중하+[ㄴ 것 같]</u>+아.
소중한 것 같아

• **시간 (nom)** : 자연히 지나가는 세월.
  temps
  Temps s'écoulant naturellement.

• **이** : 어떤 상태나 상황의 대상이나 동작의 주체를 나타내는 조사.
  Pas d'expression équivalente
  Particule qui indique l'objet d'un état ou d'une situation, ou le sujet d'une action.

• **지나다 (verbe)** : 시간이 흘러 그 시기에서 벗어나다.
  passer, couler, s'écouler
  (Temps) S'écouler et donc dépasser une periode determinée.

• **-고 보다** : 앞의 말이 나타내는 행동을 하고 난 후에 뒤의 말이 나타내는 사실을 새로 깨달음을 나타내는 표현.
  Pas d'expression équivalente
  Expression pour indiquer que l'on se rend compte du fait indiqué dans la proposition suivante, après avoir fait ce qui est indiqué dans la proposition précédente.

• **-니** : 앞에서 이야기한 내용과 관련된 다른 사실을 이어서 설명할 때 쓰는 연결 어미.
  Pas d'expression équivalente
  Terminaison connective utilisée pour expliquer un autre fait concerné par le contenu des propos précédents.

- 모든 (déterminant) : 빠지거나 남는 것 없이 전부인.
  tout
  Tout, sans omission ni reste.

- 순간 (nom) : 아주 짧은 시간 동안.
  instant, moment
  Pendant un laps de temps très court.

- 이 : 어떤 상태나 상황의 대상이나 동작의 주체를 나타내는 조사.
  Pas d'expression équivalente
  Particule qui indique l'objet d'un état ou d'une situation, ou le sujet d'une action.

- 다 (adverbe) : 남거나 빠진 것이 없이 모두.
  tout, toute, tous, toutes, complètement, parfaitement, vraiment, même, dans son intégralité
  Tout sans que rien ne reste ou ne soit ôté.

- 소중하다 (adjectif) : 매우 귀중하다.
  cher
  Qui est très précieux.

- -ㄴ 것 같다 : 추측을 나타내는 표현.
  Pas d'expression équivalente
  Expression exprimant la supposition.

- -아 : (두루낮춤으로) 어떤 사실을 서술하거나 물음, 명령, 권유를 나타내는 종결 어미.
  Pas d'expression équivalente
  (forme non honorifique non formelle) Terminaison finale pour décrire un fait ou pour indiquer une question, un ordre, ou une recommandation. <description>

무슨 일 있+어?

갑자기 왜 그런 말+을 <u>하+여</u>?
해

- 무슨 (déterminant) : 확실하지 않거나 잘 모르는 일, 대상, 물건 등을 물을 때 쓰는 말.
  Pas d'expression équivalente
  Terme utilisé pour souligner ce qui est insatisfasant contre toute attente.

- 일 (nom) : 해결하거나 처리해야 할 문제나 사항.
  problème, chose, à faire
  Question ou fait qu'il faut résoudre ou traiter.

- **있다 (adjectif)** : 어떤 사람에게 무슨 일이 생긴 상태이다.
  (adj.) il y a
  (Chose) Qui est arrivé à quelqu'un.

- **-어** : (두루낮춤으로) 어떤 사실을 서술하거나 물음, 명령, 권유를 나타내는 종결 어미.
  Pas d'expression équivalente
  (forme non honorifique non formelle) Terminaison finale pour décrire un fait ou pour indiquer une question, un ordre, ou une recommandation. **<question>**

- **갑자기 (adverbe)** : 미처 생각할 틈도 없이 빨리.
  soudain, tout à coup, subitement, brusquement
  Très rapidement, sans même avoir le temps de réfléchir.

- **왜 (adverbe)** : 무슨 이유로. 또는 어째서.
  pourquoi, dans quelle intention, à quelle fin
  Pour quelle raison ; comment se fait-il que.

- **그런 (déterminant)** : 상태, 모양, 성질 등이 그러한.
  (dét.) ce genre de, ce type de, un(e) tel(le)
  (État, forme, caractère, etc.) Qui est comme cela.

- **말 (nom)** : 생각이나 느낌을 표현하고 전달하는 사람의 소리.
  Pas d'expression équivalente
  Son d'un homme exprimant ou transmettant ses pensées ou ses sentiments.

- **을** : 동작이 직접적으로 영향을 미치는 대상을 나타내는 조사.
  Pas d'expression équivalente
  Particule indiquant un objet directement influencé par un acte.

- **하다 (verbe)** : 어떤 행동이나 동작, 활동 등을 행하다.
  faire, exécuter, effectuer, s'occuper de
  Effectuer une action, un mouvement, une activité, etc.

- **-여** : (두루낮춤으로) 어떤 사실을 서술하거나 물음, 명령, 권유를 나타내는 종결 어미.
  Pas d'expression équivalente
  (forme non honorifique non formelle) Terminaison finale pour décrire un fait ou pour indiquer une question, un ordre, ou une recommandation. **<question>**

< 대화(conversation) > - 17

날씨가 추우니까 따뜻한 게 먹고 싶네.
날씨가 추우니까 따뜨탄 게 먹꼬 심네.
nalssiga chuunikka ttatteutan ge meokgo simne.

그럼 오늘 점심은 삼계탕을 먹으러 갈까?
그럼 오늘 점시믄 삼계탕을(삼게탕을) 머그러 갈까?
geureom oneul jeomsimeun samgyetangeul(samgetangeul) meogeureo galkka?

< 설명(explication) / 번역(traduction) >

날씨+가 춥(추우)+니까 따뜻하+[ㄴ 것(거)]+이 먹+[고 싶]+네.
　　　　 추우니까　　　　 따뜻한 게

- **날씨 (nom)** : 그날그날의 기온이나 공기 중에 비, 구름, 바람, 안개 등이 나타나는 상태.
  temps
  Variation quotidienne de la température et des conditions (météorologiques) telles que la pluie, les nuages, le brouillard, etc.

- **가** : 어떤 상태나 상황에 놓인 대상이나 동작의 주체를 나타내는 조사.
  Pas d'expression équivalente
  Particule indiquant l'objet d'un état ou d'une situation, ou le sujet d'une action.

- **춥다 (adjectif)** : 대기의 온도가 낮다.
  froid, glacial, glacé
  (Température atmosphérique) Bas.

- **-니까** : 뒤에 오는 말에 대하여 앞에 오는 말이 원인이나 근거, 전제가 됨을 강조하여 나타내는 연결 어미.
  Pas d'expression équivalente
  Terminaison connective pour souligner que les propos précédents constituent la cause, le fondement ou un prérequis des propos suivants.

- **따뜻하다 (adjectif)** : 아주 덥지 않고 기분이 좋은 정도로 온도가 알맞게 높다.
  chaud, chauffé, réchauffé
  (Température) Qui est convenablement chaud au point d'être agréable sans être trop chauffé.

• -ㄴ 것 : 명사가 아닌 것을 문장에서 명사처럼 쓰이게 하거나 '이다' 앞에 쓰일 수 있게 할 때 쓰는 표현.

Pas d'expression équivalente

Expression permettant à un mot qui n'est pas un nom d'être utilisé comme tel, ou d'être utilisé devant '이다'.

• 이 : 어떤 상태나 상황의 대상이나 동작의 주체를 나타내는 조사.

Pas d'expression équivalente

Particule qui indique l'objet d'un état ou d'une situation, ou le sujet d'une action.

• 먹다 (verbe) : 음식 등을 입을 통하여 배 속에 들여보내다.

manger, prendre

Mettre de la nourriture dans sa bouche et l'avaler.

• -고 싶다 : 앞의 말이 나타내는 행동을 하기를 원함을 나타내는 표현.

Pas d'expression équivalente

Expression utilisée pour montrer le désir à vouloir faire l'action de la proposition précédente.

• -네 : (예사 낮춤으로) 단순한 서술을 나타내는 종결 어미.

Pas d'expression équivalente

(forme non honorifique modérée) Terminaison finale pour indiquer une simple narration.

그럼 오늘 점심+은 삼계탕+을 먹+으러 가+ㄹ까?
갈까

• 그럼 (adverbe) : 앞의 내용을 받아들이거나 그 내용을 바탕으로 하여 새로운 주장을 할 때 쓰는 말.

alors, en effet

Terme utilisé lorsqu'on accepte les propos qui ont été dits auparavant ou lorsqu' on veut présenter un nouvel argument sur la base de ces propos.

• 오늘 (nom) : 지금 지나가고 있는 이날.

aujourd'hui, ce jour

Jour qui est en train de passer.

• 점심 (nom) : 아침과 저녁 식사 중간에, 낮에 하는 식사.

déjeuner, repas de midi

Nourriture qu'on prend à midi entre le petit-déjeuner et le dîner.

• 은 : 문장 속에서 어떤 대상이 화제임을 나타내는 조사.

Pas d'expression équivalente

Particule indiquant qu'un objet est le principal sujet (de conversation) d'une phrase.

• **삼계탕 (nom)** : 어린 닭에 인삼, 찹쌀, 대추 등을 넣고 푹 삶은 음식.
samgyetang, soupe de poulet au ginseng
Préparation culinaire à base de poulet fourré de ginseng, riz gluant, jujubes, etc., puis bouilli très longuement.

• **을** : 동작이 직접적으로 영향을 미치는 대상을 나타내는 조사.
Pas d'expression équivalente
Particule indiquant un objet directement influencé par un acte.

• **먹다 (verbe)** : 음식 등을 입을 통하여 배 속에 들여보내다.
manger, prendre
Mettre de la nourriture dans sa bouche et l'avaler.

• **-으러** : 가거나 오거나 하는 동작의 목적을 나타내는 연결 어미.
Pas d'expression équivalente
Terminaison connective indiquant le but d'un mouvement consistant à aller ou à venir.

• **가다 (verbe)** : 어떤 목적을 가지고 일정한 곳으로 움직이다.
aller, se rendre, partir, partir pour
Se déplacer pour aller à un certain endroit en ayant un certain objectif.

• **-ㄹ까** : (두루낮춤으로) 듣는 사람의 의사를 물을 때 쓰는 종결 어미.
Pas d'expression équivalente
(forme non honorifique non formelle) Terminaison finale indiquant la pensée ou la supposition du locuteur, ou utilisée lorsqu'il s'interroge sur la volonté de son interlocuteur.

< 대화(conversation) > - 18

아들이 자꾸 컴퓨터를 새로 사 달라고 해요.
아드리 자꾸 컴퓨터를 새로 사 달라고 해요.
adeuri jakku keompyuteoreul saero sa dallago haeyo.

그렇게 갖고 싶어 하는데 하나 사 줘요.
그러케 갇꼬 시퍼 하는데 하나 사 줘요.
geureoke gatgo sipeo haneunde hana sa jwoyo.

< 설명(explication) / 번역(traduction) >

아들+이 자꾸 컴퓨터+를 새로 <u>사+[(아) 달]+라고</u> <u>하+여요</u>.
                              사 달라고   해요

- **아들 (nom)** : 남자인 자식.
  fils
  Enfant de sexe masculin.

- **이** : 어떤 상태나 상황의 대상이나 동작의 주체를 나타내는 조사.
  Pas d'expression équivalente
  Particule qui indique l'objet d'un état ou d'une situation, ou le sujet d'une action.

- **자꾸 (adverbe)** : 여러 번 계속하여.
  souvent, de manière répétée, encore et encore, (adv.) ne pas arrêter de, constamment
  Plusieurs fois, en continu.

- **컴퓨터 (nom)** : 전자 회로를 이용하여 문서, 사진, 영상 등의 대량의 데이터를 빠르고 정확하게 처리하는 기계.
  ordinateur
  Appareil servant à traiter rapidement et avec précision un masse de données telles que des document, des photos, des vidéos, etc. en utilisant le circuit électronique.

- **를** : 동작이 직접적으로 영향을 미치는 대상을 나타내는 조사.
  Pas d'expression équivalente
  Particule indiquant un objet directement influencé par un mouvement.

• **새로 (adverbe)** : 전과 달리 새롭게. 또는 새것으로.
de nouveau, nouvellement
D'une nouvelle façon, différemment de ce qui existait auparavant ; de façon à remplacer quelque chose par un neuf.

• **사다 (verbe)** : 돈을 주고 어떤 물건이나 권리 등을 자기 것으로 만들다.
acheter
Donner de l'argent pour s'approprier un objet, un droit, etc.

• **-아 달다** : 앞의 말이 나타내는 행동을 해 줄 것을 요구함을 나타내는 표현.
Pas d'expression équivalente
Expression indiquant le fait de demander d'effectuer une action exprimée par les propos précédents.

• **-라고** : 다른 사람에게 들은 명령이나 권유 등의 내용을 간접적으로 전할 때 쓰는 표현.
Pas d'expression équivalente
Expression utilisée pour indiquer indirectement un ordre ou une invitation, etc. que l'on a entendu par une autre personne.

• **하다 (verbe)** : 무엇에 대해 말하다.
Pas d'expression équivalente
Parler de quelque chose.

• **-여요** : (두루높임으로) 어떤 사실을 서술하거나 질문, 명령, 권유함을 나타내는 종결 어미.
Pas d'expression équivalente
(forme honorifique non formelle) Terminaison finale pour décrire un fait ou pour indiquer une question, un ordre ou une recommandation. <description>

그렇+게 갖+[고 싶어 하]+는데 하나 <u>사+[(아) 주]+어요</u>.

사 줘요

• **그렇다 (adjectif)** : 상태, 모양, 성질 등이 그와 같다.
ainsi
Semblable à l'état, à la forme, à la nature, etc. de quelque chose.

• **-게** : 앞의 말이 뒤에서 가리키는 일의 목적이나 결과, 방식, 정도 등이 됨을 나타내는 연결 어미.
Pas d'expression équivalente
Terminaison connective indiquant que les propos précédents constituent l'objectif, le résultat, la méthode ou le degré des propos qui suivent.

• **갖다 (verbe)** : 자기 것으로 하다.
prendre, avoir, posséder, se procurer
S'approprier quelque chose.

• -고 싶어 하다 : 앞의 말이 나타내는 행동을 하기를 바라거나 그렇게 되기를 원함을 나타내는 표현.
Pas d'expression équivalente
Expression utilisée pour montrer que l'on désire faire ou voir se réaliser ce qui est indiqué dans la proposition précédente.

• -는데 : 뒤의 말을 하기 위하여 그 대상과 관련이 있는 상황을 미리 말함을 나타내는 연결 어미.
Pas d'expression équivalente
Terminaison connective indiquant le fait de parler à l'avance d'une situation en rapport avec l'objet des propos suivants.

• **하나 (numéral)** : 숫자를 셀 때 맨 처음의 수.
un
Premier chiffre que l'on évoque lorsque l'on compte.

• **사다 (verbe)** : 돈을 주고 어떤 물건이나 권리 등을 자기 것으로 만들다.
acheter
Donner de l'argent pour s'approprier un objet, un droit, etc.

• -아 주다 : 남을 위해 앞의 말이 나타내는 행동을 함을 나타내는 표현.
Pas d'expression équivalente
Expression indiquant le fait d'effectuer pour autrui une action exprimée par les propos précédents.

• -어요 : (두루높임으로) 어떤 사실을 서술하거나 질문, 명령, 권유함을 나타내는 종결 어미.
Pas d'expression équivalente
(forme honorifique non formelle) Terminaison finale pour décrire un fait ou pour indiquer une question, un ordre ou une recommandation. <ordre>

< 대화(conversation) > - 19

출발했니? 언제쯤 도착할 것 같아?
출발핸니? 언제쯤 도차칼 껃 가타?
chulbalhaenni? eonjejjeum dochakal geot gata?

지금 가고 있으니까 십 분쯤 뒤에 도착할 거야.
지금 가고 이쓰니까 십 분쯤 뒤에 도차칼 꺼야.
jigeum gago isseunikka sip bunjjeum dwie dochakal geoya.

< 설명(explication) / 번역(traduction) >

출발하+였+니?
　출발했니

언제+쯤 도착하+[ㄹ 것 같]+아?
　　　　도착할 것 같아

- **출발하다 (verbe)** : 어떤 곳을 향하여 길을 떠나다.
  partir, démarrer
  Prendre un chemin vers une destination.

- **-였-** : 어떤 사건이 과거에 완료되었거나 그 사건의 결과가 현재까지 지속되는 상황을 나타내는 어미.
  Pas d'expression équivalente
  Terminaison indiquant qu'un évènement a été accompli dans le passé ou que le résultat de cet évènement perdure jusqu'à présent.

- **-니** : (아주낮춤으로) 물음을 나타내는 종결 어미.
  Pas d'expression équivalente
  (forme non honorifique très marquée) Terminaison finale indiquant une interrogation.

- **언제 (pronom)** : 알지 못하는 어느 때.
  (pro.) quand, à quel moment
  Moment que l'on ne connaît pas.

• 쯤 : '정도'의 뜻을 더하는 접미사.
Pas d'expression équivalente
Suffixe signifiant "environ".

• **도착하다 (verbe)** : 목적지에 다다르다.
arriver à, atteindre, parvenir à
Parvenir à destination.

• -ㄹ 것 같다 : 추측을 나타내는 표현.
Pas d'expression équivalente
Expression indiquant une supposition.

• -아 : (두루낮춤으로) 어떤 사실을 서술하거나 물음, 명령, 권유를 나타내는 종결 어미.
Pas d'expression équivalente
(forme non honorifique non formelle) Terminaison finale pour décrire un fait ou pour indiquer une question, un ordre, ou une recommandation. **<question>**

지금 가+[고 있]+으니까 십 분+쯤 뒤+에 도착하+[ㄹ 것(거)]+(이)+야.
도착할 거야

• **지금 (adverbe)** : 말을 하고 있는 바로 이때에. 또는 그 즉시에.
à l'heure qu'il est, maintenant, tout de suite
Au moment précis où l'on est en train de parler ; dans l'immédiat.

• **가다 (verbe)** : 한 곳에서 다른 곳으로 장소를 이동하다.
aller, se rendre, s'en aller, passer, partir
Se déplacer d'un endroit à un autre.

• -고 있다 : 앞의 말이 나타내는 행동이 계속 진행됨을 나타내는 표현.
Pas d'expression équivalente
Expression pour indiquer que l'action de la proposition précédente est toujours en cours.

• -으니까 : 뒤에 오는 말에 대하여 앞에 오는 말이 원인이나 근거, 전제가 됨을 강조하여 나타내는 연결 어미.
Pas d'expression équivalente
Terminaison connective pour souligner que les propos précédents constituent la cause, le fondement ou un prérequis des propos suivants.

• **십 (déterminant)** : 열의.
dix
De dix.

• 분 (nom) : 한 시간의 60분의 1을 나타내는 시간의 단위.
　minute
　Nom dépendant, unité pour représenter un soixantième d'heure.

• 쯤 : '정도'의 뜻을 더하는 접미사.
　Pas d'expression équivalente
　Suffixe signifiant "environ".

• 뒤 (nom) : 시간이나 순서상으로 다음이나 나중.
　avenir, futur, suite
　Prochain, au niveau temporel ou en suivant un certain ordre.

• 에 : 앞말이 시간이나 때임을 나타내는 조사.
　à, en
　Particule indiquant que la proposition précédente (en coréen) est l'heure ou le moment.

• 도착하다 (verbe) : 목적지에 다다르다.
　arriver à, atteindre, parvenir à
　Parvenir à destination.

• -ㄹ 것 : 명사가 아닌 것을 문장에서 명사처럼 쓰이게 하거나 '이다' 앞에 쓰일 수 있게 할 때 쓰는 표현.
　Pas d'expression équivalente
　Expression utilisée pour qu'un mot qui n'est pas un nom soit utilisé comme tel dans une phrase, ou pour que ce mot se place devant l'expression « lda(être) »

• 이다 : 주어가 지시하는 대상의 속성이나 부류를 지정하는 뜻을 나타내는 서술격 조사.
　Pas d'expression équivalente
　Particule du cas prédicatif pour indiquer la caractéristique ou la catégorie d'un objet qui se rapporte au sujet d'une phrase.

• -야 : (두루낮춤으로) 어떤 사실에 대하여 서술하거나 물음을 나타내는 종결 어미.
　Pas d'expression équivalente
　(forme non honorifique non formelle) Terminaison finale indiquant une description ou une interrogation sur un fait. <description>

< 대화(conversation) > - 20

넌 안경을 쓰고 있을 때 더 멋있어 보인다.
넌 안경을 쓰고 이쓸 때 더 머시써 보인다.
neon angyeongeul sseugo isseul ttae deo meosisseo boinda.

그래? 이제부터 계속 쓰고 다닐까 봐.
그래? 이제부터 계속(게속) 쓰고 다닐까 봐.
geurae? ijebuteo gyesok(gesok) sseugo danilkka bwa.

< 설명(explication) / 번역(traduction) >

너+는 안경+을 쓰+[고 있]+[을 때] 더 <u>멋있</u>+[어 보이]+ㄴ다.
넌   멋있어 보인다

- 너 (pronom) : 듣는 사람이 친구나 아랫사람일 때, 그 사람을 가리키는 말.
  tu, toi
  Terme designant l'interlocuteur, quand celui-ci est un ami ou une personne de rang inférieur.

- 는 : 문장 속에서 어떤 대상이 화제임을 나타내는 조사.
  Pas d'expression équivalente
  Particule indiquant qu'un objet est le principal sujet d'une phrase.

- 안경 (nom) : 눈을 보호하거나 시력이 좋지 않은 사람이 잘 볼 수 있도록 눈에 쓰는 물건.
  lunettes
  Objet porté près des yeux et utilisé pour les protéger ou pour corriger la vue.

- 을 : 동작이 직접적으로 영향을 미치는 대상을 나타내는 조사.
  Pas d'expression équivalente
  Particule indiquant un objet directement influencé par un acte.

- 쓰다 (verbe) : 얼굴에 어떤 물건을 걸거나 덮어쓰다.
  porter, prendre, se masquer
  Mettre sur le visage quelque chose ou le couvrir.

- -고 있다 : 앞의 말이 나타내는 행동의 결과가 계속됨을 나타내는 표현.
  Pas d'expression équivalente
  Expression pour indiquer que le résultat de l'action de la proposition précédente continue.

• -을 때 : 어떤 행동이나 상황이 일어나는 동안이나 그 시기 또는 그러한 일이 일어난 경우를 나타내는
　　　표현.
Pas d'expression équivalente
Expression utilisée pour indiquer le moment, la période ou le cas où une action est
effectuée ou où il se passe quelque chose.

• 더 (adverbe) : 비교의 대상이나 어떤 기준보다 정도가 크게, 그 이상으로.
encore un peu, encore plus, davantage, encore davantage
De façon à ce que le degré de quelque chose soit plus grand que l'objet de la comparaison
en question ou qu'il soit plus grand qu'un certain critère ou supérieur à ce dernier.

• 멋있다 (adjectif) : 매우 좋거나 훌륭하다.
chic, élégant
Qui est très bon ou excellent.

• -어 보이다 : 겉으로 볼 때 앞의 말이 나타내는 것처럼 느껴지거나 추측됨을 나타내는 표현.
Pas d'expression équivalente
Expression indiquant le fait de ressentir ce qui est exprimé par les propos précédents ou de
supposer ce sentiment en apparence.

• -ㄴ다 : (아주낮춤으로) 현재 사건이나 사실을 서술함을 나타내는 종결 어미.
Pas d'expression équivalente
(forme non honorifique très marquée) Terminaison finale pour décrire un évènement ou un
fait présent.

그래?

이제+부터 계속 쓰+고 다니+[ㄹ까 보]+아.
다닐까 봐

• 그래 (exclamatif) : 상대편의 말에 대한 감탄이나 가벼운 놀라움을 나타낼 때 쓰는 말.
c'est vrai, vraiment?
Terme exprimant l'admiration ou un léger étonnement envers les propos de l'interlocuteur.

• 이제 (nom) : 말하고 있는 바로 이때.
maintenant, présent
Moment présent où je parle.

• 부터 : 어떤 일의 시작이나 처음을 나타내는 조사.
Pas d'expression équivalente
Particule servant à exprimer le début ou l'origine d'une chose.

• **계속** (adverbe) : 끊이지 않고 잇따라.
continuellement, constamment, toujours, à tout instant, sans arrêt, sans cesse
De façon continuelle, sans interruption.

• **쓰다** (verbe) : 얼굴에 어떤 물건을 걸거나 덮어쓰다.
porter, prendre, se masquer
Mettre sur le visage quelque chose ou le couvrir.

• **-고** : 앞의 말이 나타내는 행동이나 그 결과가 뒤에 오는 행동이 일어나는 동안에 그대로 지속됨을 나타내는 연결 어미.
Pas d'expression équivalente
Terminaison connective indiquant que l'action exprimée par les propos précédents ou le résultat de cette action continuent pendant que se déroule l'action suivante.

• **다니다** (verbe) : 이리저리 오고 가다.
Pas d'expression équivalente
Circuler çà et là.

• **-ㄹ까 보다** : 앞에 오는 말이 나타내는 행동을 할 의도가 있음을 나타내는 표현.
Pas d'expression équivalente
Expression indiquant que l'on a l'intention de faire l'action mentionnée dans la proposition précédente.

• **-아** : (두루낮춤으로) 어떤 사실을 서술하거나 물음, 명령, 권유를 나타내는 종결 어미.
Pas d'expression équivalente
(forme non honorifique non formelle) Terminaison finale pour décrire un fait ou pour indiquer une question, un ordre, ou une recommandation. **<description>**

< 대화(conversation) > - 21

이건 어렸을 때 찍은 제 가족 사진이에요.
이건 어려쓸 때 찌근 제 가족 사지니에요.
igeon eoryeosseul ttae jjigeun je gajok sajinieyo.

시우 씨 어렸을 때는 키가 작고 통통했군요.
시우 씨 어려쓸 때는 키가 작꼬 통통핻꾸뇨.
siu ssi eoryeosseul ttaeneun kiga jakgo tongtonghaetgunyo.

< 설명(explication) / 번역(traduction) >

이것(이거)+은 어리+었+[을 때] 찍+은 저+의 가족 사진+이+에요.
　　이건　　　　　　어렸을 때　　　　　　제

- 이것 (pronom) : 말하는 사람에게 가까이 있거나 말하는 사람이 생각하고 있는 것을 가리키는 말.
  ce, ceci, cela, celui (celle, ceux, celles)-ci
  Terme indiquant ce que pense une personne se trouvant près du locuteur ou le locuteur lui-même.

- 은 : 문장 속에서 어떤 대상이 화제임을 나타내는 조사.
  Pas d'expression équivalente
  Particule indiquant qu'un objet est le principal sujet (de conversation) d'une phrase.

- 어리다 (adjectif) : 나이가 적다.
  petit, tout jeune
  (Âge) Qui est jeune.

- -었- : 사건이 과거에 일어났음을 나타내는 어미.
  Pas d'expression équivalente
  Terminaison indiquant qu'un évènement s'est produit dans le passé.

- -을 때 : 어떤 행동이나 상황이 일어나는 동안이나 그 시기 또는 그러한 일이 일어난 경우를 나타내는 표현.
  Pas d'expression équivalente
  Expression utilisée pour indiquer le moment, la période ou le cas où une action est effectuée ou où il se passe quelque chose.

• **찍다 (verbe)** : 어떤 대상을 카메라로 비추어 그 모양을 필름에 옮기다.
photographier, filmer
Prendre quelque chose en photo et transférer son image sur un film.

• **-은** : 앞의 말이 관형어의 기능을 하게 만들고 사건이나 동작이 과거에 일어났음을 나타내는 어미.
Pas d'expression équivalente
Terminaison faisant fonctionner le mot précédent comme un déterminant et indiquant que l'événement ou l'action en question s'est déroulé dans le passé.

• **저 (pronom)** : 말하는 사람이 듣는 사람에게 자신을 낮추어 가리키는 말.
moi, je
Terme utilisé par le locuteur pour se désigner en s'abaissant.

• **의** : 앞의 말이 뒤의 말에 대하여 소유, 소속, 소재, 관계, 기원, 주체의 관계를 가짐을 나타내는 조사.
Pas d'expression équivalente
Particule pour indiquer que la proposition précédente prend une relation de possession, d'appartenance, d'emplacement, de relation, d'origine ou de sujet d'action par rapport à la proposition suivante.

• **가족 (nom)** : 주로 한 집에 모여 살고 결혼이나 부모, 자식, 형제 등의 관계로 이루어진 사람들의 집단. 또는 그 구성원.
famille
Groupe de personnes vivant généralement dans la même maison et entretenant une relation de parents-enfants, de frères-sœurs, etc. ; membre d'un tel groupe.

• **사진 (nom)** : 사물의 모습을 오래 보존할 수 있도록 사진기로 찍어 종이나 컴퓨터 등에 나타낸 영상.
photographie, photo, cliché
Image prise à l'aide d'un appareil photo et reproduite sur papier ou ordinateur pour être conservée.

• **이다** : 주어가 지시하는 대상의 속성이나 부류를 지정하는 뜻을 나타내는 서술격 조사.
Pas d'expression équivalente
Particule du cas prédicatif pour indiquer la caractéristique ou la catégorie d'un objet qui se rapporte au sujet d'une phrase.

• **-에요** : (두루높임으로) 어떤 사실을 서술하거나 질문함을 나타내는 종결 어미.
Pas d'expression équivalente
(forme honorifique non formelle) Terminaison finale pour décrire un fait ou pour indiquer une question. <description>

시우 씨 어리+었+[을 때]+는 키+가 작+고 통통하+였+군요.
　　　　어렸을 때는　　　　　　　　　　통통했군요

• **시우 (nom)** : nom de personne

• **씨 (nom)** : 그 사람을 높여 부르거나 이르는 말.
  Pas d'expression équivalente
  Nom dépendant utilisé pour s'adresser ou désigner une personne sous la forme honorifique.

• **어리다 (adjectif)** : 나이가 적다.
  petit, tout jeune
  (Âge) Qui est jeune.

• **-었-** : 사건이 과거에 일어났음을 나타내는 어미.
  Pas d'expression équivalente
  Terminaison indiquant qu'un évènement s'est produit dans le passé.

• **-을 때** : 어떤 행동이나 상황이 일어나는 동안이나 그 시기 또는 그러한 일이 일어난 경우를 나타내는
            표현.
  Pas d'expression équivalente
  Expression utilisée pour indiquer le moment, la période ou le cas où une action est effectuée ou où il se passe quelque chose.

• **는** : 어떤 대상이 다른 것과 대조됨을 나타내는 조사.
  Pas d'expression équivalente
  Particule indiquant qu'un objet contraste avec un autre.

• **키 (nom)** : 사람이나 동물이 바로 섰을 때의 발에서부터 머리까지의 몸의 길이.
  taille, grandeur
  Longueur du corps allant des pieds jusqu'à la tête, calculée quand les hommes ou les animaux se tiennent droit.

• **가** : 어떤 상태나 상황에 놓인 대상이나 동작의 주체를 나타내는 조사.
  Pas d'expression équivalente
  Particule indiquant l'objet d'un état ou d'une situation, ou le sujet d'une action.

• **작다 (adjectif)** : 길이, 넓이, 부피 등이 다른 것이나 보통보다 덜하다.
  petit, tout petit, minuscule, court
  (Longueur, largeur, volume, etc. de quelque chose) Inférieur à une autre chose ou la moyenne.

• **-고** : 두 가지 이상의 대등한 사실을 나열할 때 쓰는 연결 어미.
  Pas d'expression équivalente
  Terminaison connective utilisée pour énumérer deux faits égaux ou plus.

• **통통하다 (adjectif)** : 키가 작고 살이 쪄서 몸이 옆으로 퍼져 있다.
  potelé, joufflu, rondelet
  Qui a le corps large, parce qu'il est petit et gros.

• -였- : 사건이 과거에 일어났음을 나타내는 어미.
Pas d'expression équivalente
Terminaison indiquant qu'un évènement s'est produit dans le passé.

• -군요 : (두루높임으로) 새롭게 알게 된 사실에 주목하거나 감탄함을 나타내는 표현.
Pas d'expression équivalente
(forme honorifique non formelle) Expression indiquant que l'on prête attention ou que l'on s'exclame d'un fait nouveau que l'on vient d'apprendre.

< 대화(conversation) > - 22

꼼꼼한 지우 씨도 어제 큰 실수를 했나 봐요.
꼼꼼한 지우 씨도 어제 큰 실쑤를 핸나 봐요.
kkomkkomhan jiu ssido eoje keun silsureul haenna bwayo.

아무리 꼼꼼한 사람이라도 서두르면 실수하기 쉽지요.
아무리 꼼꼼한 사라미라도 서두르면 실쑤하기 쉽찌요.
amuri kkomkkomhan saramirado seodureumyeon silsuhagi swipjiyo.

< 설명(explication) / 번역(traduction) >

꼼꼼하+ㄴ 지우 씨+도 어제 크+ㄴ 실수+를 하+였+[나 보]+아요.
　꼼꼼한　　　　　　　　　 큰　　　　　 했나 봐요

- **꼼꼼하다 (adjectif)** : 빈틈이 없이 자세하고 차분하다.
  méticuleux, minutieux, détaillé
  Qui est irréprochable, précis et calme.

- **-ㄴ** : 앞의 말이 관형어의 기능을 하게 만들고 현재의 상태를 나타내는 어미.
  Pas d'expression équivalente
  Terminaison donnant la fonction de déterminant à la proposition précédente et exprimant l'état présent.

- **지우 (nom)** : nom de personne

- **씨 (nom)** : 그 사람을 높여 부르거나 이르는 말.
  Pas d'expression équivalente
  Nom dépendant utilisé pour s'adresser ou désigner une personne sous la forme honorifique.

- **도** : 이미 있는 어떤 것에 다른 것을 더하거나 포함함을 나타내는 조사.
  Pas d'expression équivalente
  Particule indiquant qu'une chose est ajoutée ou comprise dans une autre qui existe déjà.

- **어제 (adverbe)** : 오늘의 하루 전날에.
  hier
  Un jour avant aujourd'hui.

- **크다 (adjectif)** : 어떤 일의 규모, 범위, 정도, 힘 등이 보통 수준을 넘다.
  grand, considérable, sérieux
  Qui dépasse le niveau ordinaire, en parlant de l'envergure, de l'étendue, du degré, de la force, etc.

- **-ㄴ** : 앞의 말이 관형어의 기능을 하게 만들고 현재의 상태를 나타내는 어미.
  Pas d'expression équivalente
  Terminaison donnant la fonction de déterminant à la proposition précédente et exprimant l'état présent.

- **실수 (nom)** : 잘 알지 못하거나 조심하지 않아서 저지르는 잘못.
  erreur, faute
  Maladresse commise du fait de ne pas être bien renseigné ou de ne pas faire attention.

- **를** : 동작이 직접적으로 영향을 미치는 대상을 나타내는 조사.
  Pas d'expression équivalente
  Particule indiquant un objet directement influencé par un mouvement.

- **하다 (verbe)** : 어떤 행동이나 동작, 활동 등을 행하다.
  faire, exécuter, effectuer, s'occuper de
  Effectuer une action, un mouvement, une activité, etc.

- **-였-** : 사건이 과거에 일어났음을 나타내는 어미.
  Pas d'expression équivalente
  Terminaison indiquant qu'un évènement s'est produit dans le passé.

- **-나 보다** : 앞의 말이 나타내는 사실을 추측함을 나타내는 표현.
  Pas d'expression équivalente
  Expression indiquant la supposition quant au fait mentionné dans la proposition précédente.

- **-아요** : (두루높임으로) 어떤 사실을 서술하거나 질문, 명령, 권유함을 나타내는 종결 어미.
  Pas d'expression équivalente
  (forme honorifique non formelle) Terminaison finale pour décrire un fait ou pour indiquer une question, un ordre ou une recommandation. <description>

아무리 꼼꼼하+ㄴ 사람+이라도 서두르+면 실수하+[기가 쉽]+지요.
　　　　꼼꼼한

- **아무리 (adverbe)** : 정도가 매우 심하게.
  Pas d'expression équivalente
  (Degré) De manière vraiment excessive.

- **꼼꼼하다** (adjectif) : 빈틈이 없이 자세하고 차분하다.

  méticuleux, minutieux, détaillé

  Qui est irréprochable, précis et calme.

- **-ㄴ** : 앞의 말이 관형어의 기능을 하게 만들고 현재의 상태를 나타내는 어미.

  Pas d'expression équivalente

  Terminaison donnant la fonction de déterminant à la proposition précédente et exprimant l'état présent.

- **사람** (nom) : 생각할 수 있으며 언어와 도구를 만들어 사용하고 사회를 이루어 사는 존재.

  homme, personne, gens, monsieur

  Être pouvant penser, créer des langues, fabriquer des outils et vivre en société.

- **이라도** : 다른 경우들과 마찬가지임을 나타내는 조사.

  Pas d'expression équivalente

  Particule utilisée pour indiquer que le cas est identique aux autres.

- **서두르다** (verbe) : 일을 빨리하려고 침착하지 못하고 급하게 행동하다.

  se hâter, se dépêcher, accélérer

  Réagir rapidement sans se calmer pour se presser d'achever une tâche.

- **-면** : 뒤에 오는 말에 대한 근거나 조건이 됨을 나타내는 연결 어미.

  Pas d'expression équivalente

  Terminaison connective indiquant une chose qui constitue le fondement ou la condition des propos suivants.

- **실수하다** (verbe) : 잘 알지 못하거나 조심하지 않아서 잘못을 저지르다.

  commettre une erreur, commettre une faute

  Commettre une maladresse, du fait de ne pas avoir été bien renseigné ou de ne pas avoir fait attention.

- **-기가 쉽다** : 앞의 말이 나타내는 행위를 하거나 그런 상태가 될 가능성이 많음을 나타내는 표현.

  Pas d'expression équivalente

  Expression pour indiquer qu'il y a de fortes probabilités que se produise l'action ou l'état précisé(e) dans la proposition précédente.

- **-지요** : (두루높임으로) 말하는 사람이 자신에 대한 이야기나 자신의 생각을 친근하게 말할 때 쓰는 종결 어미.

  Pas d'expression équivalente

  (forme honorifique non formelle) Terminaison finale utilisée par le locuteur pour parler d'une chose qui le concerne, ou pour affirmer sa pensée sur un ton familier.

< 대화(conversation) > - 23

방이 되게 좁은 줄 알았는데 이렇게 보니 괜찮네.
방이 되게 조븐 줄 아란는데 이러케 보니 괜찬네.
bangi doege jobeun jul aranneunde ireoke boni gwaenchanne.

좁은 공간도 꾸미기 나름이야.
조븐 공간도 꾸미기 나르미야.
jobeun gonggando kkumigi nareumiya.

< 설명(explication) / 번역(traduction) >

방+이 되게 좁+[은 줄] 알+았+는데 이렇+게 보+니 괜찮+네.

- **방 (nom)** : 사람이 살거나 일을 하기 위해 벽을 둘러서 막은 공간.
  pièce, chambre, piaule, salle
  Espace délimité par des murs, pour y vivre ou pour y travailler.

- **이** : 어떤 상태나 상황의 대상이나 동작의 주체를 나타내는 조사.
  Pas d'expression équivalente
  Particule qui indique l'objet d'un état ou d'une situation, ou le sujet d'une action.

- **되게 (adverbe)** : 아주 몹시.
  très, extrêmement, immensément, énormément, rudement
  D'une manière intense.

- **좁다 (adjectif)** : 면이나 바닥 등의 면적이 작다.
  étroit
  (Superficie d'une surface, d'un sol, etc.) Qui est petite.

- **-은 줄** : 어떤 사실이나 상태에 대해 알고 있거나 모르고 있음을 나타내는 표현.
  Pas d'expression équivalente
  Expression indiquant le fait d'être au courant ou non d'un fait ou d'un état.

- **알다 (verbe)** : 어떤 사실을 그러하다고 여기거나 생각하다.
  prendre pour, considérer comme, croire, estimer
  Considérer ou imaginer un fait comme tel.

• -았- : 사건이 과거에 일어났음을 나타내는 어미.
Pas d'expression équivalente
Terminaison indiquant qu'un évènement s'est produit dans le passé.

• -는데 : 뒤의 말을 하기 위하여 그 대상과 관련이 있는 상황을 미리 말함을 나타내는 연결 어미.
Pas d'expression équivalente
Terminaison connective indiquant le fait de parler à l'avance d'une situation en rapport avec l'objet des propos suivants.

• **이렇다 (adjectif)** : 상태, 모양, 성질 등이 이와 같다.
tel
(État, forme, nature, etc.) Qui est semblable à cela.

• -게 : 앞의 말이 뒤에서 가리키는 일의 목적이나 결과, 방식, 정도 등이 됨을 나타내는 연결 어미.
Pas d'expression équivalente
Terminaison connective indiquant que les propos précédents constituent l'objectif, le résultat, la méthode ou le degré des propos qui suivent.

• **보다 (verbe)** : 대상의 내용이나 상태를 알기 위하여 살피다.
Pas d'expression équivalente
Examiner un objet pour connaître son contenu ou son état.

• -니 : 뒤에 오는 말에 대하여 앞에 오는 말이 원인이나 근거, 전제가 됨을 나타내는 연결 어미.
Pas d'expression équivalente
Terminaison connective indiquant que les propos précédents constituent la cause, la base et la présupposition des propos suivants.

• **괜찮다 (adjectif)** : 꽤 좋다.
pas mal
Qui est plutôt bien.

• -네 : (아주낮춤으로) 지금 깨달은 일에 대하여 말함을 나타내는 종결 어미.
Pas d'expression équivalente
(forme non honorifique très marquée) Terminaison finale pour indiquer que le locuteur parle d'une chose dont il vient de se rendre compte.

좁+은 공간+도 꾸미+[기 나름이]+야.

• **좁다 (adjectif)** : 면이나 바닥 등의 면적이 작다.
étroit
(Superficie d'une surface, d'un sol, etc.) Qui est petite.

- -은 : 앞의 말이 관형어의 기능을 하게 만들고 현재의 상태를 나타내는 어미.
Pas d'expression équivalente
Terminaison faisant fonctionner le mot précédent comme un déterminant et exprimant l'état présent.

- **공간 (nom)** : 아무것도 없는 빈 곳이나 자리.
espace
Étendue ou place vide.

- 도 : 이미 있는 어떤 것에 다른 것을 더하거나 포함함을 나타내는 조사.
Pas d'expression équivalente
Particule indiquant qu'une chose est ajoutée ou comprise dans une autre qui existe déjà.

- **꾸미다 (verbe)** : 모양이 좋아지도록 손질하다.
décorer, orner, parer
Retoucher quelque chose pour en améliorer l'apparence.

- -기 나름이다 : 어떤 일이 앞의 말이 나타내는 행동을 어떻게 하느냐에 따라 달라질 수 있음을 나타내는 표현.
Pas d'expression équivalente
Expression pour indiquer qu'une chose dépend de l'action indiquée dans la proposition précédente.

- -야 : (두루낮춤으로) 어떤 사실에 대하여 서술하거나 물음을 나타내는 종결 어미.
Pas d'expression équivalente
(forme non honorifique non formelle) Terminaison finale indiquant une description ou une interrogation sur un fait. **<description>**

< 대화(conversation) > - 24

나물 반찬 말고 더 맛있는 거 없어요?
나물 반찬 말고 더 마신는 거 업써요?
namul banchan malgo deo masinneun geo eopseoyo?

반찬 투정하지 말고 빨리 먹기나 해.
반찬 투정하지 말고 빨리 먹끼나 해.
banchan tujeonghaji malgo ppalli meokgina hae.

< 설명(explication) / 번역(traduction) >

나물 반찬 말+고 더 <u>맛있+[는 것(거)]</u> 없+어요?
맛있는 거

- **나물 (nom)** : 먹을 수 있는 풀이나 나뭇잎, 채소 등을 삶거나 볶거나 또는 날것으로 양념하여 무친 반찬.
  namul, plat d'accompagnements coréen fait de végétaux assaisonnés
  Plat d'accompagnement à base d'herbes, de feuilles d'arbres ou de légumes comestibles, bouillis, sautés ou crus puis assaisonnés avec des épices.

- **반찬 (nom)** : 식사를 할 때 밥에 곁들여 먹는 음식.
  plat d'accompagnement
  Aliment qu'on mange avec le riz, pendant un repas.

- **말다 (verbe)** : 앞의 것이 아니고 뒤의 것임을 나타내는 말.
  (v.) au lieu de, à la place de
  Ce qui est dit par la suite plutôt que ce qui est dit précédemment.

- **-고** : 두 가지 이상의 대등한 사실을 나열할 때 쓰는 연결 어미.
  Pas d'expression équivalente
  Terminaison connective utilisée pour énumérer deux faits égaux ou plus.

- **더 (adverbe)** : 비교의 대상이나 어떤 기준보다 정도가 크게, 그 이상으로.
  encore un peu, encore plus, davantage, encore davantage
  De façon à ce que le degré de quelque chose soit plus grand que l'objet de la comparaison en question ou qu'il soit plus grand qu'un certain critère ou supérieur à ce dernier.

- **맛있다 (adjectif)** : 맛이 좋다.
  délicieux, bon
  Dont le goût est bon.

- **-는 것** : 명사가 아닌 것을 문장에서 명사처럼 쓰이게 하거나 '이다' 앞에 쓰일 수 있게 할 때 쓰는 표현.
  Pas d'expression équivalente
  Expression permettant d'utiliser un groupe non nominal comme un nom dans une phrase ou de l'utiliser avec '이다'.

- **없다 (adjectif)** : 사람, 사물, 현상 등이 어떤 곳에 자리나 공간을 차지하고 존재하지 않는 상태이다.
  Pas d'expression équivalente
  (Quelqu'un, objet, phénomène, etc.) Qui n'existe pas puisque n'étant présent nulle part.

- **-어요** : (두루높임으로) 어떤 사실을 서술하거나 질문, 명령, 권유함을 나타내는 종결 어미.
  Pas d'expression équivalente
  (forme honorifique non formelle) Terminaison finale pour décrire un fait ou pour indiquer une question, un ordre ou une recommandation. <question>

반찬 투정하+[지 말]+고 빨리 먹+[기나 하]+여.
먹기나 해

- **반찬 (nom)** : 식사를 할 때 밥에 곁들여 먹는 음식.
  plat d'accompagnement
  Aliment qu'on mange avec le riz, pendant un repas.

- **투정하다 (verbe)** : 무엇이 모자라거나 마음에 들지 않아 떼를 쓰며 조르다.
  se plaindre, faire un caprice
  Geindre et réclamer quelque chose à quelqu'un parce qu'on le trouve insuffisant ou insatisfaisant.

- **-지 말다** : 앞의 말이 나타내는 행동을 하지 못하게 함을 나타내는 표현.
  Pas d'expression équivalente
  Expression pour indiquer que le locuteur interdit l'action de la proposition précédente.

- **-고** : 앞의 말과 뒤의 말이 차례대로 일어남을 나타내는 연결 어미.
  Pas d'expression équivalente
  Terminaison connective indiquant que les propos précédents et les propos suivants se succèdent tour à tour.

- **빨리 (adverbe)** : 걸리는 시간이 짧게.
  vite, rapidement
  (Temps nécessaire pour faire une action) Brièvement.

• **먹다 (verbe)** : 음식 등을 입을 통하여 배 속에 들여보내다.

  manger, prendre

  Mettre de la nourriture dans sa bouche et l'avaler.

• **-기나 하다** : 마음에 차지는 않지만 듣는 사람이나 다른 사람이 앞의 말이 나타내는 행동을 하길 바랄 때 쓰는 표현.

  Pas d'expression équivalente

  Expression indiquant que le locuteur espère que l'interlocuteur ou une autre personne fasse l'action précisée dans la proposition précédente, bien qu'insatisfaisante.

• **-여** : (두루낮춤으로) 어떤 사실을 서술하거나 물음, 명령, 권유를 나타내는 종결 어미.

  Pas d'expression équivalente

  (forme non honorifique non formelle) Terminaison finale pour décrire un fait ou pour indiquer une question, un ordre, ou une recommandation. **<ordre>**

< 대화(conversation) > - 25

수박 한 통에 이만 원이라고요? 좀 비싼데요.
수박 한 통에 이만 워니라고요? 좀 비싼데요.
subak han tonge iman woniragoyo? jom bissandeyo.

비싸기는요. 요즘 물가가 얼마나 올랐는데요.
비싸기느뇨. 요즘 물까가 얼마나 올란는데요.
bissagineunyo. yojeum mulgaga eolmana ollanneundeyo.

< 설명(explication) / 번역(traduction) >

수박 한 통+에 이만 원+이+라고요?

좀 비싸+ㄴ데요.
　　　비싼데요

- **수박 (nom)** : 둥글고 크며 초록 빛깔에 검푸른 줄무늬가 있으며 속이 붉고 수분이 많은 과일.
  pastèque, melon d'eau
  Fruit rond et grand, vert et à rayures vertes-noires, dont l'intérieur est rouge et aqueux.

- **한 (déterminant)** : 하나의.
  un
  D'un.

- **통 (nom)** : 배추나 수박, 호박 등을 세는 단위.
  Pas d'expression équivalente
  Quantificateur pour compter le nombre de choux, de pastèques, de citrouilles, etc.

- **에** : 앞말이 기준이 되는 대상이나 단위임을 나타내는 조사.
  Pas d'expression équivalente
  Particule indiquant que la proposition précédente est l'objet ou l'unité qui est pris comme référence.

- **이만** : 20,000

• **원 (nom)** : 한국의 화폐 단위.

Won

Nom dépendant indiquant l'unité monétaire de la Corée du Sud.

• **이다** : 주어가 지시하는 대상의 속성이나 부류를 지정하는 뜻을 나타내는 서술격 조사.

Pas d'expression équivalente

Particule du cas prédicatif pour indiquer la caractéristique ou la catégorie d'un objet qui se rapporte au sujet d'une phrase.

• **-라고요** : (두루높임으로) 다른 사람의 말을 확인하거나 따져 물을 때 쓰는 표현.

Pas d'expression équivalente

(forme honorifique non formelle) Expression utilisée pour vérifier les propos d'une personne ou pour lui réclamer des explications.

• **좀 (adverbe)** : 분량이나 정도가 적게.

peu, guère, quelques, légèrement

(Quantité ou degré) Petitement.

• **비싸다 (adjectif)** : 물건값이나 어떤 일을 하는 데 드는 비용이 보통보다 높다.

cher, coûteux, onéreux

(Prix d'un objet ou coût pour faire quelque chose) Être plus élevé que la normale.

• **-ㄴ데요** : (두루높임으로) 의외라 느껴지는 어떤 사실을 감탄하여 말할 때 쓰는 표현.

Pas d'expression équivalente

(forme honorifique non formelle) Expression pour parler en s'exclamant d'un fait considéré inattendu.

비싸+기는요.

요즘 물가+가 얼마나 <u>오르(올ㄹ)+았</u>+는데요.
올랐는데요

• **비싸다 (adjectif)** : 물건값이나 어떤 일을 하는 데 드는 비용이 보통보다 높다.

cher, coûteux, onéreux

(Prix d'un objet ou coût pour faire quelque chose) Être plus élevé que la normale.

• **-기는요** : (두루높임으로) 상대방의 말을 가볍게 부정하거나 반박함을 나타내는 표현.

Pas d'expression équivalente

(forme honorifique non formelle) Terminaison finale pour indiquer que le locuteur nie ou réfute légèrement ce que dit un interlocuteur.

• **요즘 (nom)** : 아주 가까운 과거부터 지금까지의 사이.
aujourd'hui, maintenant
Période entre le passé très proche et le présent.

• **물가 (nom)** : 물건이나 서비스의 평균적인 가격.
prix
Prix moyens d'objets ou de services.

• **가** : 어떤 상태나 상황에 놓인 대상이나 동작의 주체를 나타내는 조사.
Pas d'expression équivalente
Particule indiquant l'objet d'un état ou d'une situation, ou le sujet d'une action.

• **얼마나 (adverbe)** : 상태나 느낌 등의 정도가 매우 크고 대단하게.
(adv.) à quel point, comme
(Niveau d'un état ou d'un sentiment) Très important et fort.

• **오르다 (verbe)** : 값, 수치, 온도, 성적 등이 이전보다 많아지거나 높아지다.
monter en, atteindre, se qualifier pour, monter
(Prix, chiffre, température, note, etc.) Augmenter, ou s'élever dans le temps.

• **-았-** : 어떤 사건이 과거에 완료되었거나 그 사건의 결과가 현재까지 지속되는 상황을 나타내는 어미.
Pas d'expression équivalente
Terminaison indiquant une situation où un évènement a eu lieu dans le passé ou que le résultat de cet évènement se poursuit jusqu'à présent.

• **-는데요** : (두루높임으로) 어떤 상황을 전달하여 듣는 사람의 반응을 기대함을 나타내는 표현.
Pas d'expression équivalente
(forme honorifique non formelle) Expression indiquant que l'on attend une réaction de l'interlocuteur en lui transmettant une situation.

< 대화(conversation) > - 26

왜 나한테 거짓말을 했어?
왜 나한테 거진마를 해써?
wae nahante geojinmareul haesseo?

그건 너와 멀어질까 봐 두려웠기 때문이야.
그건 너와 머러질까 봐 두려월끼 때무니야.
geugeon neowa meoreojilkka bwa duryeowotgi ttaemuniya.

< 설명(explication) / 번역(traduction) >

왜 나+한테 거짓말+을 <u>하+였+어</u>?
                                했어

- **왜 (adverbe)** : 무슨 이유로. 또는 어째서.
  pourquoi, dans quelle intention, à quelle fin
  Pour quelle raison ; comment se fait-il que.

- **나 (pronom)** : 말하는 사람이 친구나 아랫사람에게 자기를 가리키는 말.
  je, moi, me
  Terme employé par le locuteur pour se désigner, lorsqu'il s'adresse à une personne du même âge ou plus jeune.

- **한테** : 어떤 행동이 미치는 대상임을 나타내는 조사.
  à quelqu'un
  Particule exprimant que le mot précédent est l'objet d'une action.

- **거짓말 (nom)** : 사실이 아닌 것을 사실인 것처럼 꾸며서 하는 말.
  mensonge
  Parole présentant comme vrai quelque chose qui ne l'est pas.

- **을** : 동작이 직접직으로 영향을 미치는 대상을 나타내는 조사.
  Pas d'expression équivalente
  Particule indiquant un objet directement influencé par un acte.

- **하다 (verbe)** : 어떤 행동이나 동작, 활동 등을 행하다.
  faire, exécuter, effectuer, s'occuper de
  Effectuer une action, un mouvement, une activité, etc.

• -였- : 사건이 과거에 일어났음을 나타내는 어미.
  Pas d'expression équivalente
  Terminaison indiquant qu'un évènement s'est produit dans le passé.

• -어 : (두루낮춤으로) 어떤 사실을 서술하거나 물음, 명령, 권유를 나타내는 종결 어미.
  Pas d'expression équivalente
  (forme non honorifique non formelle) Terminaison finale pour décrire un fait ou pour indiquer une question, un ordre, ou une recommandation. **<question>**

그것(그거)+은 너+와 멀어지+[ㄹ까 보]+아 두렵(두려우)+었+[기 때문]+이+야.
그건   멀어질까 봐   두려웠기 때문이야

• **그것 (pronom)** : 앞에서 이미 이야기한 대상을 가리키는 말.
  il, elle
  Terme désignant un objet précédemment évoqué.

• 은 : 문장 속에서 어떤 대상이 화제임을 나타내는 조사.
  Pas d'expression équivalente
  Particule indiquant qu'un objet est le principal sujet (de conversation) d'une phrase.

• **너 (pronom)** : 듣는 사람이 친구나 아랫사람일 때, 그 사람을 가리키는 말.
  tu, toi
  Terme designant l'interlocuteur, quand celui-ci est un ami ou une personne de rang inférieur.

• 와 : 무엇인가를 상대로 하여 어떤 일을 할 때 그 상대임을 나타내는 조사.
  avec, à
  Particule indiquant qu'un mot est l'autre partie d'un objet lorsque l'on fait quelque chose en relation avec quelqu'un ou quelque chose.

• **멀어지다 (verbe)** : 친하던 사이가 다정하지 않게 되다.
  être éloigné
  (Relation étroite) Ne plus être proche de quelqu'un.

• -ㄹ까 보다 : 앞에 오는 말이 나타내는 상황이 될 것을 걱정하거나 두려워함을 나타내는 표현.
  Pas d'expression équivalente
  Expression indiquant que l'on s'inquiète ou que l'on redoute que la situation exprimée par la proposition précédente ne se produise.

• -아 : 앞에 오는 말이 뒤에 오는 말에 대한 원인이나 이유임을 나타내는 연결 어미.
  Pas d'expression équivalente
  Terminaison connective indiquant que les propos précédents constituent la cause ou la raison des propos suivants.

• **두렵다** (adjectif) : 걱정되고 불안하다.

craintif, effrayé, épouvanté, inquiété, préoccupé, (adj.) avoir peur

Soucieux et anxieux.

• **-었-** : 사건이 과거에 일어났음을 나타내는 어미.

Pas d'expression équivalente

Terminaison indiquant qu'un évènement s'est produit dans le passé.

• **-기 때문** : 앞의 내용이 뒤에 오는 일의 원인이나 까닭임을 나타내는 표현.

Pas d'expression équivalente

Expression pour indiquer que la proposition précédente est la cause ou la raison de la proposition suivante.

• **이다** : 주어가 지시하는 대상의 속성이나 부류를 지정하는 뜻을 나타내는 서술격 조사.

Pas d'expression équivalente

Particule du cas prédicatif pour indiquer la caractéristique ou la catégorie d'un objet qui se rapporte au sujet d'une phrase.

• **-야** : (두루낮춤으로) 어떤 사실에 대하여 서술하거나 물음을 나타내는 종결 어미.

Pas d'expression équivalente

(forme non honorifique non formelle) Terminaison finale indiquant une description ou une interrogation sur un fait. **<description>**

< 대화(conversation) > - 27

이번 휴가 때 남자 친구에게 운전을 배우기로 했어.
이번 휴가 때 남자 친구에게 운저늘 배우기로 해써.
ibeon hyuga ttae namja chinguege unjeoneul baeugiro haesseo.

그러면 분명히 서로 싸우게 될 텐데⋯⋯.
그러면 분명히 서로 싸우게 될 텐데⋯⋯.
geureomyeon bunmyeonghi seoro ssauge doel tende⋯⋯.

< 설명(explication) / 번역(traduction) >

이번 휴가 때 남자 친구+에게 운전+을 배우+[기로 하]+였+어.
                          배우기로 했어

- **이번 (nom)** : 곧 돌아올 차례. 또는 막 지나간 차례.
  cette fois-ici, (n.) ce
  Tour qui reviendra bientôt ; tour qui vient de passer.

- **휴가 (nom)** : 직장이나 군대 등의 단체에 속한 사람이 일정한 기간 동안 일터를 벗어나서 쉬는 일. 또는 그런 기간.
  congé, vacances
  Période donnée aux personnes appartenant à une entreprise ou une armée afin de se reposer en dehors de leur lieu de travail ; telle période.

- **때 (nom)** : 어떤 시기 동안.
  Pas d'expression équivalente
  Pendant une certaine période.

- **남자 친구 (nom)** : 여자가 사랑하는 감정을 가지고 사귀는 남자.
  ami, copain, petit ami
  Homme pour lequel une femme éprouve des sentiments amoureux et avec lequel elle est liée.

- **에게** : 어떤 행동의 주체이거나 비롯되는 대상임을 나타내는 조사.
  Pas d'expression équivalente
  Particule indiquant le sujet d'une action ou l'objet qui commence une action.

- **운전 (nom)** : 기계나 자동차를 움직이고 조종함.
  conduite
  Action de conduire un véhicule ou de faire marcher une machine.

- **을** : 동작이 직접적으로 영향을 미치는 대상을 나타내는 조사.
  Pas d'expression équivalente
  Particule indiquant un objet directement influencé par un acte.

- **배우다 (verbe)** : 새로운 기술을 익히다.
  apprendre, s'initier à
  Faire l'apprentissage d'une nouvelle technique.

- **-기로 하다** : 앞의 말이 나타내는 행동을 할 것을 결심하거나 약속함을 나타내는 표현.
  Pas d'expression équivalente
  Expression pour indiquer que le locuteur se décide à faire l'action de la proposition précédente ou en fait la promesse.

- **-였-** : 어떤 사건이 과거에 완료되었거나 그 사건의 결과가 현재까지 지속되는 상황을 나타내는 어미.
  Pas d'expression équivalente
  Terminaison indiquant qu'un évènement a été accompli dans le passé ou que le résultat de cet évènement perdure jusqu'à présent.

- **-어** : (두루낮춤으로) 어떤 사실을 서술하거나 물음, 명령, 권유를 나타내는 종결 어미.
  Pas d'expression équivalente
  (forme non honorifique non formelle) Terminaison finale pour décrire un fait ou pour indiquer une question, un ordre, ou une recommandation. <description>

그러면 분명히 서로 싸우+[게 되]+[ㄹ 텐데]…….
싸우게 될 텐데

- **그러면 (adverbe)** : 앞의 내용이 뒤의 내용의 조건이 될 때 쓰는 말.
  alors, donc, comme cela, comme ça, ainsi, et
  Terme utilisé lorsque le contenu précédent constitue la condition du suivant.

- **분명히 (adverbe)** : 어떤 사실이 틀림이 없이 확실하게.
  clairement, nettement, distinctement, certainement, manifestement, sûrement
  De sorte qu'un fait soit certain et sûr.

- **서로 (adverbe)** : 관계를 맺고 있는 둘 이상의 대상이 각기 그 상대에 대하여.
  l'un l'autre, l'un à l'autre
  Envers chacun, parmi deux ou plusieurs personnes en relation.

- **싸우다** (verbe) : 말이나 힘으로 이기려고 다투다.

  se disputer, se quereller, se brouiller, se chamailler

  Avoir un différend avec quelqu'un dans lequel on cherche à l'emporter par la parole ou par la force.

- -게 되다 : 앞의 말이 나타내는 상태나 상황이 됨을 나타내는 표현.

  Pas d'expression équivalente

  Expression indiquant que l'état ou la situation exprimé(e) par les propos précédents se produit.

- -ㄹ 텐데 : 앞에 오는 말에 대하여 말하는 사람의 강한 추측을 나타내면서 그와 관련되는 내용을 이어 말할 때 쓰는 표현.

  Pas d'expression équivalente

  Expression indiquant une forte supposition du locuteur quant aux propos précédents, tout en poursuivant sur un sujet qui leur est lié.

< 대화(conversation) > - 28

운동선수로서 뭐가 제일 힘들어?
운동선수로서 뭐가 제일 힘드러?
undongseonsuroseo mwoga jeil himdeureo?

글쎄, 체중을 조절하기 위한 끊임없는 노력이겠지.
글쎄, 체중을 조절하기 위한 끄니멈는 노려기겓찌.
geulsse, chejungeul jojeolhagi wihan kkeunimeomneun noryeogigetji.

< 설명(explication) / 번역(traduction) >

운동선수+로서 뭐+가 제일 힘들+어?

• **운동선수 (nom)** : 운동에 뛰어난 재주가 있어 전문적으로 운동을 하는 사람.
  joueur(se), sportif(ve), athlète
  Personne qui a un talent pour un sport, et qui le pratique professionnellement.

• **로서** : 어떤 지위나 신분, 자격을 나타내는 조사.
  en tant que
  Particule indiquant un statut, une position ou un titre.

• **뭐 (pronom)** : 모르는 사실이나 사물을 가리키는 말.
  que, quoi, quelque chose
  Terme désignant un fait ou un objet inconnu.

• **가** : 어떤 상태나 상황에 놓인 대상이나 동작의 주체를 나타내는 조사.
  Pas d'expression équivalente
  Particule indiquant l'objet d'un état ou d'une situation, ou le sujet d'une action.

• **제일 (adverbe)** : 여럿 중에서 가장.
  Pas d'expression équivalente
  Le(la) plus+adj parmi plusieurs.

• **힘들다 (adjectif)** : 어떤 일을 하는 것이 어렵거나 곤란하다.
  difficile, dur, pénible, laborieux
  (Chose) Compliqué ou difficile à faire.

- -어 : (두루낮춤으로) 어떤 사실을 서술하거나 물음, 명령, 권유를 나타내는 종결 어미.
  Pas d'expression équivalente
  (forme non honorifique non formelle) Terminaison finale pour décrire un fait ou pour indiquer une question, un ordre, ou une recommandation. <question>

글쎄, 체중+을 조절하+[기 위한] 끊임없+는 노력+이+겠+지.

- **글쎄** (exclamatif) : 상대방의 물음이나 요구에 대하여 분명하지 않은 태도를 나타낼 때 쓰는 말.
  bof, je ne sais pas
  Exclamation indiquant une attitude vague à l'égard d'une question ou d'une demande d'un interlocuteur.

- **체중** (nom) : 몸의 무게.
  Pas d'expression équivalente
  Poids du corps.

- 을 : 동작이 직접적으로 영향을 미치는 대상을 나타내는 조사.
  Pas d'expression équivalente
  Particule indiquant un objet directement influencé par un acte.

- **조절하다** (verbe) : 균형에 맞게 바로잡거나 상황에 알맞게 맞추다.
  régler, réguler, mettre au point
  Ajuster quelque chose pour le mettre en équilibre ou l'adapter à une situation.

- -기 위한 : 뒤에 오는 명사를 수식하면서 그 목적이나 의도를 나타내는 표현.
  Pas d'expression équivalente
  Expression pour indiquer un but ou une intention en qualifiant le nom qui suit.

- **끊임없다** (adjectif) : 계속하거나 이어져 있던 것이 끊이지 아니하다.
  (adj.) sans cesse, ininterrompu, incessant, constant
  (Quelque chose qui est continu) Qui est maintenu, sans être coupé.

- -는 : 앞의 말이 관형어의 기능을 하게 만들고 사건이나 동작이 현재 일어남을 나타내는 어미.
  Pas d'expression équivalente
  Terminaison attribuant la fonction de déterminant à la proposition précédente, et pour indiquer que la situation ou l'action en question se réalise au présent.

- **노력** (nom) : 어떤 목적을 이루기 위하여 힘을 들이고 애를 씀.
  effort
  Fait de se donner de la peine et de travailler dur pour atteindre un objectif.

• 이다 : 주어가 지시하는 대상의 속성이나 부류를 지정하는 뜻을 나타내는 서술격 조사.

Pas d'expression équivalente

Particule du cas prédicatif pour indiquer la caractéristique ou la catégorie d'un objet qui se rapporte au sujet d'une phrase.

• -겠- : 미래의 일이나 추측을 나타내는 어미.

Pas d'expression équivalente

Terminaison exprimant un fait à venir ou une supposition.

• -지 : (두루낮춤으로) 말하는 사람이 자신에 대한 이야기나 자신의 생각을 친근하게 말할 때 쓰는 종결 어미.

Pas d'expression équivalente

(forme non honorifique non formelle) Terminaison finale utilisée par le locuteur pour parler d'une chose qui le concerne, ou pour affirmer sa pensée sur un ton familier.

< 대화(conversation) > - 29

요즘 부쩍 운동을 열심히 하시네요.
요즘 부쩍 운동을 열씸히 하시네요.
yojeum bujjeok undongeul yeolsimhi hasineyo.

건강을 유지하기 위해서 운동을 좀 해야겠더라고요.
건강을 유지하기 위해서 운동을 좀 해야겓떠라고요.
geongangeul yujihagi wihaeseo undongeul jom haeyagetdeoragoyo.

< 설명(explication) / 번역(traduction) >

요즘 부쩍 운동+을 열심히 하+시+네요.

• **요즘 (nom)** : 아주 가까운 과거부터 지금까지의 사이.
  aujourd'hui, maintenant
  Période entre le passé très proche et le présent.

• **부쩍 (adverbe)** : 어떤 사물이나 현상이 갑자기 크게 변화하는 모양.
  Pas d'expression équivalente
  Idéophone illustrant la manière dont une chose ou un phénomène change soudainement et
  fortemement.

• **운동 (nom)** : 몸을 단련하거나 건강을 위하여 몸을 움직이는 일.
  exercice, exercice physique
  Action de bouger le corps pour s'entraîner physiquement ou améliorer sa santé.

• **을** : 동작이 직접적으로 영향을 미치는 대상을 나타내는 조사.
  Pas d'expression équivalente
  Particule indiquant un objet directement influencé par un acte.

• **열심히 (adverbe)** : 어떤 일에 온 정성을 다하여.
  assidûment, passionément, ardemment, studieusement, (adv.) avec zèle, avec ardeur, avec
  ferveur, avec passion, avec application
  Avec un soin tout particulier pour quelque chose.

• **하다 (verbe)** : 어떤 행동이나 동작, 활동 등을 행하다.
  faire, exécuter, effectuer, s'occuper de
  Effectuer une action, un mouvement, une activité, etc.

• -시- : 어떤 동작이나 상태의 주체를 높이는 뜻을 나타내는 어미.
  Pas d'expression équivalente
  Terminaison signifiant le fait de montrer du respect à l'auteur d'une action ou d'un état.

• -네요 : (두루높임으로) 말하는 사람이 직접 경험하여 새롭게 알게 된 사실에 대해 감탄함을 나타낼 때
  쓰는 표현.
  Pas d'expression équivalente
  (forme honorifique non formelle) Expression pour indiquer que le locuteur parle d'une chose nouvelle dont il a fait l'expérience lui-même, sur un ton d'exclamation.

건강+을 유지하+[기 위해서] 운동+을 좀 하+여야겠+더라고요.
해야겠더라고요

• **건강 (nom)** : 몸이나 정신이 이상이 없이 튼튼한 상태.
  santé
  Bon état physique et moral, qui ne présente pas d'anomalie.

• **을** : 동작이 직접적으로 영향을 미치는 대상을 나타내는 조사.
  Pas d'expression équivalente
  Particule indiquant un objet directement influencé par un acte.

• **유지하다 (verbe)** : 어떤 상태나 상황 등을 그대로 이어 나가다.
  maintenir, entretenir
  Garder un état, une situation, etc. tel(le) qu'il (elle) est.

• **-기 위해서** : 어떤 일을 하는 목적인 의도를 나타내는 표현.
  Pas d'expression équivalente
  Expression pour indiquer l'intention, le but de faire quelque chose.

• **운동 (nom)** : 몸을 단련하거나 건강을 위하여 몸을 움직이는 일.
  exercice, exercice physique
  Action de bouger le corps pour s'entraîner physiquement ou améliorer sa santé.

• **을** : 동작이 직접적으로 영향을 미치는 대상을 나타내는 조사.
  Pas d'expression équivalente
  Particule indiquant un objet directement influencé par un acte.

• **좀 (adverbe)** : 분량이나 정도가 적게.
  peu, guère, quelques, légèrement
  (Quantité ou degré) Petitement.

• **하다 (verbe)** : 어떤 행동이나 동작, 활동 등을 행하다.
  faire, exécuter, effectuer, s'occuper de
  Effectuer une action, un mouvement, une activité, etc.

• **-여야겠-** : 앞의 말이 나타내는 행동에 대한 강한 의지를 나타내거나 그 행동을 할 필요가 있음을 완곡하게 말할 때 쓰는 표현.
  Pas d'expression équivalente
  Expression utilisée pour montrer une forte volonté de faire l'action exprimée par les propos précédents ou pour exprimer de manière atténuée la nécessité d'effectuer cette action.

• **-더라고요** : (두루높임으로) 과거에 경험하여 새로 알게 된 사실에 대해 지금 상대방에게 옮겨 전할 때 쓰는 표현.
  Pas d'expression équivalente
  (forme honorifique non formelle) Expression utilisée pour rapporter maintenant à l'interlocuteur un fait que l'on a appris pour la première fois en en faisant l'expérience dans le passé.

< 대화(conversation) > - 30

해외여행을 떠나기 전에 무엇을 준비해야 할까요?
해외여행을 떠나기 저네 무어슬 준비해야 할까요?
haeoeyeohaengeul tteonagi jeone mueoseul junbihaeya halkkayo?

먼저 여권을 준비하고 환전도 해야 해요.
먼저 여꿔늘 준비하고 환전도 해야 해요.
meonjeo yeogwoneul junbihago hwanjeondo haeya haeyo.

< 설명(explication) / 번역(traduction) >

해외여행+을 떠나+[기 전에] 무엇+을 준비하+[여야 하]+ㄹ까요?
                                        준비해야 할까요

- **해외여행 (nom)** : 외국으로 여행을 가는 일. 또는 그런 여행.
  voyage à l'étranger
  Action de partir en voyage à l'étranger ; un tel voyage.

- **을** : 그 행동의 목적이 되는 일을 나타내는 조사.
  Pas d'expression équivalente
  Particule indiquant un événement qui est l'objet d'une action.

- **떠나다 (verbe)** : 어떤 일을 하러 나서다.
  partir
  Aller quelque part pour faire quelque chose.

- **-기 전에** : 뒤에 오는 말이 나타내는 행동이 앞에 오는 말이 나타내는 행동보다 앞서는 것을 나타내는
  표현.
  Pas d'expression équivalente
  Expression pour indiquer que l'action de la proposition suivante précède celle de la proposition précédente.

- **무엇 (pronom)** : 모르는 사실이나 사물을 가리키는 말.
  que, quoi, quelle chose
  Mot désignant un fait ou un objet inconnu.

- 을 : 동작이 직접적으로 영향을 미치는 대상을 나타내는 조사.
  Pas d'expression équivalente
  Particule indiquant un objet directement influencé par un acte.

- 준비하다 (verbe) : 미리 마련하여 갖추다.
  préparer, se préparer
  Se procurer et s'équiper du nécessaire à l'avance.

- -여야 하다 : 앞에 오는 말이 어떤 일을 하거나 어떤 상황에 이르기 위한 의무적인 행동이거나 필수적인 조건임을 나타내는 표현.
  Pas d'expression équivalente
  Expression indiquant que les propos précédents constituent une action obligatoire ou une condition indispensable pour effectuer une chose ou parvenir à une situation.

- -ㄹ까요 : (두루높임으로) 듣는 사람에게 의견을 묻거나 제안함을 나타내는 표현.
  Pas d'expression équivalente
  (forme honorifique non formelle) Expression pour demander l'avis de son interlocuteur ou pour lui faire une proposition.

먼저 여권+을 준비하+고 환전+도 하+[여야 하]+여요.
해야 해요

- 먼저 (adverbe) : 시간이나 순서에서 앞서.
  avant, d'abord, avant tout, au préalable
  Avant un certain temps ou un certain tour.

- 여권 (nom) : 다른 나라를 여행하는 사람의 신분이나 국적을 증명하고, 여행하는 나라에 그 사람의 보호를 맡기는 문서.
  passeport
  Document qui certifie l'identité ou la nationalité d'un voyageur à l'étranger, et qui demande la protection de cette personne au pays visité.

- 을 : 동작이 직접적으로 영향을 미치는 대상을 나타내는 조사.
  Pas d'expression équivalente
  Particule indiquant un objet directement influencé par un acte.

- 준비하다 (verbe) : 미리 마련하여 갖추다.
  préparer, se préparer
  Se procurer et s'équiper du nécessaire à l'avance.

- -고 : 두 가지 이상의 대등한 사실을 나열할 때 쓰는 연결 어미.
  Pas d'expression équivalente
  Terminaison connective utilisée pour énumérer deux faits égaux ou plus.

• **환전 (nom)** : 한 나라의 화폐를 다른 나라의 화폐와 맞바꿈.
  change
  Fait d'échanger la monnaie d'un pays contre celle d'un autre.

• **도** : 이미 있는 어떤 것에 다른 것을 더하거나 포함함을 나타내는 조사.
  Pas d'expression équivalente
  Particule indiquant qu'une chose est ajoutée ou comprise dans une autre qui existe déjà.

• **하다 (verbe)** : 어떤 행동이나 동작, 활동 등을 행하다.
  faire, exécuter, effectuer, s'occuper de
  Effectuer une action, un mouvement, une activité, etc.

• **-여야 하다** : 앞에 오는 말이 어떤 일을 하거나 어떤 상황에 이르기 위한 의무적인 행동이거나 필수적인 조건임을 나타내는 표현.
  Pas d'expression équivalente
  Expression indiquant que les propos précédents constituent une action obligatoire ou une condition indispensable pour effectuer une chose ou parvenir à une situation.

• **-여요** : (두루높임으로) 어떤 사실을 서술하거나 질문, 명령, 권유함을 나타내는 종결 어미.
  Pas d'expression équivalente
  (forme honorifique non formelle) Terminaison finale pour décrire un fait ou pour indiquer une question, un ordre ou une recommandation. **<description>**

< 대화(conversation) > - 31

저 다음 달에 한국에 갑니다.
저 다음 다레 한구게 감니다.
jeo daeum dare hanguge gamnida.

어머, 그럼 우리 서울에서 볼 수 있겠네요?
어머, 그럼 우리 서우레서 볼 쑤 읻껜네요?
eomeo, geureom uri seoureseo bol su itgenneyo?

< 설명(explication) / 번역(traduction) >

저 다음 달+에 한국+에 <u>가+ㅂ니다</u>.
갑니다

- **저 (pronom)** : 말하는 사람이 듣는 사람에게 자신을 낮추어 가리키는 말.
  moi, je
  Terme utilisé par le locuteur pour se désigner en s'abaissant.

- **다음 (nom)** : 어떤 차례에서 바로 뒤.
  suite
  Dans un ordre, ce qui vient juste après.

- **달 (nom)** : 일 년을 열둘로 나누어 놓은 기간.
  mois
  Période issue de la division d'une année en douze.

- **에** : 앞말이 시간이나 때임을 나타내는 조사.
  à, en
  Particule indiquant que la proposition précédente (en coréen) est l'heure ou le moment.

- **한국 (nom)** : 아시아 대륙의 동쪽에 있는 나라. 한반도와 그 부속 섬들로 이루어져 있으며, 대한민국이라고도 부른다. 1950년에 일어난 육이오 전쟁 이후 휴전선을 사이에 두고 국토가 둘로 나뉘었다. 언어는 한국어이고, 수도는 서울이다.
  Corée (du Sud)
  Pays situé à l'est de l'Asie. Composé de la péninsule coréenne et de ses archipels, il est aussi appelé République de Corée. Le territoire a été divisé en deux de part et d'autre de la ligne d'armistice à la suite de la guerre de Corée qui a éclaté en 1950. Le coréen est sa langue officielle et sa capitale, Séoul.

• 에 : 앞말이 목적지이거나 어떤 행위의 진행 방향임을 나타내는 조사.

à, en, sur, dans

Particule indiquant que la proposition précédente (en coréen) est la destination ou la direction de progression d'une action.

• 가다 (verbe) : 한 곳에서 다른 곳으로 장소를 이동하다.

aller, se rendre, s'en aller, passer, partir

Se déplacer d'un endroit à un autre.

• -ㅂ니다 : (아주높임으로) 현재의 동작이나 상태, 사실을 정중하게 설명함을 나타내는 종결 어미.

Pas d'expression équivalente

(forme honorifique très marquée) Terminaison finale indiquant que l'on explique poliment l'action, l'état ou un fait présent.

어머, 그럼 우리 서울+에서 보+[ㄹ 수 있]+겠+네요?
볼 수 있겠네요

• 어머 (exclamatif) : 주로 여자들이 예상하지 못한 일로 갑자기 놀라거나 감탄할 때 내는 소리.

aah !, hii !, comment ?, quoi ?, hein ?, non !

Exclamation évoquant le cri produit quand principalement des femmes sont surprises brusquement par un événement inattendu ou quand elles sont saisies d'admiration pour cet évènement.

• 그럼 (adverbe) : 앞의 내용을 받아들이거나 그 내용을 바탕으로 하여 새로운 주장을 할 때 쓰는 말.

alors, en effet

Terme utilisé lorsqu'on accepte les propos qui ont été dits auparavant ou lorsqu' on veut présenter un nouvel argument sur la base de ces propos.

• 우리 (pronom) : 말하는 사람이 자기와 듣는 사람 또는 이를 포함한 여러 사람들을 가리키는 말.

nous, (pro.) notre (problème), nos

Terme employé par le locuteur pour désigner soi-même et son interlocuteur ou de nombreuses personnes y compris ces deux derniers.

• 서울 (nom) : 한반도 중앙에 있는 특별시. 한국의 수도이자 정치, 경제, 산업, 사회, 문화, 교통의 중심지이다. 북한산, 관악산 등의 산에 둘러싸여 있고 가운데로는 한강이 흐른다.

Seoul, Séoul

Ville désignée comme "ville spéciale" dans l'administration coréenne, située au centre de la péninsule coréenne. Elle est la capitale de la Corée du Sud et le centre politique, économique, industriel, social, culturel et des transports. Elle est entourée par le mont Bukhansan, le mont Gwanaksan, etc., et traversée par le fleuve Hangang.

• 에서 : 앞말이 행동이 이루어지고 있는 장소임을 나타내는 조사.

à, dans, en, chez

Particule indiquant que la proposition précédente est le lieu où se passe une action.

• **보다 (verbe)** : 사람을 만나다.

voir, rendre visite à

Rencontrer quelqu'un.

• -ㄹ 수 있다 : 어떤 행동이나 상태가 가능함을 나타내는 표현.

Pas d'expression équivalente

Expression indiquant qu'une action ou un état est possible.

• -겠- : 미래의 일이나 추측을 나타내는 어미.

Pas d'expression équivalente

Terminaison exprimant un fait à venir ou une supposition.

• -네요 : (두루높임으로) 말하는 사람이 추측하거나 짐작한 내용에 대해 듣는 사람에게 동의를 구하며 물을 때 쓰는 표현.

Pas d'expression équivalente

(forme honorifique non formelle) Expression utilisée par le locuteur pour demander l'accord de l'interlocuteur sur un contenu supposé ou conjecturé.

< 대화(conversation) > - 32

매일 만드는 대로 요리했는데 오늘은 평소보다 맛이 없는 것 같아요.
매일 만드는 대로 요리핸는데 오느른 평소보다 마시 엄는 걷 가타요.
maeil mandeuneun daero yorihaenneunde oneureun pyeongsoboda masi eomneun geot gatayo.

아니에요. 맛있어요. 잘 먹을게요.
아니에요. 마시써요. 잘 머글께요.
anieyo. masisseoyo. jal meogeulgeyo.

< 설명(explication) / 번역(traduction) >

매일 만들(만드)+[는 대로] 요리하+였+는데
          만드는 대로   요리했는데

오늘+은 평소+보다 맛+이 없+[는 것 같]+아요.

- **매일 (adverbe)** : 하루하루마다 빠짐없이.
  tous les jours
  Chaque jour sans exception.

- **만들다 (verbe)** : 힘과 기술을 써서 없던 것을 생기게 하다.
  produire, fabriquer
  Faire apparaître ce qui n'existait pas, à l'aide d'une force ou d'une technique.

- **-는 대로** : 앞에 오는 말이 뜻하는 현재의 행동이나 상황과 같음을 나타내는 표현.
  Pas d'expression équivalente
  Expression indiquant que l'action ou la situation présente est identique à celle des propos précédents.

- **요리하다 (verbe)** : 음식을 만들다.
  faire la cuisine, cuisiner, préparer un plat
  Préparer de la nourriture.

- **-였-** : 어떤 사건이 과거에 완료되었거나 그 사건의 결과가 현재까지 지속되는 상황을 나타내는 어미.
  Pas d'expression équivalente
  Terminaison indiquant qu'un évènement a été accompli dans le passé ou que le résultat de cet évènement perdure jusqu'à présent.

• -는데 : 뒤의 말을 하기 위하여 그 대상과 관련이 있는 상황을 미리 말함을 나타내는 연결 어미.

Pas d'expression équivalente

Terminaison connective indiquant le fait de parler à l'avance d'une situation en rapport avec l'objet des propos suivants.

• **오늘 (nom)** : 지금 지나가고 있는 이날.

aujourd'hui, ce jour

Jour qui est en train de passer.

• 은 : 어떤 대상이 다른 것과 대조됨을 나타내는 조사.

Pas d'expression équivalente

Particule indiquant qu'un objet contraste avec un autre.

• **평소 (nom)** : 특별한 일이 없는 보통 때.

temps habituel

Moment ordinaire où rien de particulier ne se présente.

• 보다 : 서로 차이가 있는 것을 비교할 때, 비교의 대상이 되는 것을 나타내는 조사.

Pas d'expression équivalente

Particule indiquant l'objet de référence lors d'une comparaison de deux choses différentes.

• **맛 (nom)** : 음식 등을 혀에 댈 때 느껴지는 감각.

goût, saveur, sapidité

Sensation que l'on ressent quand de la nourriture, etc, touche sa langue.

• 이 : 어떤 상태나 상황의 대상이나 동작의 주체를 나타내는 조사.

Pas d'expression équivalente

Particule qui indique l'objet d'un état ou d'une situation, ou le sujet d'une action.

• **없다 (adjectif)** : 어떤 사실이나 현상이 현실로 존재하지 않는 상태이다.

Pas d'expression équivalente

(Certain fait ou certain phénomène) Qui n'existe pas réellement.

• -는 것 같다 : 추측을 나타내는 표현.

Pas d'expression équivalente

Expression utilisée pour indiquer que la proposition est une supposition.

• -아요 : (두루높임으로) 어떤 사실을 서술하거나 질문, 명령, 권유함을 나타내는 종결 어미.

Pas d'expression équivalente

(forme honorifique non formelle) Terminaison finale pour décrire un fait ou pour indiquer une question, un ordre ou une recommandation. **<description>**

아니+에요.

맛있+어요.

잘 먹+을게요.

- **아니다 (adjectif)** : 어떤 사실이나 내용을 부정하는 뜻을 나타내는 말.
  Pas d'expression équivalente
  Terme exprimant la négation d'un fait ou d'un contenu.

- **-에요** : (두루높임으로) 어떤 사실을 서술하거나 질문함을 나타내는 종결 어미.
  Pas d'expression équivalente
  (forme honorifique non formelle) Terminaison finale pour décrire un fait ou pour indiquer une question. <description>

- **맛있다 (adjectif)** : 맛이 좋다.
  goût, saveur, sapidité
  Sensation que l'on ressent quand de la nourriture, etc, touche sa langue.

- **-어요** : (두루높임으로) 어떤 사실을 서술하거나 질문, 명령, 권유함을 나타내는 종결 어미.
  Pas d'expression équivalente
  (forme honorifique non formelle) Terminaison finale pour décrire un fait ou pour indiquer une question, un ordre ou une recommandation. <description>

- **잘 (adverbe)** : 충분히 만족스럽게.
  bien
  De manière suffisamment satisfaisante.

- **먹다 (verbe)** : 음식 등을 입을 통하여 배 속에 들여보내다.
  manger, prendre
  Mettre de la nourriture dans sa bouche et l'avaler.

- **-을게요** : (두루높임으로) 말하는 사람이 어떤 행동을 할 것을 듣는 사람에게 약속하거나 의지를 나타내는 표현.
  Pas d'expression équivalente
  (forme honorifique non formelle) Expression indiquant que le locuteur promet à son interlocuteur de faire une action ou lui montre sa volonté de le faire.

< 대화(conversation) > - 33

지아야, 여행 잘 다녀와. 전화하고.
지아야, 여행 잘 다녀와. 전화하고.
jiaya, yeohaeng jal danyeowa. jeonhwahago.

네, 호텔에 도착하는 대로 전화 드릴게요.
네, 호테레 도차카는 대로 전화 드릴께요.
ne, hotere dochakaneun daero jeonhwa deurilgeyo.

< 설명(explication) / 번역(traduction) >

지아+야, 여행 잘 <u>다녀오+아</u>.
　　　　　　　다녀와

전화하+고.

• **지아 (nom)** : nom de personne

• **야** : 친구나 아랫사람, 동물 등을 부를 때 쓰는 조사.
  Pas d'expression équivalente
  Particule utilisée pour appeler un ami, un subalterne, un animal, etc.

• **여행 (nom)** : 집을 떠나 다른 지역이나 외국을 두루 구경하며 다니는 일.
  voyage
  Fait de visiter beaucoup d'endroits, dans une région éloignée du lieu de sa résidence ou à l'étranger.

• **잘 (adverbe)** : 아무 탈 없이 편안하게.
  bien, comme prévu, sans coup férir, sans problème, en toute satisfaction, parfaitement, à merveille
  En paix, sans aucun problème.

• **다녀오다 (verbe)** : 어떤 일을 하기 위해 갔다가 오다.
  revenir, rentrer
  Partir faire quelque chose et retourner à son point de départ..

• -아 : (두루낮춤으로) 어떤 사실을 서술하거나 물음, 명령, 권유를 나타내는 종결 어미.
Pas d'expression équivalente
(forme non honorifique non formelle) Terminaison finale pour décrire un fait ou pour indiquer une question, un ordre, ou une recommandation. <ordre>

• 전화하다 (verbe) : 전화기를 통해 사람들끼리 말을 주고받다.
téléphoner, appeler, donner un coup de fil, donner un coup de téléphone
(Gens) Se parler entre eux par téléphone.

• -고 : (두루낮춤으로) 뒤에 올 또 다른 명령 표현을 생략한 듯한 느낌을 주면서 부드럽게 명령할 때 쓰는 종결 어미.
Pas d'expression équivalente
(forme non honorifique non formelle) Terminaison finale utilisée quand le locuteur donne un ordre doucement, en donnant l'impression d'omettre une autre expression d'ordre qui aurait suivi.

네, 호텔+에 도착하+[는 대로] 전화 드리+ㄹ게요.
드릴게요

• 네 (exclamatif) : 윗사람의 물음이나 명령 등에 긍정하여 대답할 때 쓰는 말.
oui, très bien
Exclamation utilisée pour répondre positivement à une demande ou à un ordre d'une personne supérieure, etc.

• 호텔 (nom) : 시설이 잘 되어 있고 규모가 큰 고급 숙박업소.
hôtel
Hébergement de luxe de grande envergure bien équipé.

• 에 : 앞말이 목적지이거나 어떤 행위의 진행 방향임을 나타내는 조사.
à, en, sur, dans
Particule indiquant que la proposition précédente (en coréen) est la destination ou la direction de progression d'une action.

• 도착하다 (verbe) : 목적지에 다다르다.
arriver à, atteindre, parvenir à
Parvenir à destination.

• -는 대로 : 어떤 행동이나 상황이 나타나는 그때 바로, 또는 직후에 곧의 뜻을 나타내는 표현.
Pas d'expression équivalente
Expression pour signifier "au moment précis où se réalise une action ou se présente une situation", ou "juste après ce moment".

· **전화 (nom)** : 전화기를 통해 사람들끼리 말을 주고받음. 또는 그렇게 하여 전달되는 내용.
coup de téléphone, appel, conversation téléphonique, téléphone, coup de fil
Fait que les gens se parlent entre-eux par le téléphone ; message ainsi transmis.

· **드리다 (verbe)** : 윗사람에게 어떤 말을 하거나 인사를 하다.
présenter
Dire quelque chose à son supérieur, à un aîné ou saluer celui-ci.

· **-ㄹ게요** : (두루높임으로) 말하는 사람이 어떤 행동을 할 것을 듣는 사람에게 약속하거나 의지를 나타내는 표현.
Pas d'expression équivalente
(forme honorifique non formelle) Expression indiquant que le locuteur promet à son interlocuteur de faire une action ou lui montre sa volonté de le faire.

< 대화(conversation) > - 34

우리 이번 주말에 영화 보기로 했지?
우리 이번 주마레 영화 보기로 핻찌?
uri ibeon jumare yeonghwa bogiro haetji?

응. 그런데 날씨가 좋으니까 영화를 보는 대신에 공원에 놀러 갈까?
응. 그런데 날씨가 조으니까 영화를 보는 대시네 공워네 놀러 갈까?
eung. geureonde nalssiga joeunikka yeonghwareul boneun daesine gongwone nolleo galkka?

< 설명(explication) / 번역(traduction) >

우리 이번 주말+에 영화 <u>보+[기로 하]+였+지</u>?
보기로 했지

- **우리 (pronom)** : 말하는 사람이 자기와 듣는 사람 또는 이를 포함한 여러 사람들을 가리키는 말.
  nous, (pro.) notre (problème), nos
  Terme employé par le locuteur pour désigner soi-même et son interlocuteur ou de nombreuses personnes y compris ces deux derniers.

- **이번 (nom)** : 곧 돌아올 차례. 또는 막 지나간 차례.
  cette fois-ici, (n.) ce
  Tour qui reviendra bientôt ; tour qui vient de passer.

- **주말 (nom)** : 한 주일의 끝.
  week-end
  Fin d'une semaine.

- **에** : 앞말이 시간이나 때임을 나타내는 조사.
  à, en
  Particule indiquant que la proposition précédente (en coréen) est l'heure ou le moment.

- **영화 (nom)** : 일정한 의미를 갖고 움직이는 대상을 촬영하여 영사기로 영사막에 비추어서 보게 하는 종합 예술.
  film, cinéma
  Art composite consistant à filmer les mouvements des objets, qui ont une certaine signification, et à les projeter sur un écran au moyen d'un projecteur.

- 보다 (verbe) : 눈으로 대상을 즐기거나 감상하다.
  voir, apprécier, contempler
  Prendre plaisir à regarder un objet ou l'apprécier visuellement.

- -기로 하다 : 앞의 말이 나타내는 행동을 할 것을 결심하거나 약속함을 나타내는 표현.
  Pas d'expression équivalente
  Expression pour indiquer que le locuteur se décide à faire l'action de la proposition précédente ou en fait la promesse.

- -였- : 어떤 사건이 과거에 완료되었거나 그 사건의 결과가 현재까지 지속되는 상황을 나타내는 어미.
  Pas d'expression équivalente
  Terminaison indiquant qu'un évènement a été accompli dans le passé ou que le résultat de cet évènement perdure jusqu'à présent.

- -지 : (두루낮춤으로) 이미 알고 있는 것을 다시 확인하듯이 물을 때 쓰는 종결 어미.
  Pas d'expression équivalente
  (forme non honorifique non formelle) Terminaison finale utilisée pour poser une question, comme si l'on voulait vérifier une chose que l'on sait déjà.

응.

그런데 날씨+가 좋+으니까 영화+를 보+[는 대신에] 공원+에 놀+러 가+ㄹ까?
갈까

- 응 (exclamatif) : 상대방의 물음이나 명령 등에 긍정하여 대답할 때 쓰는 말.
  oui, ouais
  Terme utilisé pour donner une réponse positive à la demande, à l'ordre, etc., d'un interlocuteur.

- 그런데 (adverbe) : 이야기를 앞의 내용과 관련시키면서 다른 방향으로 바꿀 때 쓰는 말.
  en fait, alors
  Terme employé pour changer la direction d'une conversation, en la reliant aux éléments énoncés auparavant.

- 날씨 (nom) : 그날그날의 기온이나 공기 중에 비, 구름, 바람, 안개 등이 나타나는 상태.
  temps
  Variation quotidienne de la température et des conditions (météorologiques) telles que la pluie, les nuages, le brouillard, etc.

- 가 : 어떤 상태나 상황에 놓인 대상이나 동작의 주체를 나타내는 조사.
  Pas d'expression équivalente
  Particule indiquant l'objet d'un état ou d'une situation, ou le sujet d'une action.

• **좋다** (adjectif) : 날씨가 맑고 화창하다.
ensoleillé
(Temps) Clair et beau.

• **-으니까** : 뒤에 오는 말에 대하여 앞에 오는 말이 원인이나 근거, 전제가 됨을 강조하여 나타내는 연결
　　　　　어미.
Pas d'expression équivalente
Terminaison connective pour souligner que les propos précédents constituent la cause, le fondement ou un prérequis des propos suivants.

• **영화** (nom) : 일정한 의미를 갖고 움직이는 대상을 촬영하여 영사기로 영사막에 비추어서 보게 하는 종
　　　　　합 예술.
film, cinéma
Art composite consistant à filmer les mouvements des objets, qui ont une certaine signification, et à les projeter sur un écran au moyen d'un projecteur.

• **를** : 동작이 직접적으로 영향을 미치는 대상을 나타내는 조사.
Pas d'expression équivalente
Particule indiquant un objet directement influencé par un mouvement.

• **보다** (verbe) : 눈으로 대상을 즐기거나 감상하다.
voir, apprécier, contempler
Prendre plaisir à regarder un objet ou l'apprécier visuellement.

• **-는 대신에** : 앞에 오는 말이 나타내는 행동이나 상태를 비슷하거나 맞먹는 다른 행동이나 상태로 바꾸
　　　　　는 것을 나타내는 표현.
Pas d'expression équivalente
Expression indiquant que l'action ou l'état exprimé par les propos précédents est remplacé par un autre qui lui est similaire ou équivalent.

• **공원** (nom) : 사람들이 놀고 쉴 수 있도록 풀밭, 나무, 꽃 등을 가꾸어 놓은 넓은 장소.
parc, jardin public
Espace d'une certaine importance agrémenté de pelouses, d'arbres et de fleurs et aménagé pour le public qui peut s'y détendre et s'y amuser.

• **에** : 앞말이 목적지이거나 어떤 행위의 진행 방향임을 나타내는 조사.
à, en, sur, dans
Particule indiquant que la proposition précédente (en coréen) est la destination ou la direction de progression d'une action.

• **놀다** (verbe) : 놀이 등을 하면서 재미있고 즐겁게 지내다.
jouer, s'amuser
Vivre de façon amusante et joyeuse en jouant, etc.

• -러 : 가거나 오거나 하는 동작의 목적을 나타내는 연결 어미.

Pas d'expression équivalente

Terminaison connective indiquant le but d'un mouvement.

• **가다 (verbe)** : 어떤 목적을 가지고 일정한 곳으로 움직이다.

aller, se rendre, partir, partir pour

Se déplacer pour aller à un certain endroit en ayant un certain objectif.

• -ㄹ까 : (두루낮춤으로) 듣는 사람의 의사를 물을 때 쓰는 종결 어미.

Pas d'expression équivalente

(forme non honorifique non formelle) Terminaison finale indiquant la pensée ou la supposition du locuteur, ou utilisée lorsqu'il s'interroge sur la volonté de son interlocuteur.

< 대화(conversation) > - 35

열 시가 다 돼 가는데도 지우가 집에 안 들어오네요.
열 시가 다 돼 가는데도 지우가 지베 안 드러오네요.
yeol siga da dwae ganeundedo jiuga jibe an deureooneyo.

벌써 시간이 그렇게 됐네요. 제가 전화해 볼게요.
벌써 시가니 그러케 됐네요. 제가 전화해 볼께요.
beolsseo sigani geureoke dwaenneyo. jega jeonhwahae bolgeyo.

< 설명(explication) / 번역(traduction) >

열 시+가 다 <u>되+[어 가]</u>+는데도 지우+가 집+에 안 들어오+네요.
돼 가는데도

- **열 (déterminant)** : 아홉에 하나를 더한 수의.
  dix
  D'un chiffre issu de l'addition de 1 et 9.

- **시 (nom)** : 하루를 스물넷으로 나누었을 때 그 하나를 나타내는 시간의 단위.
  heure
  Nom dépendant servant d'unité de temps indiquant l'une des vingt-quatre divisions qui forment un jour.

- **가** : 바뀌게 되는 대상이나 부정하는 대상임을 나타내는 조사.
  Pas d'expression équivalente
  Particule indiquant l'objet d'un changement ou d'une négation.

- **다 (adverbe)** : 행동이나 상태의 정도가 한정된 정도에 거의 가깝게.
  presque, complètement
  De façon à ce que le degré d'une action ou d'un état soit proche du degré limite.

- **되다 (verbe)** : 어떤 때나 시기, 상태에 이르다.
  atteindre, il est temps de, il est l'heure de
  Arriver à un moment, à une période ou à un état.

- -어 가다 : 앞의 말이 나타내는 행동이나 상태가 계속 진행됨을 나타내는 표현.
  Pas d'expression équivalente
  Expression indiquant qu'une action ou un état exprimé par les propos précédents se maintient.

- -는데도 : 앞에 오는 말이 나타내는 상황에 상관없이 뒤에 오는 말이 나타내는 상황이 일어남을 나타내는 표현.
  Pas d'expression équivalente
  Expression indiquant que la situation suivante se produit malgré la précédente.

- **지우 (nom)** : nom de personne

- 가 : 어떤 상태나 상황에 놓인 대상이나 동작의 주체를 나타내는 조사.
  Pas d'expression équivalente
  Particule indiquant l'objet d'un état ou d'une situation, ou le sujet d'une action.

- **집 (nom)** : 사람이나 동물이 추위나 더위 등을 막고 그 속에 들어 살기 위해 지은 건물.
  maison, foyer, demeure, habitation, domicile, résidence, logis, pavillon, lotissement, appartement, logement, immeuble
  Bâtiment construit pour servir de lieu d'habitation et protéger des personnes ou des animaux du froid, du chaud, etc.

- 에 : 앞말이 목적지이거나 어떤 행위의 진행 방향임을 나타내는 조사.
  à, en, sur, dans
  Particule indiquant que la proposition précédente (en coréen) est la destination ou la direction de progression d'une action.

- **안 (adverbe)** : 부정이나 반대의 뜻을 나타내는 말.
  Pas d'expression équivalente
  Terme désignant une négation ou une opposition.

- **들어오다 (verbe)** : 어떤 범위의 밖에서 안으로 이동하다.
  entrer, pénétrer
  Se déplacer de l'extérieur à l'intérieur d'un champ.

- -네요 : (두루높임으로) 말하는 사람이 직접 경험하여 새롭게 알게 된 사실에 대해 감탄함을 나타낼 때 쓰는 표현.
  Pas d'expression équivalente
  (forme honorifique non formelle) Expression pour indiquer que le locuteur parle d'une chose nouvelle dont il a fait l'expérience lui-même, sur un ton d'exclamation.

벌써 시간+이 <u>그렇+[게 되]+었+네요</u>.
그렇게 됐네요

제+가 <u>전화하+[여 보]+ㄹ게요</u>.
전화해 볼게요

• **벌써 (adverbe)** : 생각보다 빠르게.
déjà
Plus rapidement qu'on ne pense.

• **시간 (nom)** : 어떤 일을 하도록 정해진 때. 또는 하루 중의 어느 한 때.
heure, moment, instant
Moment fixé pour faire quelque chose ; un certain moment de la journée.

• **이** : 어떤 상태나 상황의 대상이나 동작의 주체를 나타내는 조사.
Pas d'expression équivalente
Particule qui indique l'objet d'un état ou d'une situation, ou le sujet d'une action.

• **그렇다 (adjectif)** : 상태, 모양, 성질 등이 그와 같다.
ainsi
Semblable à l'état, à la forme, à la nature, etc. de quelque chose.

• **-게 되다** : 앞의 말이 나타내는 상태나 상황이 됨을 나타내는 표현.
Pas d'expression équivalente
Expression indiquant que l'état ou la situation exprimé(e) par les propos précédents se produit.

• **-었-** : 어떤 사건이 과거에 완료되었거나 그 사건의 결과가 현재까지 지속되는 상황을 나타내는 어미.
Pas d'expression équivalente
Terminaison indiquant une situation où un évènement a été accompli dans le passé ou que le résultat de cet évènement se poursuit jusqu'à présent.

• **-네요** : (두루높임으로) 말하는 사람이 직접 경험하여 새롭게 알게 된 사실에 대해 감탄함을 나타낼 때 쓰는 표현.
Pas d'expression équivalente
(forme honorifique non formelle) Expression pour indiquer que le locuteur parle d'une chose nouvelle dont il a fait l'expérience lui-même, sur un ton d'exclamation.

• **제 (pronom)** : 말하는 사람이 자신을 낮추어 가리키는 말인 '저'에 조사 '가'가 붙을 때의 형태.
Pas d'expression équivalente
Forme issue de l'ajout de la particule '가' au terme '저', utilisé par le locuteur qui se désigne lui-même en s'abaissant.

- 가 : 어떤 상태나 상황에 놓인 대상이나 동작의 주체를 나타내는 조사.

  Pas d'expression équivalente

  Particule indiquant l'objet d'un état ou d'une situation, ou le sujet d'une action.

- **전화하다 (verbe)** : 전화기를 통해 사람들끼리 말을 주고받다.

  téléphoner, appeler, donner un coup de fil, donner un coup de téléphone

  (Gens) Se parler entre eux par téléphone.

- -여 보다 : 앞의 말이 나타내는 행동을 시험 삼아 함을 나타내는 표현.

  Pas d'expression équivalente

  Expression indiquant le fait d'essayer d'effectuer une action exprimée par les propos précédents.

- -ㄹ게요 : (두루높임으로) 말하는 사람이 어떤 행동을 할 것을 듣는 사람에게 약속하거나 의지를 나타내는 표현.

  Pas d'expression équivalente

  (forme honorifique non formelle) Expression indiquant que le locuteur promet à son interlocuteur de faire une action ou lui montre sa volonté de le faire.

< 대화(conversation) > - 36

친구들이랑 여행 갈 건데 너도 갈래?
친구드리랑 여행 갈 건데 너도 갈래?
chingudeurirang yeohaeng gal geonde neodo gallae?

저도 가도 돼요? 어디로 가는데요? 혹시 제주도로 가요?
저도 가도 돼요? 어디로 가는데요? 혹씨 제주도로 가요?
jeodo gado dwaeyo? eodiro ganeundeyo? hoksi jejudoro gayo?

< 설명(explication) / 번역(traduction) >

친구+들+이랑 여행 <u>가+[ㄹ 것(거)]+(이)+ㄴ데</u> 너+도 <u>가+ㄹ래</u>?
　　　　　　　　　　갈 건데　　　　　　　　　갈래

- **친구 (nom)** : 사이가 가까워 서로 친하게 지내는 사람.
  ami, amie, camarade, copain, copine, compagnon
  Personne proche de nous et avec qui on entretient une relation intime.

- **들** : '복수'의 뜻을 더하는 접미사.
  Pas d'expression équivalente
  Suffixe signifiant « pluriel ».

- **이랑** : 어떤 일을 함께 하는 대상임을 나타내는 조사.
  Pas d'expression équivalente
  Particule montrant que la personne indiquée est celle avec qui on exécute une action.

- **여행 (nom)** : 집을 떠나 다른 지역이나 외국을 두루 구경하며 다니는 일.
  voyage
  Fait de visiter beaucoup d'endroits, dans une région éloignée du lieu de sa résidence ou à l'étranger.

- **가다 (verbe)** : 어떤 일을 하기 위해서 다른 곳으로 이동하다.
  aller, se rendre à
  Se déplacer d'un endroit à un autre dans un certain but.

- -ㄹ 것 : 명사가 아닌 것을 문장에서 명사처럼 쓰이게 하거나 '이다' 앞에 쓰일 수 있게 할 때 쓰는 표현.

  Pas d'expression équivalente

  Expression utilisée pour qu'un mot qui n'est pas un nom soit utilisé comme tel dans une phrase, ou pour que ce mot se place devant l'expression « Ida(être) »

- 이다 : 주어가 지시하는 대상의 속성이나 부류를 지정하는 뜻을 나타내는 서술격 조사.

  Pas d'expression équivalente

  Particule du cas prédicatif pour indiquer la caractéristique ou la catégorie d'un objet qui se rapporte au sujet d'une phrase.

- -ㄴ데 : 뒤의 말을 하기 위하여 그 대상과 관련이 있는 상황을 미리 말함을 나타내는 연결 어미.

  Pas d'expression équivalente

  Terminaison connective indiquant qu'afin de formuler les propos suivants, le locuteur parle à l'avance d'une situation en rapport avec l'objet de ces propos.

- **너 (pronom)** : 듣는 사람이 친구나 아랫사람일 때, 그 사람을 가리키는 말.

  tu, toi

  Terme designant l'interlocuteur, quand celui-ci est un ami ou une personne de rang inférieur.

- 도 : 이미 있는 어떤 것에 다른 것을 더하거나 포함함을 나타내는 조사.

  Pas d'expression équivalente

  Particule indiquant qu'une chose est ajoutée ou comprise dans une autre qui existe déjà.

- **가다 (verbe)** : 어떤 일을 하기 위해서 다른 곳으로 이동하다.

  aller, se rendre à

  Se déplacer d'un endroit à un autre dans un certain but.

- -ㄹ래 : (두루낮춤으로) 앞으로 어떤 일을 하려고 하는 자신의 의사를 나타내거나 그 일에 대하여 듣는 사람의 의사를 물어봄을 나타내는 종결 어미.

  Pas d'expression équivalente

  (forme non honorifique non formelle) Terminaison finale indiquant la volonté du locuteur d'entreprendre quelque chose dans l'avenir ou le fait de demander son avis à l'interlocuteur qui en entend parler.

저+도 <u>가</u>+[(아)도 되]+어요?
가도 돼요

어디+로 가+는데요?

혹시 제주도+로 <u>가</u>+(아)요?
가요

- **저 (pronom)** : 말하는 사람이 듣는 사람에게 자신을 낮추어 가리키는 말.
  moi, je
  Terme utilisé par le locuteur pour se désigner en s'abaissant.

- **도** : 이미 있는 어떤 것에 다른 것을 더하거나 포함함을 나타내는 조사.
  Pas d'expression équivalente
  Particule indiquant qu'une chose est ajoutée ou comprise dans une autre qui existe déjà.

- **가다 (verbe)** : 어떤 일을 하기 위해서 다른 곳으로 이동하다.
  aller, se rendre à
  Se déplacer d'un endroit à un autre dans un certain but.

- **-아도 되다** : 어떤 행동에 대한 허락이나 허용을 나타낼 때 쓰는 표현.
  Pas d'expression équivalente
  Expression utilisée pour manifester l'autorisation ou la permission concernant une action.

- **-어요** : (두루높임으로) 어떤 사실을 서술하거나 질문, 명령, 권유함을 나타내는 종결 어미.
  Pas d'expression équivalente
  (forme honorifique non formelle) Terminaison finale pour décrire un fait ou pour indiquer une question, un ordre ou une recommandation. <question>

- **어디 (pronom)** : 모르는 곳을 가리키는 말.
  Pas d'expression équivalente
  Terme désignant un lieu inconnu.

- **로** : 움직임의 방향을 나타내는 조사.
  à, vers, pour, en, à destination de, en direction de
  Particule indiquant la direction d'un mouvement.

- **가다 (verbe)** : 어떤 일을 하기 위해서 다른 곳으로 이동하다.
  aller, se rendre à
  Se déplacer d'un endroit à un autre dans un certain but.

• -는데요 : (두루높임으로) 듣는 사람에게 어떤 대답을 요구할 때 쓰는 표현.

Pas d'expression équivalente

(forme honorifique non formelle) Expression utilisée pour exiger une réponse de son interlocuteur.

• 혹시 (adverbe) : 그러리라 생각하지만 분명하지 않아 말하기를 망설일 때 쓰는 말.

par hasard

Terme utilisé quand on hésite à parler du fait que quelque chose se passera ainsi mais que cela n'est pas clair.

• 제주도 (nom) : 한국 서남해에 있는 화산섬. 한국에서 가장 큰 섬으로 화산 활동 지형의 특색이 잘 드러나 있어 관광 산업이 발달하였다. 해녀, 말, 귤이 유명하다.

île Jejudo

Île volcanique située dans la mer du Sud-ouest de la Corée. Plus grande île de la Corée, très caractéristique avec ses terres volcaniques préservées, le tourisme y est développé. Elle est renommée pour ses plongeuses, ses chevaux et ses mandarines.

• 로 : 움직임의 방향을 나타내는 조사.

à, vers, pour, en, à destination de, en direction de

Particule indiquant la direction d'un mouvement.

• 가다 (verbe) : 어떤 일을 하기 위해서 다른 곳으로 이동하다.

aller, se rendre à

Se déplacer d'un endroit à un autre dans un certain but.

• -아요 : (두루높임으로) 어떤 사실을 서술하거나 질문, 명령, 권유함을 나타내는 종결 어미.

Pas d'expression équivalente

(forme honorifique non formelle) Terminaison finale pour décrire un fait ou pour indiquer une question, un ordre ou une recommandation. **<question>**

< 대화(conversation) > - 37

요새 아르바이트하느라 힘들지 않니?
요새 아르바이트하느라 힘들지 안니?
yosae areubaiteuhaneura himdeulji anni?

네. 아르바이트를 하면 경험을 쌓는 동시에 돈도 벌 수 있어서 좋아요.
네. 아르바이트를 하면 경허믈 싼는 동시에 돈도 벌 쑤 이써서 조아요.
ne. areubaiteureul hamyeon gyeongheomeul ssanneun dongsie dondo beol su isseoseo joayo.

< 설명(explication) / 번역(traduction) >

요새 아르바이트하+느라 힘들+[지 않]+니?

• **요새 (nom)** : 얼마 전부터 이제까지의 매우 짧은 동안.
 (n.) ces jours-ci, dernièrement, récemment
 Très courte période depuis peu de temps jusqu'à présent.

• **아르바이트하다 (verbe)** : 짧은 기간 동안 돈을 벌기 위해 자신의 본업 외에 임시로 하는 일을 하다.
 faire un travail à temps partiel, travailler à temps partiel, faire un petit boulot, avoir un petit boulot, avoir un petit job
 Faire un travail temporaire, en dehors de son occupation principale, afin de gagner de l'argent, pendant une courte période.

• **-느라** : 앞에 오는 말이 나타내는 행동이 뒤에 오는 말의 목적이나 원인이 됨을 나타내는 연결 어미.
 Pas d'expression équivalente
 Terminaison connective pour indiquer que l'action précédente est un but ou une cause de ce qui suit.

• **힘들다 (adjectif)** : 힘이 많이 쓰이는 면이 있다.
 difficile, dur, pénible, laborieux
 Qui a un aspect nécessitant un effort considérable.

• **-지 않다** : 앞의 말이 나타내는 행위나 상태를 부정하는 뜻을 나타내는 표현.
 Pas d'expression équivalente
 Expression pour indiquer la négation d'une action ou d'un état précisé dans la proposition précédente.

- -니 : (아주낮춤으로) 물음을 나타내는 종결 어미.
  Pas d'expression équivalente
  (forme non honorifique très marquée) Terminaison finale indiquant une interrogation.

네.

아르바이트+를 하+면 경험+을 쌓+[는 동시에]

돈+도 벌(버)+[ㄹ 수 있]+어서 좋+아요.
벌 수 있어서

- **네 (exclamatif)** : 윗사람의 물음이나 명령 등에 긍정하여 대답할 때 쓰는 말.
  oui, très bien
  Exclamation utilisée pour répondre positivement à une demande ou à un ordre d'une personne supérieure, etc.

- **아르바이트 (nom)** : 돈을 벌기 위해 자신의 본업 외에 임시로 하는 일.
  travail temporaire, travail à temps partiel
  Caractère à ressentir quelque chose ou à éprouver un sentiment, en réaction à une stimulation.

- 를 : 동작이 직접적으로 영향을 미치는 대상을 나타내는 조사.
  Pas d'expression équivalente
  Particule indiquant un objet directement influencé par un mouvement.

- **하다 (verbe)** : 어떤 행동이나 동작, 활동 등을 행하다.
  faire, exécuter, effectuer, s'occuper de
  Effectuer une action, un mouvement, une activité, etc.

- -면 : 뒤에 오는 말에 대한 근거나 조건이 됨을 나타내는 연결 어미.
  Pas d'expression équivalente
  Terminaison connective indiquant une chose qui constitue le fondement ou la condition des propos suivants.

- **경험 (nom)** : 자신이 실제로 해 보거나 겪어 봄. 또는 거기서 얻은 지식이나 기능.
  expérience
  Fait de faire ou de vivre quelque chose en personne ; connaissance ou technique ainsi acquises.

• 을 : 동작이 직접적으로 영향을 미치는 대상을 나타내는 조사.
Pas d'expression équivalente
Particule indiquant un objet directement influencé par un acte.

• 쌓다 (verbe) : 오랫동안 기술이나 경험, 지식 등을 많이 익히다.
accumuler, emmagasiner, s'enrichir (intellectuellement)
Apprendre en quantité et pendant longtemps une technologie, acquérir une expérience ou des connaissances.

• –는 동시에 : 앞에 오는 말과 뒤에 오는 말이 나타내는 행동이나 상태가 함께 일어남을 나타내는 표현.
Pas d'expression équivalente
Expression pour indiquer que l'action ou l'état des propositions précédente et suivante se réalisent en même temps.

• 돈 (nom) : 물건을 사고팔 때나 일한 값으로 주고받는 동전이나 지폐.
argent, argent comptant, monnaie, espèces, pièce de monnaie, fonds
Pièce de monnaie ou billet échangé lors de l'achat ou de la vente de produits ou bien versé en contrepartie d'un travail accompli.

• 도 : 이미 있는 어떤 것에 다른 것을 더하거나 포함함을 나타내는 조사.
Pas d'expression équivalente
Particule indiquant qu'une chose est ajoutée ou comprise dans une autre qui existe déjà.

• 벌다 (verbe) : 일을 하여 돈을 얻거나 모으다.
gagner, toucher
Percevoir ou collecter de l'argent comme rémunération d'un travail.

• –ㄹ 수 있다 : 어떤 행동이나 상태가 가능함을 나타내는 표현.
Pas d'expression équivalente
Expression indiquant qu'une action ou un état est possible.

• –어서 : 이유나 근거를 나타내는 연결 어미.
Pas d'expression équivalente
Terminaison connective indiquant une raison ou une base.

• 좋다 (adjectif) : 어떤 일이나 대상이 마음에 들고 만족스럽다.
bon
(Travail ou objet) Qui nous plaît et qui est satisfaisant.

• –아요 : (두루높임으로) 어떤 사실을 서술하거나 질문, 명령, 권유함을 나타내는 종결 어미.
Pas d'expression équivalente
(forme honorifique non formelle) Terminaison finale pour décrire un fait ou pour indiquer une question, un ordre ou une recommandation. <description>

< 대화(conversation) > - 38

저는 지금부터 청소를 할게요.
저는 지금부터 청소를 할께요.
jeoneun jigeumbuteo cheongsoreul halgeyo.

그럼, 시우 씨가 청소하는 동안 저는 장을 보러 다녀올게요.
그럼, 시우 씨가 청소하는 동안 저는 장을 보러 다녀올께요.
geureom, siu ssiga cheongsohaneun dongan jeoneun jangeul boreo danyeoolgeyo.

< 설명(explication) / 번역(traduction) >

저+는 지금+부터 청소+를 <u>하</u>+ㄹ게요.
할게요

- **저 (pronom)** : 말하는 사람이 듣는 사람에게 자신을 낮추어 가리키는 말.
  moi, je
  Terme utilisé par le locuteur pour se désigner en s'abaissant.

- **는** : 문장 속에서 어떤 대상이 화제임을 나타내는 조사.
  Pas d'expression équivalente
  Particule indiquant qu'un objet est le principal sujet d'une phrase.

- **지금 (nom)** : 말을 하고 있는 바로 이때.
  le moment présent, l'instant présent
  Moment précis où l'on est en train de parler.

- **부터** : 어떤 일의 시작이나 처음을 나타내는 조사.
  Pas d'expression équivalente
  Particule servant à exprimer le début ou l'origine d'une chose.

- **청소 (nom)** : 더럽고 지저분한 것을 깨끗하게 치움.
  nettoyage
  Action d'enlever proprement d'un lieu des choses sales et désagréables.

- **를** : 동작이 직접적으로 영향을 미치는 대상을 나타내는 조사.
  Pas d'expression équivalente
  Particule indiquant un objet directement influencé par un mouvement.

• **하다 (verbe)** : 어떤 행동이나 동작, 활동 등을 행하다.

  faire, exécuter, effectuer, s'occuper de

  Effectuer une action, un mouvement, une activité, etc.

• **-ㄹ게요** : (두루높임으로) 말하는 사람이 어떤 행동을 할 것을 듣는 사람에게 약속하거나 의지를 나타내
  는 표현.

  Pas d'expression équivalente

  (forme honorifique non formelle) Expression indiquant que le locuteur promet à son interlocuteur de faire une action ou lui montre sa volonté de le faire.

그럼, 지아 씨+가 청소하+[는 동안] 저+는 장+을 보+러 <u>다녀오+ㄹ게요</u>.

다녀올게요

• **그럼 (adverbe)** : 앞의 내용을 받아들이거나 그 내용을 바탕으로 하여 새로운 주장을 할 때 쓰는 말.

  alors, en effet

  Terme utilisé lorsqu'on accepte les propos qui ont été dits auparavant ou lorsqu'on veut présenter un nouvel argument sur la base de ces propos.

• **지아 (nom)** : nom de personne

• **씨 (nom)** : 그 사람을 높여 부르거나 이르는 말.

  Pas d'expression équivalente

  Nom dépendant utilisé pour s'adresser ou désigner une personne sous la forme honorifique.

• **가** : 어떤 상태나 상황에 놓인 대상이나 동작의 주체를 나타내는 조사.

  Pas d'expression équivalente

  Particule indiquant l'objet d'un état ou d'une situation, ou le sujet d'une action.

• **청소하다 (verbe)** : 더럽고 지저분한 것을 깨끗하게 치우다.

  nettoyer

  Enlever proprement les choses sales et désagréables.

• **-는 동안** : 앞에 오는 말이 나타내는 행동이나 상태가 계속되는 시간 만큼을 나타내는 표현.

  Pas d'expression équivalente

  Expression pour indiquer la durée de temps pendant laquelle une action ou un état de la proposition précédente est maintenu(e).

• **저 (pronom)** : 말하는 사람이 듣는 사람에게 자신을 낮추어 가리키는 말.

  moi, je

  Terme utilisé par le locuteur pour se désigner en s'abaissant.

• 는 : 문장 속에서 어떤 대상이 화제임을 나타내는 조사.
Pas d'expression équivalente
Particule indiquant qu'un objet est le principal sujet d'une phrase.

• **장 (nom)** : 여러 가지 상품을 사고파는 곳.
marché
Endroit où l'on achète et vend plusieurs produits.

• 을 : 동작이 직접적으로 영향을 미치는 대상을 나타내는 조사.
Pas d'expression équivalente
Particule indiquant un objet directement influencé par un acte.

• **보다 (verbe)** : 시장에 가서 물건을 사다.
acheter, faire les courses, faire ses courses, faire les commissions, faire ses provisions, faire son marché, faire le marché
Aller au marché, dans un supermarché ou dans une grande surface pour faire ses provisions.

• -러 : 가거나 오거나 하는 동작의 목적을 나타내는 연결 어미.
Pas d'expression équivalente
Terminaison connective indiquant le but d'un mouvement.

• **다녀오다 (verbe)** : 어떤 일을 하기 위해 갔다가 오다.
revenir, rentrer
Partir faire quelque chose et retourner à son point de départ..

• -ㄹ게요 : (두루높임으로) 말하는 사람이 어떤 행동을 할 것을 듣는 사람에게 약속하거나 의지를 나타내는 표현.
Pas d'expression équivalente
(forme honorifique non formelle) Expression indiquant que le locuteur promet à son interlocuteur de faire une action ou lui montre sa volonté de le faire.

< 대화(conversation) > - 39

지우는 어디 갔어? 아까부터 안 보이네.
지우는 어디 가써? 아까부터 안 보이네.
jiuneun eodi gasseo? akkabuteo an boine.

글쎄, 급한 일이 있는 듯 뛰어가더라.
글쎄, 그판 이리 인는 듣 뛰어가더라.
geulsse, geupan iri inneun deut ttwieogadeora.

< 설명(explication) / 번역(traduction) >

지우+는 어디 <u>가+았+어</u>?
　　　　　　　　갔어

아까+부터 안 보이+네.

· 지우 (nom) : nom de personne

· 는 : 문장 속에서 어떤 대상이 화제임을 나타내는 조사.
  Pas d'expression équivalente
  Particule indiquant qu'un objet est le principal sujet d'une phrase.

· 어디 (pronom) : 모르는 곳을 가리키는 말.
  Pas d'expression équivalente
  Terme désignant un lieu inconnu.

· 가다 (verbe) : 한 곳에서 다른 곳으로 장소를 이동하다.
  aller, se rendre, s'en aller, passer, partir
  Se déplacer d'un endroit à un autre.

· -았- : 어떤 사건이 과거에 완료되었거나 그 사건의 결과가 현재까지 지속되는 상황을 나타내는 어미.
  Pas d'expression équivalente
  Terminaison indiquant une situation où un évènement a eu lieu dans le passé ou que le résultat de cet évènement se poursuit jusqu'à présent.

• -어 : (두루낮춤으로) 어떤 사실을 서술하거나 물음, 명령, 권유를 나타내는 종결 어미.
Pas d'expression équivalente
(forme non honorifique non formelle) Terminaison finale pour décrire un fait ou pour indiquer une question, un ordre, ou une recommandation. **<question>**

• 아까 (nom) : 조금 전.
tout à l'heure
Un instant plus tôt.

• 부터 : 어떤 일의 시작이나 처음을 나타내는 조사.
Pas d'expression équivalente
Particule servant à exprimer le début ou l'origine d'une chose.

• 안 (adverbe) : 부정이나 반대의 뜻을 나타내는 말.
Pas d'expression équivalente
Terme désignant une négation ou une opposition.

• 보이다 (verbe) : 눈으로 대상의 존재나 겉모습을 알게 되다.
se montrer, apparaître, paraître, se voir, se faire voir, se présenter aux yeux, tomber sous les yeux, entrer dans le champ visuel
(Existence ou apparence d'un objet) Être aperçu avec les yeux.

• -네 : (아주낮춤으로) 지금 깨달은 일에 대하여 말함을 나타내는 종결 어미.
Pas d'expression équivalente
(forme non honorifique très marquée) Terminaison finale pour indiquer que le locuteur parle d'une chose dont il vient de se rendre compte.

글쎄, 급하+ㄴ 일+이 있+[는 듯] 뛰어가+더라.
급한

• **글쎄 (exclamatif)** : 상대방의 물음이나 요구에 대하여 분명하지 않은 태도를 나타낼 때 쓰는 말.
bof, je ne sais pas
Exclamation indiquant une attitude vague à l'égard d'une question ou d'une demande d'un interlocuteur.

• **급하다 (adjectif)** : 사정이나 형편이 빨리 처리해야 할 상태에 있다.
imminent, pressant, pressé
(Situation ou circonstance) Qui est à règler d'urgence.

• **-ㄴ** : 앞의 말이 관형어의 기능을 하게 만들고 현재의 상태를 나타내는 어미.
Pas d'expression équivalente
Terminaison donnant la fonction de déterminant à la proposition précédente et exprimant l'état présent.

· 일 (nom) : 어떤 내용을 가진 상황이나 사실.

chose

Situation ou fait avec un certain contenu.

· 이 : 어떤 상태나 상황의 대상이나 동작의 주체를 나타내는 조사.

Pas d'expression équivalente

Particule qui indique l'objet d'un état ou d'une situation, ou le sujet d'une action.

· 있다 (adjectif) : 어떤 일이 이루어지거나 벌어질 계획이다.

(adj.) il y a, (y) avoir

(Chose) Qui est sur le point de se réaliser ou se produire.

· -는 듯 : 뒤에 오는 말의 내용과 관련하여 짐작할 수 있거나 비슷히디고 여겨지는 상태나 싱횡을 나타
　　　　 낼 때 쓰는 표현.

Pas d'expression équivalente

Expression pour indiquer un état ou une situation que l'on peut supposer ou considérer comme semblable à ce qui est énoncé dans la proposition suivante.

· 뛰어가다 (verbe) : 어떤 곳으로 빨리 뛰어서 가다.

courir

Aller vite vers un endroit en courant.

· -더라 : (아주낮춤으로) 말하는 이가 직접 경험하여 새롭게 알게 된 사실을 지금 전달함을 나타내는 종
　　　　 결 어미.

Pas d'expression équivalente

(forme non honorifique très marquée) Expression indiquant le fait de rapporter maintenant un fait qu'on a appris pour la première fois en en faisant l'expérience.

< 대화(conversation) > - 40

지아 씨, 어디서 타는 듯한 냄새가 나요.
지아 씨, 어디서 타는 드탄 냄새가 나요.
jia ssi, eodiseo taneun deutan naemsaega nayo.

어머, 냄비를 불에 올려놓고 깜빡 잊어버렸네요.
어머, 냄비를 부레 올려노코 깜빡 이저버련네요.
eomeo, naembireul bure ollyeonoko kkamppak ijeobeoryeonneyo.

< 설명(explication) / 번역(traduction) >

지아 씨, 어디+서 타+[는 듯하]+ㄴ 냄새+가 나+(아)요.
　　　　　　　타는 듯한　　　　　　　　나요

- 지아 (nom) : nom de personne

- 씨 (nom) : 그 사람을 높여 부르거나 이르는 말.
  Pas d'expression équivalente
  Nom dépendant utilisé pour s'adresser ou désigner une personne sous la forme honorifique.

- 어디 (pronom) : 정해져 있지 않거나 정확하게 말할 수 없는 어느 곳을 가리키는 말.
  Pas d'expression équivalente
  Terme désignant un lieu qui n'est pas encore déterminé, ou que l'on ne peut pas préciser.

- 서 : 앞말이 출발점의 뜻을 나타내는 조사.
  Pas d'expression équivalente
  Particule indiquant que le mot précédent signifie le point de départ.

- 타다 (verbe) : 뜨거운 열을 받아 검은색으로 변할 정도로 지나치게 익다.
  brûler, griller
  Trop cuire au point d'être noirci par la chaleur.

- -는 듯하다 : 앞에 오는 말의 내용을 추측함을 나타내는 표현.
  Pas d'expression équivalente
  Expression pour indiquer qu'on suppose le contenu de la proposition précédente.

• -ㄴ : 앞의 말이 관형어의 기능을 하게 만들고 현재의 상태를 나타내는 어미.
Pas d'expression équivalente
Terminaison donnant la fonction de déterminant à la proposition précédente et exprimant l'état présent.

• 냄새 (nom) : 코로 맡을 수 있는 기운.
odeur, effluve, exhalaison, fumet
Sensation que l'on peut sentir par le nez.

• 가 : 어떤 상태나 상황에 놓인 대상이나 동작의 주체를 나타내는 조사.
Pas d'expression équivalente
Particule indiquant l'objet d'un état ou d'une situation, ou le sujet d'une action.

• 나다 (verbe) : 알아차릴 정도로 소리나 냄새 등이 드러나다.
Pas d'expression équivalente
Émettre un son ou avoir une odeur suffisamment forte pour être aperçu.

• -아요 : (두루높임으로) 어떤 사실을 서술하거나 질문, 명령, 권유함을 나타내는 종결 어미.
Pas d'expression équivalente
(forme honorifique non formelle) Terminaison finale pour décrire un fait ou pour indiquer une question, un ordre ou une recommandation. <description>

어머, 냄비+를 불+에 올려놓+고 깜빡 잊어버리+었+네요.
잊어버렸네요

• 어머 (exclamatif) : 주로 여자들이 예상하지 못한 일로 갑자기 놀라거나 감탄할 때 내는 소리.
aah !, hii !, comment ?, quoi ?, hein ?, non !
Exclamation évoquant le cri produit quand principalement des femmes sont surprises brusquement par un événement inattendu ou quand elles sont saisies d'admiration pour cet évènement.

• 냄비 (nom) : 음식을 끓이는 데 쓰는, 솥보다 작고 뚜껑과 손잡이가 있는 그릇.
casserole, fait-tout
Ustensile muni de deux anses ou poignées et d'un couvercle, plus petit qu'une marmite, utilisé pour faire cuire les aliments.

• 를 : 동작이 직접적으로 영향을 미치는 대상을 나타내는 조사.
Pas d'expression équivalente
Particule indiquant un objet directement influencé par un mouvement.

• 불 (nom) : 물질이 빛과 열을 내며 타는 것.
feu
Fait qu'une matière brûle en émettant de la lumière et de la chaleur.

• 에 : 앞말이 어떤 행위나 작용이 미치는 대상임을 나타내는 조사.

à, dans, sur, en

Particule indiquant que la proposition précédente (en coréen) est l'objet influencé par une action ou un effet.

• **올려놓다 (verbe)** : 어떤 물건을 무엇의 위쪽에 옮겨다 두다.

jucher, percher

Déplacer et mettre quelque chose ou quelqu'un en un lieu plus élevé.

• **-고** : 앞의 말이 나타내는 행동이나 그 결과가 뒤에 오는 행동이 일어나는 동안에 그대로 지속됨을 나타내는 연결 어미.

Pas d'expression équivalente

Terminaison connective indiquant que l'action exprimée par les propos précédents ou le résultat de cette action continuent pendant que se déroule l'action suivante.

• **깜빡 (adverbe)** : 기억이나 의식 등이 잠깐 흐려지는 모양.

Pas d'expression équivalente

Idéophone indiquant la manière dont la mémoire, la conscience, etc., s'obscurcit un instant.

• **잊어버리다 (verbe)** : 기억해야 할 것을 한순간 전혀 생각해 내지 못하다.

oublier

Ne pas arriver à se souvenir dans l'instant d'une chose qu'il faut.

• **-었-** : 어떤 사건이 과거에 완료되었거나 그 사건의 결과가 현재까지 지속되는 상황을 나타내는 어미.

Pas d'expression équivalente

Terminaison indiquant une situation où un évènement a été accompli dans le passé ou que le résultat de cet évènement se poursuit jusqu'à présent.

• **-네요** : (두루높임으로) 말하는 사람이 직접 경험하여 새롭게 알게 된 사실에 대해 감탄함을 나타낼 때 쓰는 표현.

Pas d'expression équivalente

(forme honorifique non formelle) Expression pour indiquer que le locuteur parle d'une chose nouvelle dont il a fait l'expérience lui-même, sur un ton d'exclamation.

< 대화(conversation) > - 41

너 왜 저녁을 다 안 먹고 남겼니?
너 왜 저녀글 다 안 먹꼬 남견니?
neo wae jeonyeogeul da an meokgo namgyeonni?

저는 먹는 만큼 살이 쪄서 식사량을 줄여야겠어요.
저는 멍는 만큼 사리 쩌서 식싸량을 주려야게써요.
jeoneun meongneun mankeum sari jjeoseo siksaryangeul juryeoyagesseoyo.

< 설명(explication) / 번역(traduction) >

너 왜 저녁+을 다 안 먹+고 남기+었+니?
남겼니

- **너 (pronom)** : 듣는 사람이 친구나 아랫사람일 때, 그 사람을 가리키는 말.
  tu, toi
  Terme designant l'interlocuteur, quand celui-ci est un ami ou une personne de rang inférieur.

- **왜 (adverbe)** : 무슨 이유로. 또는 어째서.
  pourquoi, dans quelle intention, à quelle fin
  Pour quelle raison : comment se fait-il que.

- **저녁 (nom)** : 저녁에 먹는 밥.
  dîner, repas du soir
  Repas que l'on prend le soir.

- **을** : 동작이 직접적으로 영향을 미치는 대상을 나타내는 조사.
  Pas d'expression équivalente
  Particule indiquant un objet directement influencé par un acte.

- **다 (adverbe)** : 남거나 빠진 것이 없이 모두.
  tout, toute, tous, toutes, complètement, parfaitement, vraiment, même, dans son intégralité
  Tout sans que rien ne reste ou ne soit ôté.

- **안 (adverbe)** : 부정이나 반대의 뜻을 나타내는 말.
  Pas d'expression équivalente
  Terme désignant une négation ou une opposition.

• 먹다 (verbe) : 음식 등을 입을 통하여 배 속에 들여보내다.
manger, prendre
Mettre de la nourriture dans sa bouche et l'avaler.

• -고 : 앞의 말과 뒤의 말이 차례대로 일어남을 나타내는 연결 어미.
Pas d'expression équivalente
Terminaison connective indiquant que les propos précédents et les propos suivants se succèdent tour à tour.

• 남기다 (verbe) : 다 쓰지 않고 나머지가 있게 하다.
laisser, léguer, mettre de côté, garder de côté
Faire en sorte de ne pas tout consommer pour en laisser quelque chose.

• -었- : 어떤 사건이 과거에 완료되었거나 그 사건의 결과가 현재까지 지속되는 상황을 나타내는 어미.
Pas d'expression équivalente
Terminaison indiquant une situation où un évènement a été accompli dans le passé ou que le résultat de cet évènement se poursuit jusqu'à présent.

• -니 : (아주낮춤으로) 물음을 나타내는 종결 어미.
Pas d'expression équivalente
(forme non honorifique très marquée) Terminaison finale indiquant une interrogation.

저+는 먹+[는 만큼] 살+이 찌+어서 식사량+을 줄이+어야겠+어요.
쩌서   줄여야겠어요

• 저 (pronom) : 말하는 사람이 듣는 사람에게 자신을 낮추어 가리키는 말.
moi, je
Terme utilisé par le locuteur pour se désigner en s'abaissant.

• 는 : 문장 속에서 어떤 대상이 화제임을 나타내는 조사.
Pas d'expression équivalente
Particule indiquant qu'un objet est le principal sujet d'une phrase.

• 먹다 (verbe) : 음식 등을 입을 통하여 배 속에 들여보내다.
manger, prendre
Mettre de la nourriture dans sa bouche et l'avaler.

• -는 만큼 : 뒤에 오는 말이 앞에 오는 말과 비례하거나 비슷한 정도 혹은 수량임을 나타내는 표현.
Pas d'expression équivalente
Expression indiquant que le contenu des propos qui suivent est proportionnel au contenu des propos précédents, ou d'un degré, d'une quantité ou d'un volume similaire.

• **살 (nom)** : 사람이나 동물의 몸에서 뼈를 둘러싸고 있는 부드러운 부분.
  chair
  Partie douce entourant les os humain ou animal.

• **이** : 어떤 상태나 상황의 대상이나 동작의 주체를 나타내는 조사.
  Pas d'expression équivalente
  Particule qui indique l'objet d'un état ou d'une situation, ou le sujet d'une action.

• **찌다 (verbe)** : 몸에 살이 붙어 뚱뚱해지다.
  grossir, empâter, engraisser
  Devenir gros en prenant du poids.

• **-어서** : 이유나 근거를 나타내는 연결 어미.
  Pas d'expression équivalente
  Terminaison connective indiquant une raison ou une base.

• **식사량 (nom)** : 음식을 먹는 양.
  taille du repas, portion
  Quantité de nourriture consommée.

• **을** : 동작이 직접적으로 영향을 미치는 대상을 나타내는 조사.
  Pas d'expression équivalente
  Particule indiquant un objet directement influencé par un acte.

• **줄이다 (verbe)** : 수나 양을 원래보다 적게 하다.
  réduire, diminuer
  Rendre moins important le nombre ou la quantité d'origine.

• **-어야겠-** : 앞의 말이 나타내는 행동에 대한 강한 의지를 나타내거나 그 행동을 할 필요가 있음을 완곡
          하게 말할 때 쓰는 표현.
  Pas d'expression équivalente
  Expression utilisée pour montrer une forte volonté de faire l'action exprimée par les propos précédents ou pour exprimer de manière atténuée la nécessité de faire cette action.

• **-어요** : (두루높임으로) 어떤 사실을 서술하거나 질문, 명령, 권유함을 나타내는 종결 어미.
  Pas d'expression équivalente
  (forme honorifique non formelle) Terminaison finale pour décrire un fait ou pour indiquer une question, un ordre ou une recommandation. **<description>**

< 대화(conversation) > - 42

이 늦은 시간에 라면을 먹어?
이 느즌 시가네 라며늘 머거?
i neujeun sigane ramyeoneul meogeo?

야근하느라 저녁도 못 먹는 바람에 배고파 죽겠어.
야근하느라 저녁또 몯 멍는 바라메 배고파 죽께써.
yageunhaneura jeonyeokdo mot meongneun barame baegopa jukgesseo.

< 설명(explication) / 번역(traduction) >

이 늦+은 시간+에 라면+을 먹+어?

· **이 (déterminant)** : 말하는 사람에게 가까이 있거나 말하는 사람이 생각하고 있는 대상을 가리킬 때 쓰는 말.
  ce (cet, cette, ces)
  Terme utilisé pour indiquer l'objet qui se trouve près du locuteur ou auquel pense ce dernier.

· **늦다 (adjectif)** : 적당한 때를 지나 있다. 또는 시기가 한창인 때를 지나 있다.
  tard
  Qui se situe après le moment convenable ; (période) qui se trouve après.

· **-은** : 앞의 말이 관형어의 기능을 하게 만들고 현재의 상태를 나타내는 어미.
  Pas d'expression équivalente
  Terminaison faisant fonctionner le mot précédent comme un déterminant et exprimant l'état présent.

· **시간 (nom)** : 어떤 일을 하도록 정해진 때. 또는 하루 중의 어느 한 때.
  heure, moment, instant
  Moment fixé pour faire quelque chose ; un certain moment de la journée.

· **에** : 앞말이 시간이나 때임을 나타내는 조사.
  à, en
  Particule indiquant que la proposition précédente (en coréen) est l'heure ou le moment.

• **라면 (nom)** : 기름에 튀겨 말린 국수와 가루 스프가 들어 있어서 물에 끓이기만 하면 간편하게 먹을 수
　　　　　있는 음식.
Pas d'expression équivalente
Nouilles instantanées, pâtes frites à l'huile et séchées accompagnées d'une poudre d'épices,
que l'on peut préparer et manger simplement en les faisant bouillir dans de l'eau.

• **을** : 동작이 직접적으로 영향을 미치는 대상을 나타내는 조사.
Pas d'expression équivalente
Particule indiquant un objet directement influencé par un acte.

• **먹다 (verbe)** : 음식 등을 입을 통하여 배 속에 들여보내다.
manger, prendre
Mettre de la nourriture dans sa bouche et l'avaler.

• **-어** : (두루낮춤으로) 어떤 사실을 서술하거나 물음, 명령, 권유를 나타내는 종결 어미.
Pas d'expression équivalente
(forme non honorifique non formelle) Terminaison finale pour décrire un fait ou pour
indiquer une question, un ordre, ou une recommandation. <question>

야근하+느라고 저녁+도 못 먹+[는 바람에] <u>배고프(배고프)+[아 죽]+겠+어</u>.
배고파 죽겠어

• **야근하다 (verbe)** : 퇴근 시간이 지나 밤늦게까지 일하다.
travailler de nuit, travailler la nuit, faire le service de nuit, être de nuit
Travailler tard le soir, après l'heure de fermeture des bureaux.

• **-느라고** : 앞에 오는 말이 나타내는 행동이 뒤에 오는 말의 목적이나 원인이 됨을 나타내는 연결 어미.
Pas d'expression équivalente
Terminaison connective pour indiquer que l'action précédente est un but ou une cause de
ce qui suit.

• **저녁 (nom)** : 저녁에 먹는 밥.
dîner, repas du soir
Repas que l'on prend le soir.

• **도** : 극단적인 경우를 들어 다른 경우는 말할 것도 없음을 나타내는 조사.
Pas d'expression équivalente
Particule indiquant qu'il ne sert à rien de considérer tout autre cas en évoquant une
situation extrême.

• **못 (adverbe)** : 동사가 나타내는 동작을 할 수 없게.
Pas d'expression équivalente
De façon à ce que l'action exprimée par le verbe ne puisse pas s'effectuer.

• **먹다 (verbe)** : 음식 등을 입을 통하여 배 속에 들여보내다.

manger, prendre

Mettre de la nourriture dans sa bouche et l'avaler.

• -는 바람에 : 앞의 말이 나타내는 행동이나 상태가 뒤에 오는 말의 원인이나 이유가 됨을 나타내는 표현.

Pas d'expression équivalente

Expression pour indiquer que l'action précédente est la cause ou la raison de la situation suivante.

• **배고프다 (adjectif)** : 배 속이 빈 것을 느껴 음식이 먹고 싶다.

avoir faim

Qui a envie de manger de la nourriture en ressentant le ventre creux.

• -아 죽다 : 앞의 말이 나타내는 상태의 정도가 매우 심함을 나타내는 표현.

Pas d'expression équivalente

Expression indiquant que le degré d'un état exprimé par les propos précédents est trop excessif.

• -겠- : 미래의 일이나 추측을 나타내는 어미.

Pas d'expression équivalente

Terminaison exprimant un fait à venir ou une supposition.

• -어 : (두루낮춤으로) 어떤 사실을 서술하거나 물음, 명령, 권유를 나타내는 종결 어미.

Pas d'expression équivalente

(forme non honorifique non formelle) Terminaison finale pour décrire un fait ou pour indiquer une question, un ordre, ou une recommandation. **<description>**

< 대화(conversation) > - 43

겨울이 가면 봄이 오는 법이야. 힘들다고 포기하면 안 돼.
겨우리 가면 보미 오는 버비야. 힘들다고 포기하면 안 돼.
gyeouri gamyeon bomi oneun beobiya. himdeuldago pogihamyeon an dwae.

고마워. 네 말에 다시 힘이 나는 것 같아.
고마워. 네 마레 다시 히미 나는 걷 가타.
gomawo. ne mare dasi himi naneun geot gata.

< 설명(explication) / 번역(traduction) >

겨울+이 가+면 봄+이 오+[는 법이]+야.

힘들+다고 포기하+[면 안 되]+어.
    포기하면 안 돼

- **겨울 (nom)** : 네 계절 중의 하나로 가을과 봄 사이의 추운 계절.
  hiver
  Saison la plus froide des quatre saisons de l'année, succédant à l'automne et précédant le printemps.

- **이** : 어떤 상태나 상황의 대상이나 동작의 주체를 나타내는 조사.
  Pas d'expression équivalente
  Particule qui indique l'objet d'un état ou d'une situation, ou le sujet d'une action.

- **가다 (verbe)** : 시간이 지나거나 흐르다.
  se passer, s'écouler
  (Temps) Se passer ou s'écouler.

- **-면** : 뒤에 오는 말에 대한 근거나 조건이 됨을 나타내는 연결 어미.
  Pas d'expression équivalente
  Terminaison connective indiquant une chose qui constitue le fondement ou la condition des propos suivants.

- **봄 (nom)** : 네 계절 중의 하나로 겨울과 여름 사이의 계절.
  printemps
  Une des quatre saisons se situant entre l'hiver et l'été.

- 이 : 어떤 상태나 상황의 대상이나 동작의 주체를 나타내는 조사.
  Pas d'expression équivalente
  Particule qui indique l'objet d'un état ou d'une situation, ou le sujet d'une action.

- 오다 (verbe) : 어떤 때나 계절 등이 닥치다.
  approcher, arriver
  (Certain moment, saison, etc.) Approcher.

- -는 법이다 : 앞의 말이 나타내는 동작이나 상태가 이미 그렇게 정해져 있거나 그런 것이 당연하다는
  뜻을 나타내는 표현.
  Pas d'expression équivalente
  Expression montrant que l'action ou l'état exprimé par les propos précédents a déjà été fixé ou qu'il est évident.

- -야 : (두루낮춤으로) 어떤 사실에 대하여 서술하거나 물음을 나타내는 종결 어미.
  Pas d'expression équivalente
  (forme non honorifique non formelle) Terminaison finale indiquant une description ou une interrogation sur un fait. **<description>**

- 힘들다 (adjectif) : 마음이 쓰이거나 수고가 되는 면이 있다.
  difficile, dur, pénible
  Qui a un aspect nécessitant un soin ou un effort.

- -다고 : 어떤 행위의 목적, 의도를 나타내거나 어떤 상황의 이유, 원인을 나타내는 연결 어미.
  Pas d'expression équivalente
  Terminaison connective indiquant l'objectif ou l'intention derrière une action, la raison ou la cause d'une situation.

- 포기하다 (verbe) : 하려던 일이나 생각을 중간에 그만두다.
  abandonner, enterrer, renoncer
  Laisser tomber à mi-chemin ce que l'on était en train de faire ou de penser.

- -면 안 되다 : 어떤 행동이나 상태를 금지하거나 제한함을 나타내는 표현.
  Pas d'expression équivalente
  Expression indiquant le fait d'interdire ou limiter une action ou un état.

- -어 : (두루낮춤으로) 어떤 사실을 서술하거나 물음, 명령, 권유를 나타내는 종결 어미.
  Pas d'expression équivalente
  (forme non honorifique non formelle) Terminaison finale pour décrire un fait ou pour indiquer une question, un ordre, ou une recommandation. **<ordre>**

<u>고맙(고마우)+어</u>.
   고마워

<u>너+의 말+에 다시 힘+이 나+[는 것 같]+아</u>.
   네

- **고맙다 (adjectif)** : 남이 자신을 위해 무엇을 해주어서 마음이 흐뭇하고 보답하고 싶다.
  reconnaissant
  Être touché par l'action que quelqu'un nous porte et avoir envie de faire de même.

- **-어** : (두루낮춤으로) 어떤 사실을 서술하거나 물음, 명령, 권유를 나타내는 종결 어미.
  Pas d'expression équivalente
  (forme non honorifique non formelle) Terminaison finale pour décrire un fait ou pour indiquer une question, un ordre, ou une recommandation. <description>

- **너 (pronom)** : 듣는 사람이 친구나 아랫사람일 때, 그 사람을 가리키는 말.
  tu, toi
  Terme designant l'interlocuteur, quand celui-ci est un ami ou une personne de rang inférieur.

- **의** : 앞의 말이 뒤의 말에 대하여 소유, 소속, 소재, 관계, 기원, 주체의 관계를 가짐을 나타내는 조사.
  Pas d'expression équivalente
  Particule pour indiquer que la proposition précédente prend une relation de possession, d'appartenance, d'emplacement, de relation, d'origine ou de sujet d'action par rapport à la proposition suivante.

- **말 (nom)** : 생각이나 느낌을 표현하고 전달하는 사람의 소리.
  Pas d'expression équivalente
  Son d'un homme exprimant ou transmettant ses pensées ou ses sentiments.

- **에** : 앞말이 어떤 일의 원인임을 나타내는 조사.
  à, par, pour, de
  Particule indiquant que la proposition précédente (en coréen) est la cause de quelque chose.

- **다시 (adverbe)** : 방법이나 목표 등을 바꿔서 새로이.
  à nouveau, sur de nouvelles bases
  En changeant de méthode, d'objectif, etc.

- **힘 (nom)** : 용기나 자신감.
  Pas d'expression équivalente
  Courage ; confiance en soi.

• 이 : 어떤 상태나 상황의 대상이나 동작의 주체를 나타내는 조사.

Pas d'expression équivalente

Particule qui indique l'objet d'un état ou d'une situation, ou le sujet d'une action.

• **나다 (verbe)** : 어떤 감정이나 느낌이 생기다.

Pas d'expression équivalente

(Sentiment, impression, etc.) Surgir.

• -는 것 같다 : 추측을 나타내는 표현.

Pas d'expression équivalente

Expression utilisée pour indiquer que la proposition est une supposition.

• -아 : (두루낮춤으로) 어떤 사실을 서술하거나 물음, 명령, 권유를 나타내는 종결 어미.

Pas d'expression équivalente

(forme non honorifique non formelle) Terminaison finale pour décrire un fait ou pour indiquer une question, un ordre, ou une recommandation. **<description>**

< 대화(conversation) > - 44

재는 도대체 여기 언제 온 거야?
재는 도대체 여기 언제 온 거야?
jyaeneun dodaeche yeogi eonje on geoya?

아까 네가 잠깐 조는 사이에 왔을걸.
아까 네가 잠깐 조는 사이에 와쓸껄.
akka nega jamkkan joneun saie wasseulgeol.

< 설명(explication) / 번역(traduction) >

재+는 도대체 여기 언제 <u>오+[ㄴ 것(거)]+(이)+야</u>?
온 거야

• **재 (abréviation)** : '저 아이'가 줄어든 말.
  Pas d'expression équivalente
  Abréviation du terme "저(ce) 아이(tierce personne)".

• **는** : 문장 속에서 어떤 대상이 화제임을 나타내는 조사.
  Pas d'expression équivalente
  Particule indiquant qu'un objet est le principal sujet d'une phrase.

• **도대체 (adverbe)** : 아주 궁금해서 묻는 말인데.
  déjà, mais
  Par grande curiosité.

• **여기 (pronom)** : 말하는 사람에게 가까운 곳을 가리키는 말.
  ici
  Pronom désignant un lieu près du locuteur.

• **언제 (adverbe)** : 알지 못하는 어느 때에.
  (adv.) quand, à quel moment
  À un moment que l'on ne connaît pas.

• **오다 (verbe)** : 무엇이 다른 곳에서 이곳으로 움직이다.
  venir, arriver, apparaître
  (Quelque chose) Bouger d'un lieu à celui où l'on se trouve.

- -ㄴ 것 : 명사가 아닌 것을 문장에서 명사처럼 쓰이게 하거나 '이다' 앞에 쓰일 수 있게 할 때 쓰는 표현.
  Pas d'expression équivalente
  Expression permettant à un mot qui n'est pas un nom d'être utilisé comme tel, ou d'être utilisé devant '이다'.

- 이다 : 주어가 지시하는 대상의 속성이나 부류를 지정하는 뜻을 나타내는 서술격 조사.
  Pas d'expression équivalente
  Particule du cas prédicatif pour indiquer la caractéristique ou la catégorie d'un objet qui se rapporte au sujet d'une phrase.

- -야 : (두루낮춤으로) 어떤 사실에 대하여 서술하거나 물음을 나타내는 종결 어미.
  Pas d'expression équivalente
  (forme non honorifique non formelle) Terminaison finale indiquant une description ou une interrogation sur un fait. <question>

아까 네+가 잠깐 졸(조)+[는 사이]+에 오+았+을걸.
조는 사이에   왔을걸

- 아까 (adverbe) : 조금 전에.
  il y a un moment, il y a un instant, tout à l'heure, à l'instant, il n'y a pas longtemps
  Il y a un instant.

- 네 (pronom) : '너'에 조사 '가'가 붙을 때의 형태.
  toi, tu
  Forme issue de l'ajout de la particule '가' au pronom '너'.

- 가 : 어떤 상태나 상황에 놓인 대상이나 동작의 주체를 나타내는 조사.
  Pas d'expression équivalente
  Particule indiquant l'objet d'un état ou d'une situation, ou le sujet d'une action.

- 잠깐 (adverbe) : 아주 짧은 시간 동안에.
  (adv.) un instant
  Pendant un temps très court.

- 졸다 (verbe) : 완전히 잠이 들지는 않으면서 자꾸 잠이 들려는 상태가 되다.
  sommeiller, somnoler, s'assoupir
  Avoir envie de dormir, tout en étant en état de demi-sommeil.

- -는 사이 : 어떤 행동이나 상황이 일어나는 중간의 어느 짧은 시간을 나타내는 표현.
  Pas d'expression équivalente
  Expression pour indiquer un court instant qui arrive au milieu d'une action ou d'une situation.

• 에 : 앞말이 시간이나 때임을 나타내는 조사.

à, en

Particule indiquant que la proposition précédente (en coréen) est l'heure ou le moment.

• 오다 (verbe) : 무엇이 다른 곳에서 이곳으로 움직이다.

venir, arriver, apparaître

(Quelque chose) Bouger d'un lieu à celui où l'on se trouve.

• -았- : 어떤 사건이 과거에 완료되었거나 그 사건의 결과가 현재까지 지속되는 상황을 나타내는 어미.

Pas d'expression équivalente

Terminaison indiquant une situation où un évènement a eu lieu dans le passé ou que le résultat de cet évènement se poursuit jusqu'à présent.

• -을걸 : (두루낮춤으로) 미루어 짐작하거나 추측함을 나타내는 종결 어미.

Pas d'expression équivalente

(forme non honorifique non formelle) Terminaison finale indiquant une supposition ou une présomption.

< 대화(conversation) > - 45

오빠, 저 내일 친구들이랑 스키 타러 갈 거예요.
오빠, 저 내일 친구드리랑 스키 타러 갈 꺼예요.
oppa, jeo naeil chingudeurirang seuki tareo gal geoyeyo.

그래? 자칫하면 다칠 수 있으니까 조심해라.
그래? 자치타면 다칠 쑤 이쓰니까 조심해라.
geurae? jachitamyeon dachil su isseunikka josimhaera.

< 설명(explication) / 번역(traduction) >

오빠, 저 내일 친구+들+이랑 스키 타+러 가+[ㄹ 것(거)]+이+에요.
                                         갈 거예요

- 오빠 (nom) : 여자가 자기보다 나이 많은 남자를 다정하게 이르거나 부르는 말.
  Pas d'expression équivalente
  Mot utilisé par une femme pour désigner ou s'adresser affectueusement à un homme plus âgé.

- 저 (pronom) : 말하는 사람이 듣는 사람에게 자신을 낮추어 가리키는 말.
  moi, je
  Terme utilisé par le locuteur pour se désigner en s'abaissant.

- 내일 (adverbe) : 오늘의 다음 날에.
  demain
  Jour suivant aujourd'hui.

- 친구 (nom) : 사이가 가까워 서로 친하게 지내는 사람.
  ami, amie, camarade, copain, copine, compagnon
  Personne proche de nous et avec qui on entretient une relation intime.

- 들 : '복수'의 뜻을 더하는 접미사.
  Pas d'expression équivalente
  Suffixe signifiant « pluriel ».

- 이랑 : 어떤 일을 함께 하는 대상임을 나타내는 조사.
  Pas d'expression équivalente
  Particule montrant que la personne indiquée est celle avec qui on exécute une action.

- 스키 (nom) : 눈 위로 미끄러져 가도록 나무나 플라스틱으로 만든 좁고 긴 기구.
  ski
  Long patin étroit fabriqué en bois ou en plastique, pour se déplacer en glissant sur la neige.

- 타다 (verbe) : 바닥이 미끄러운 곳에서 기구를 이용해 미끄러지다.
  Pas d'expression équivalente
  Glisser en utilisant un instrument dans un lieu où le sol est glissant.

- -러 : 가거나 오거나 하는 동작의 목적을 나타내는 연결 어미.
  Pas d'expression équivalente
  Terminaison connective indiquant le but d'un mouvement.

- 가다 (verbe) : 어떤 목적을 가지고 일정한 곳으로 움직이다.
  aller, se rendre, partir, partir pour
  Se déplacer pour aller à un certain endroit en ayant un certain objectif.

- -ㄹ 것 : 명사가 아닌 것을 문장에서 명사처럼 쓰이게 하거나 '이다' 앞에 쓰일 수 있게 할 때 쓰는 표현.
  Pas d'expression équivalente
  Expression utilisée pour qu'un mot qui n'est pas un nom soit utilisé comme tel dans une phrase, ou pour que ce mot se place devant l'expression « Ida(être) »

- 이다 : 주어가 지시하는 대상의 속성이나 부류를 지정하는 뜻을 나타내는 서술격 조사.
  Pas d'expression équivalente
  Particule du cas prédicatif pour indiquer la caractéristique ou la catégorie d'un objet qui se rapporte au sujet d'une phrase.

- -에요 : (두루높임으로) 어떤 사실을 서술하거나 질문함을 나타내는 종결 어미.
  Pas d'expression équivalente
  (forme honorifique non formelle) Terminaison finale pour décrire un fait ou pour indiquer une question. <description>

그래?

자칫하+면 다치+[ㄹ 수 있]+으니까 조심하+여라.
　　　　　다칠 수 있으니까　　　조심해라

- 그래 (exclamatif) : 상대편의 말에 대한 감탄이나 가벼운 놀라움을 나타낼 때 쓰는 말.
  c'est vrai, vraiment?
  Terme exprimant l'admiration ou un léger étonnement envers les propos de l'interlocuteur.

· **자칫하다 (verbe)** : 어쩌다가 조금 어긋나거나 잘못되다.

faillir

S'éloigner un peu d'une chose ou faire une erreur par hasard.

· **-면** : 뒤에 오는 말에 대한 근거나 조건이 됨을 나타내는 연결 어미.

Pas d'expression équivalente

Terminaison connective indiquant une chose qui constitue le fondement ou la condition des propos suivants.

· **다치다 (verbe)** : 부딪치거나 맞거나 하여 몸이나 몸의 일부에 상처가 생기다. 또는 상처가 생기게 하다.

se blesser, se faire mal ; blesser, faire mal à

(Corps ou partie du corps) Être blessé à la suite de coups ou après avoir heurté quelque chose ; faire en sorte qu'il y ait une blessure.

· **-ㄹ 수 있다** : 어떤 행동이나 상태가 가능함을 나타내는 표현.

Pas d'expression équivalente

Expression indiquant qu'une action ou un état est possible.

· **-으니까** : 뒤에 오는 말에 대하여 앞에 오는 말이 원인이나 근거, 전제가 됨을 강조하여 나타내는 연결 어미.

Pas d'expression équivalente

Terminaison connective pour souligner que les propos précédents constituent la cause, le fondement ou un prérequis des propos suivants.

· **조심하다 (verbe)** : 좋지 않은 일을 겪지 않도록 말이나 행동 등에 주의를 하다.

prendre garde, se mettre en garde, prendre des précautions, se méfier de

Faire attention à ses propos, à son comportement, etc., pour éviter un mal.

· **-여라** : (아주낮춤으로) 명령을 나타내는 종결 어미.

Pas d'expression équivalente

(forme non honorifique très marquée) Terminaison finale indiquant un ordre.

< 대화(conversation) > - 46

우산이 없는데 어떻게 하지?
우사니 엄는데 어떠케 하지?
usani eomneunde eotteoke haji?

그냥 비를 맞는 수밖에 없지, 뭐. 뛰어.
그냥 비를 만는 수바께 업찌, 뭐. 뛰어.
geunyang bireul manneun subakke eopji, mwo. ttwieo.

< 설명(explication) / 번역(traduction) >

우산+이 없+는데 어떻게 하+지?

- **우산 (nom)** : 긴 막대 위에 지붕 같은 막을 펼쳐서 비가 올 때 손에 들고 머리 위를 가리는 도구.
parapluie
Accessoire composé d'une étoffe tendue sur un bâton long, qu'on porte à la main et qu'on ouvre au dessus de sa tête comme un toit, pour se protéger de la pluie.

- **이** : 어떤 상태나 상황의 대상이나 동작의 주체를 나타내는 조사.
Pas d'expression équivalente
Particule qui indique l'objet d'un état ou d'une situation, ou le sujet d'une action.

- **없다 (adjectif)** : 어떤 물건을 가지고 있지 않거나 자격이나 능력 등을 갖추지 않은 상태이다.
Pas d'expression équivalente
Qui ne possède pas un certain objet ou qui n'a pas acquis une certaine qualification, une certaine capacité, etc.

- **-는데** : 뒤의 말을 하기 위하여 그 대상과 관련이 있는 상황을 미리 말함을 나타내는 연결 어미.
Pas d'expression équivalente
Terminaison connective indiquant le fait de parler à l'avance d'une situation en rapport avec l'objet des propos suivants.

- **어떻게 (adverbe)** : 어떤 방법으로. 또는 어떤 방식으로.
comment
Par quel moyen : de quelle manière.

· 하다 (verbe) : 어떤 방식으로 행위를 이루다.
  Pas d'expression équivalente
  Accomplir une action d'une certaine manière.

· -지 : (두루낮춤으로) 말하는 사람이 듣는 사람에게 친근함을 나타내며 물을 때 쓰는 종결 어미.
  Pas d'expression équivalente
  (forme non honorifique non formelle) Terminaison finale utilisée par le locuteur pour interroger amicalement un interlocuteur.

그냥 비+를 맞+[는 수밖에 없]+지, 뭐.

뛰+어.

· **그냥 (adverbe)** : 그런 모양으로 그대로 계속하여.
  Comme cela
  De cette manière et continuellement.

· **비 (nom)** : 높은 곳에서 구름을 이루고 있던 수증기가 식어서 뭉쳐 떨어지는 물방울.
  pluie
  Vapeur ayant formé des nuages en hauteur, s'étant refroidie et tombant en s'agglomérant sous forme de gouttes d'eau.

· 를 : 동작이 직접적으로 영향을 미치는 대상을 나타내는 조사.
  Pas d'expression équivalente
  Particule indiquant un objet directement influencé par un mouvement.

· **맞다 (verbe)** : 내리는 눈이나 비 등이 닿는 것을 그대로 받다.
  être sous quelque chose
  Recevoir des flocons de neige, des gouttes de pluies etc.

· -는 수밖에 없다 : 그것 말고는 다른 방법이나 가능성이 없음을 나타내는 표현.
  Pas d'expression équivalente
  Expression pour indiquer qu'il n'y a pas d'autre moyen ou possibilité que ce qui est indiqué.

· -지 : (두루낮춤으로) 말하는 사람이 자신에 대한 이야기나 자신의 생각을 친근하게 말할 때 쓰는 종결 어미.
  Pas d'expression équivalente
  (forme non honorifique non formelle) Terminaison finale utilisée par le locuteur pour parler d'une chose qui le concerne, ou pour affirmer sa pensée sur un ton familier.

· **뭐 (exclamatif)** : 더 이상 여러 말 할 것 없다는 뜻으로 어떤 사실을 체념하여 받아들이며 하는 말.
mais bon
Exclamation uilisée pour accepter un fait par résignation, lorsqu'on pense qu'il n'est plus nécessaire d'en parler davantage.

· **뛰다 (verbe)** : 발을 재빠르게 움직여 빨리 나아가다.
courir, s'élancer, se précipiter, se jeter vers, se lancer, galoper, trotter, filer, bondir, cavaler, pourchasser
Bouger rapidement les pieds pour avancer vite.

· **-어** : (두루낮춤으로) 어떤 사실을 서술하거나 물음, 명령, 권유를 나타내는 종결 어미.
Pas d'expression équivalente
(forme non honorifique non formelle) Terminaison finale pour décrire un fait ou pour indiquer une question, un ordre, ou une recommandation. **<ordre>**

< 대화(conversation) > - 47

지우는 성격이 참 좋은 것 같아요.
지우는 성껴기 참 조은 건 가타요.
jiuneun seonggyeogi cham joeun geot gatayo.

맞아요. 걔는 아무리 일이 바빠도 인상 한 번 찌푸리는 적이 없어요.
마자요. 걔는 아무리 이리 바빠도 인상 한 번 찌푸리는 저기 업써요.
majayo. gyaeneun amuri iri bappado insang han beon jjipurineun jeogi eopseoyo.

< 설명(explication) / 번역(traduction) >

지우+는 성격+이 참 좋+[은 것 같]+아요.

- **지우 (nom)** : nom de personne

- **는** : 문장 속에서 어떤 대상이 화제임을 나타내는 조사.
  Pas d'expression équivalente
  Particule indiquant qu'un objet est le principal sujet d'une phrase.

- **성격 (nom)** : 개인이 가지고 있는 고유한 성질이나 품성.
  Pas d'expression équivalente
  Caractère ou tempérament propre à un individu.

- **이** : 어떤 상태나 상황의 대상이나 동작의 주체를 나타내는 조사.
  Pas d'expression équivalente
  Particule qui indique l'objet d'un état ou d'une situation, ou le sujet d'une action.

- **참 (adverbe)** : 사실이나 이치에 조금도 어긋남이 없이 정말로.
  vraiment, effectivement, réellement
  De manière vraie, en ne s'écartant pas de la vérité ou de la raison.

- **좋다 (adjectif)** : 성격 등이 원만하고 착하다.
  bon, gentil, aimable, agréable, correct
  (Caractère, etc.) Accommodant et bon.

- **-은 것 같다** : 추측을 나타내는 표현.
  Pas d'expression équivalente
  Expression utilisée pour indiquer que la proposition est une supposition.

• -아요 : (두루높임으로) 어떤 사실을 서술하거나 질문, 명령, 권유함을 나타내는 종결 어미.
  Pas d'expression équivalente
  (forme honorifique non formelle) Terminaison finale pour décrire un fait ou pour indiquer une question, un ordre ou une recommandation. <description>

맞+아요.

걔+는 아무리 일+이 <u>바쁘(바뻐)+아도</u> 인상 한 번 찌푸리+[는 적이 없]+어요.
바빠도

• **맞다 (verbe)** : 그렇거나 옳다.
  avoir raison
  Être le cas ou correct.

• -아요 : (두루높임으로) 어떤 사실을 서술하거나 질문, 명령, 권유함을 나타내는 종결 어미.
  Pas d'expression équivalente
  (forme honorifique non formelle) Terminaison finale pour décrire un fait ou pour indiquer une question, un ordre ou une recommandation. <description>

• **걔 (abréviation)** : '그 아이'가 줄어든 말.
  Pas d'expression équivalente
  Abréviation du terme '그(ce) 아이(tierce personne)'.

• 는 : 문장 속에서 어떤 대상이 화제임을 나타내는 조사.
  Pas d'expression équivalente
  Particule indiquant qu'un objet est le principal sujet d'une phrase.

• **아무리 (adverbe)** : 정도가 매우 심하게.
  Pas d'expression équivalente
  (Degré) De manière vraiment excessive.

• **일 (nom)** : 무엇을 이루려고 몸이나 정신을 사용하는 활동. 또는 그 활동의 대상.
  travail
  Activité demandant un exercice physique ou mental dans le but de réaliser quelque chose : objet de cette activité.

• 이 : 어떤 상태나 상황의 대상이나 동작의 주체를 나타내는 조사.
  Pas d'expression équivalente
  Particule qui indique l'objet d'un état ou d'une situation, ou le sujet d'une action.

• **바쁘다 (adjectif)** : 할 일이 많거나 시간이 없어서 다른 것을 할 여유가 없다.

occupé, débordé de travail, submergé de travail

Qui n'est pas disponible pour faire autre chose, parce qu'il a beaucoup de choses à faire ou parce qu'il n'a pas de temps.

• **-아도** : 앞에 오는 말을 가정하거나 인정하지만 뒤에 오는 말에는 관계가 없거나 영향을 끼치지 않음을 나타내는 연결 어미.

Pas d'expression équivalente

Terminaison connective indiquant que bien que l'on suppose ou reconnaisse les propos précédents, ceux-ci n'ont aucun rapport ou n'exercent aucune influence sur les propos suivants.

• **인상 (nom)** : 사람 얼굴의 생김새.

impression, air, présentation, physionomie, mine, traits, apparence

Physionomie du visage humain.

• **한 (déterminant)** : 하나의.

un

D'un.

• **번 (nom)** : 일의 횟수를 세는 단위.

Pas d'expression équivalente

Nom dépendant, quantificateur pour compter le nombre de fois.

• **찌푸리다 (verbe)** : 얼굴의 근육이나 눈살 등을 몹시 찡그리다.

froncer, se renfrogner, ciller, plisser

Contracter fortement les muscle du visage ou des sourcils.

• **-는 적이 없다** : 앞의 말이 나타내는 동작이 진행되거나 그 상태가 나타나는 때가 없음을 나타내는 표현.

Pas d'expression équivalente

Expression pour indiquer que l'action ou l'état mentionné(e) précédemment ne s'est pas réalisé(e).

• **-어요** : (두루높임으로) 어떤 사실을 서술하거나 질문, 명령, 권유함을 나타내는 종결 어미.

Pas d'expression équivalente

(forme honorifique non formelle) Terminaison finale pour décrire un fait ou pour indiquer une question, un ordre ou une recommandation. <description>

< 대화(conversation) > - 48

명절에 한복 입어 본 적 있어요?
명저레 한복 이버 본 적 이써요?
myeongjeore hanbok ibeo bon jeok isseoyo?

그럼요. 어렸을 때 부모님하고 고향에 내려가면서 입었었죠.
그러묘. 어려쓸 때 부모님하고 고향에 내려가면서 이버썯쬬.
geureomyo. eoryeosseul ttae bumonimhago gohyange naeryeogamyeonseo ibeosseotjyo.

< 설명(explication) / 번역(traduction) >

명절+에 한복 입+[어 보]+[ㄴ 적 있]+어요?
입어 본 적 있어요

• **명절 (nom)** : 설이나 추석 등 해마다 일정하게 돌아와 전통적으로 즐기거나 기념하는 날.
fête, fête traditionnelle
Jour qui revient chaque année comme Seol (Nouvel An lunaire), Chuseok (la fête des récoltes le 15 du huitième mois lunaire), etc., que l'on célèbre ou commémore par tradition.

• **에** : 앞말이 시간이나 때임을 나타내는 조사.
à, en
Particule indiquant que la proposition précédente (en coréen) est l'heure ou le moment.

• **한복 (nom)** : 한국의 전통 의복.
hanbok, costume traditionnel coréen
Costume traditionnel de la Corée.

• **입다 (verbe)** : 옷을 몸에 걸치거나 두르다.
porter, s'habiller
Se vêtir ou ceindre son corps d'un vêtement.

• **-어 보다** : 앞의 말이 나타내는 행동을 이전에 경험했음을 나타내는 표현.
Pas d'expression équivalente
Expression indiquant le fait d'avoir fait l'expérience dans le passé d'une action exprimée par les propos précédents.

- -ㄴ 적 있다 : 앞의 말이 나타내는 동작이 일어나거나 그 상태가 나타난 때가 있음을 나타내는 표현.
  Pas d'expression équivalente
  Expression pour indiquer que l'action ou l'état exprimé par la proposition précédente s'est déjà réalisé auparavant.

- -어요 : (두루높임으로) 어떤 사실을 서술하거나 질문, 명령, 권유함을 나타내는 종결 어미.
  Pas d'expression équivalente
  (forme honorifique non formelle) Terminaison finale pour décrire un fait ou pour indiquer une question, un ordre ou une recommandation. <question>

그럼+요.

어리+었+[을 때] 부모님+하고 고향+에 내려가+면서 입+었었+죠.
   어렸을 때

- **그럼** (exclamatif) : 말할 것도 없이 당연하다는 뜻으로 대답할 때 쓰는 말.
  bien sûr, évidemment, certainement
  Exclamation utilisée pour appuyer une réponse lorsque quelque chose est complètement évident.

- 요 : 높임의 대상인 상대방에게 존대의 뜻을 나타내는 조사.
  Pas d'expression équivalente
  Particule utilisée pour marquer la forme honorifique envers l'interlocuteur qui est un objet de respect.

- **어리다** (adjectif) : 나이가 적다.
  petit, tout jeune
  (Âge) Qui est jeune.

- -었- : 사건이 과거에 일어났음을 나타내는 어미.
  Pas d'expression équivalente
  Terminaison indiquant qu'un évènement s'est produit dans le passé.

- -을 때 : 어떤 행동이나 상황이 일어나는 동안이나 그 시기 또는 그러한 일이 일어난 경우를 나타내는 표현.
  Pas d'expression équivalente
  Expression utilisée pour indiquer le moment, la période ou le cas où une action est effectuée ou où il se passe quelque chose.

- **부모님** (nom) : (높이는 말로) 부모.
  Pas d'expression équivalente
  (forme honorifique) Parents.

• 하고 : 어떤 일을 함께 하는 대상임을 나타내는 조사.

Pas d'expression équivalente

Particule indiquant le partenaire d'une action commune.

• **고향 (nom)** : 태어나서 자란 곳.

pays natal, ville natale

Endroit où l'on est né et a grandi.

• 에 : 앞말이 목적지이거나 어떤 행위의 진행 방향임을 나타내는 조사.

à, en, sur, dans

Particule indiquant que la proposition précédente (en coréen) est la destination ou la direction de progression d'une action.

• **내려가다 (verbe)** : 도심이나 중심지에서 지방으로 가다.

descendre, monter

Aller du centre d'une ville ou d'un centre vers la province.

• -면서 : 두 가지 이상의 동작이나 상태가 함께 일어남을 나타내는 연결 어미.

Pas d'expression équivalente

Terminaison connective indiquant que plus de deux actions ou états surviennent en même temps.

• **입다 (verbe)** : 옷을 몸에 걸치거나 두르다.

porter, s'habiller

Se vêtir ou ceindre son corps d'un vêtement.

• -었었- : 현재와 비교하여 다르거나 현재로 이어지지 않는 과거의 사건을 나타내는 어미.

Pas d'expression équivalente

Terminaison indiquant qu'un évènement du passé comparé à l'état présent en est différent, ou qui n'est pas connecté au présent.

• -죠 : (두루높임으로) 말하는 사람이 자신에 대한 이야기나 자신의 생각을 친근하게 말할 때 쓰는 종결 어미.

Pas d'expression équivalente

(forme honorifique non formelle) Terminaison finale utilisée par le locuteur pour parler d'une chose qui le concerne, ou pour affirmer sa pensée sur un ton familier.

< 대화(conversation) > - 49

왜 이렇게 늦었어? 한참 기다렸잖아.
왜 이러케 느저써? 한참 기다렫짜나.
wae ireoke neujeosseo? hancham gidaryeotjana.

미안해, 오후에도 이렇게 차가 막히는 줄 몰랐어.
미안해, 오후에도 이러케 차가 마키는 줄 몰라써.
mianhae, ohuedo ireoke chaga makineun jul mollasseo.

< 설명(explication) / 번역(traduction) >

왜 이렇+게 늦+었+어?

한참 기다리+었+잖아.
　　　　기다렸잖아

- **왜 (adverbe)** : 무슨 이유로. 또는 어째서.
  pourquoi, dans quelle intention, à quelle fin
  Pour quelle raison ; comment se fait-il que.

- **이렇다 (adjectif)** : 상태, 모양, 성질 등이 이와 같다.
  tel
  (État, forme, nature, etc.) Qui est semblable à cela.

- **-게** : 앞의 말이 뒤에서 가리키는 일의 목적이나 결과, 방식, 정도 등이 됨을 나타내는 연결 어미.
  Pas d'expression équivalente
  Terminaison connective indiquant que les propos précédents constituent l'objectif, le résultat, la méthode ou le degré des propos qui suivent.

- **늦다 (verbe)** : 정해진 때보다 지나다.
  être tard, se faire tard
  Passer le moment fixé.

- **-었-** : 어떤 사건이 과거에 완료되었거나 그 사건의 결과가 현재까지 지속되는 상황을 나타내는 어미.
  Pas d'expression équivalente
  Terminaison indiquant une situation où un évènement a été accompli dans le passé ou que le résultat de cet évènement se poursuit jusqu'à présent.

• -어 : (두루낮춤으로) 어떤 사실을 서술하거나 물음, 명령, 권유를 나타내는 종결 어미.
Pas d'expression équivalente
(forme non honorifique non formelle) Terminaison finale pour décrire un fait ou pour indiquer une question, un ordre, ou une recommandation. <question>

• 한참 (nom) : 시간이 꽤 지나는 동안.
longtemps, un bon moment
Durée de temps assez longue.

• 기다리다 (verbe) : 사람, 때가 오거나 어떤 일이 이루어질 때까지 시간을 보내다.
attendre, patienter, temporiser, espérer, prévoir
Faire passer le temps jusqu'à ce qu'une personne ou le moment vienne, ou que quelque chose se réalise.

• -었- : 어떤 사건이 과거에 완료되었거나 그 사건의 결과가 현재까지 지속되는 상황을 나타내는 어미.
Pas d'expression équivalente
Terminaison indiquant une situation où un évènement a été accompli dans le passé ou que le résultat de cet évènement se poursuit jusqu'à présent.

• -잖아 : (두루낮춤으로) 어떤 상황에 대해 말하는 사람이 상대방에게 확인하거나 정정해 주듯이 말함을 나타내는 표현.
Pas d'expression équivalente
(forme non honorifique non formelle) Expression pour indiquer que le locuteur parle d'une situation en la vérifiant auprès de l'interlocuteur ou en corrigeant ce dernier.

<u>미안하+여</u>.
 미안해

<u>오후+에+도</u> 이렇+게 차+가 막히+[는 줄] <u>모르(몰ㄹ)+았+어</u>.
　　　　　　　　　　　　　　　　　　　　몰랐어

• 미안하다 (adjectif) : 남에게 잘못을 하여 마음이 편치 못하고 부끄럽다.
désolé, navré
Qui se sent mal à l'aise et honteux à cause de ses erreurs commises envers autrui.

• -여 : (두루낮춤으로) 어떤 사실을 서술하거나 물음, 명령, 권유를 나타내는 종결 어미.
Pas d'expression équivalente
(forme non honorifique non formelle) Terminaison finale pour décrire un fait ou pour indiquer une question, un ordre, ou une recommandation. <description>

- **오후 (nom)** : 정오부터 해가 질 때까지의 동안.
  après-midi
  Partie du jour comprise entre midi et le coucher du jour.

- **에** : 앞말이 시간이나 때임을 나타내는 조사.
  à, en
  Particule indiquant que la proposition précédente (en coréen) est l'heure ou le moment.

- **도** : 일반적이지 않은 경우나 의외의 경우를 강조함을 나타내는 조사.
  Pas d'expression équivalente
  Particule indiquant le fait d'insister sur un cas inhabituel ou exceptionnel.

- **이렇다 (adjectif)** : 상태, 모양, 성질 등이 이와 같다.
  tel
  (État, forme, nature, etc.) Qui est semblable à cela.

- **-게** : 앞의 말이 뒤에서 가리키는 일의 목적이나 결과, 방식, 정도 등이 됨을 나타내는 연결 어미.
  Pas d'expression équivalente
  Terminaison connective indiquant que les propos précédents constituent l'objectif, le résultat, la méthode ou le degré des propos qui suivent.

- **차 (nom)** : 바퀴가 달려 있어 사람이나 짐을 실어 나르는 기관.
  voiture, véhicule, train
  Machine ayant des roues et pouvant ainsi transporter des personnes ou des marchandises.

- **가** : 어떤 상태나 상황에 놓인 대상이나 동작의 주체를 나타내는 조사.
  Pas d'expression équivalente
  Particule indiquant l'objet d'un état ou d'une situation, ou le sujet d'une action.

- **막히다 (verbe)** : 길에 차가 많아 차가 제대로 가지 못하게 되다.
  être obstrué, être encombré, être barré
  (Rue) Être encombré par un embouteillage empêchant les voitures d'avancer.

- **-는 줄** : 어떤 사실이나 상태에 대해 알고 있거나 모르고 있음을 나타내는 표현.
  Pas d'expression équivalente
  Expression indiquant le fait d'être au courant ou non d'un fait ou d'un état.

- **모르다 (verbe)** : 사람이나 사물, 사실 등을 알지 못하거나 이해하지 못하다.
  ignorer, ne pas savoir, ne pas connaître
  Ne pas connaître ou comprendre une personne, un objet, un fait, etc.

- **-았-** : 어떤 사건이 과거에 완료되었거나 그 사건의 결과가 현재까지 지속되는 상황을 나타내는 어미.
  Pas d'expression équivalente
  Terminaison indiquant une situation où un évènement a eu lieu dans le passé ou que le résultat de cet évènement se poursuit jusqu'à présent.

• -어 : (두루낮춤으로) 어떤 사실을 서술하거나 물음, 명령, 권유를 나타내는 종결 어미.

Pas d'expression équivalente

(forme non honorifique non formelle) Terminaison finale pour décrire un fait ou pour indiquer une question, un ordre, ou une recommandation. **<description>**

< 대화(conversation) > - 50

지아 씨, 하던 일은 다 됐어요?
지아 씨, 하던 이른 다 돼써요?
jia ssi, hadeon ireun da dwaesseoyo?

네, 잠깐만요. 지금 마무리하는 중이에요.
네, 잠깐마뇨. 지금 마무리하는 중이에요.
ne, jamkkanmanyo. jigeum mamurihaneun jungieyo.

< 설명(explication) / 번역(traduction) >

지아 씨, 하+던 일+은 다 <u>되+었+어요</u>?
됐어요

- **지아 (nom)** : nom de personne

- **씨 (nom)** : 그 사람을 높여 부르거나 이르는 말.
  Pas d'expression équivalente
  Nom dépendant utilisé pour s'adresser ou désigner une personne sous la forme honorifique.

- **하다 (verbe)** : 어떤 행동이나 동작, 활동 등을 행하다.
  faire, exécuter, effectuer, s'occuper de
  Effectuer une action, un mouvement, une activité, etc.

- **-던** : 앞의 말이 관형어의 기능을 하게 만들고 사건이나 동작이 과거에 완료되지 않고 중단되었음을 나타내는 어미.
  Pas d'expression équivalente
  Terminaison donnant la fonction de déterminant à ce qui précède et indiquant qu'un événement ou une action ne s'est pas accompli dans le passé mais s'est interrompu.

- **일 (nom)** : 무엇을 이루려고 몸이나 정신을 사용하는 활동. 또는 그 활동의 대상.
  travail
  Activité demandant un exercice physique ou mental dans le but de réaliser quelque chose ; objet de cette activité.

- **은** : 문장 속에서 어떤 대상이 화제임을 나타내는 조사.
  Pas d'expression équivalente
  Particule indiquant qu'un objet est le principal sujet (de conversation) d'une phrase.

• **다 (adverbe)** : 남거나 빠진 것이 없이 모두.

tout, toute, tous, toutes, complètement, parfaitement, vraiment, même, dans son intégralité

Tout sans que rien ne reste ou ne soit ôté.

• **되다 (verbe)** : 어떤 사물이나 현상이 생겨나거나 만들어지다.

Pas d'expression équivalente

(Objet) Se former ou être fabriqué, (phénomène) se produire ou se créer.

• **-었-** : 어떤 사건이 과거에 완료되었거나 그 사건의 결과가 현재까지 지속되는 상황을 나타내는 어미.

Pas d'expression équivalente

Terminaison indiquant une situation où un évènement a été accompli dans le passé ou que le résultat de cet évènement se poursuit jusqu'à présent.

• **-어요** : (두루높임으로) 어떤 사실을 서술하거나 질문, 명령, 권유함을 나타내는 종결 어미.

Pas d'expression équivalente

(forme honorifique non formelle) Terminaison finale pour décrire un fait ou pour indiquer une question, un ordre ou une recommandation. **<question>**

네, 잠깐+만+요.

지금 마무리하+[는 중이]+에요.

• **네 (감탄사)** : 윗사람의 물음이나 명령 등에 긍정하여 대답할 때 쓰는 말.

oui, très bien

Exclamation utilisée pour répondre positivement à une demande ou à un ordre d'une personne supérieure, etc.

• **잠깐 (nom)** : 아주 짧은 시간 동안.

un instant

Pendant un temps très court.

• **만** : 무엇을 강조하는 뜻을 나타내는 조사.

Pas d'expression équivalente

Particule utilisée pour souligner la signification de quelque chose.

• **요** : 높임의 대상인 상대방에게 존대의 뜻을 나타내는 조사.

Pas d'expression équivalente

Particule utilisée pour marquer la forme honorifique envers l'interlocuteur qui est un objet de respect.

- **지금** (adverbe) : 말을 하고 있는 바로 이때에. 또는 그 즉시에.

  à l'heure qu'il est, maintenant, tout de suite

  Au moment précis où l'on est en train de parler ; dans l'immédiat.

- **마무리하다** (verbe) : 일을 끝내다.

  conclure, finaliser, accomplir

  Terminer un travail ou une tâche.

- **-는 중이다** : 어떤 일이 진행되고 있음을 나타내는 표현.

  Pas d'expression équivalente

  Expression pour indiquer qu'une chose est en cours.

- **-에요** : (두루높임으로) 어떤 사실을 서술하거나 질문함을 나타내는 종결 어미.

  Pas d'expression équivalente

  (forme honorifique non formelle) Terminaison finale pour décrire un fait ou pour indiquer une question. **<description>**

< 대화(conversation) > - 51

추워? 내 옷 벗어 줄까?
추워? 내 옫 버서 줄까?
chuwo? nae ot beoseo julkka?

괜찮아. 너도 추위를 많이 타는데 괜히 멋있는 척하지 않아도 돼.
괜차나. 너도 추위를 마니 타는데 괜히 머신는 처카지 아나도 돼.
gwaenchana. neodo chuwireul mani taneunde gwaenhi meosinneun cheokaji anado dwae.

< 설명(explication) / 번역(traduction) >

<u>춥(추우)</u>+어?
   추워

<u>나</u>+의 옷 벗+[어 주]+ㄹ까?
내   벗어 줄까

- **춥다 (adjectif)** : 몸으로 느끼기에 기온이 낮다.
  froid, glacial, glacé
  (Température) Qui est bas au point que le corps le sent.

- **-어** : (두루낮춤으로) 어떤 사실을 서술하거나 물음, 명령, 권유를 나타내는 종결 어미.
  Pas d'expression équivalente
  (forme non honorifique non formelle) Terminaison finale pour décrire un fait ou pour indiquer une question, un ordre, ou une recommandation. <question>

- **나 (pronom)** : 말하는 사람이 친구나 아랫사람에게 자기를 가리키는 말.
  je, moi, me
  Terme employé par le locuteur pour se désigner, lorsqu'il s'adresse à une personne du même âge ou plus jeune.

- **의** : 앞의 말이 뒤의 말에 대하여 소유, 소속, 소재, 관계, 기원, 주체의 관계를 가짐을 나타내는 조사.
  Pas d'expression équivalente
  Particule pour indiquer que la proposition précédente prend une relation de possession, d'appartenance, d'emplacement, de relation, d'origine ou de sujet d'action par rapport à la proposition suivante.

• 옷 (nom) : 사람의 몸을 가리고 더위나 추위 등으로부터 보호하며 멋을 내기 위하여 입는 것.
vêtement, habit, effets
Ce que l'on porte afin de protéger son corps du chaud, du froid, etc. et de se faire beau.

• 벗다 (verbe) : 사람이 몸에 지닌 물건이나 옷 등을 몸에서 떼어 내다.
ôter, enlever, retirer, se débarrasser, se déshabiller
Enlever un objet, un vêtement, etc. qu'on porte.

• -어 주다 : 남을 위해 앞의 말이 나타내는 행동을 함을 나타내는 표현.
Pas d'expression équivalente
Expression indiquant le fait d'effectuer pour autrui une action exprimée par les propos précédents.

• -ㄹ까 : (두루낮춤으로) 듣는 사람의 의사를 물을 때 쓰는 종결 어미.
Pas d'expression équivalente
(forme non honorifique non formelle) Terminaison finale indiquant la pensée ou la supposition du locuteur, ou utilisée lorsqu'il s'interroge sur la volonté de son interlocuteur.

괜찮+아.

너+도 추위+를 많이 타+는데 괜히 멋있+[는 척하]+[지 않]+[아도 되]+어.

멋있는 척하지 않아도 돼

• 괜찮다 (adjectif) : 별 문제가 없다.
bon, bien
Qui ne pose pas de problème.

• -아 : (두루낮춤으로) 어떤 사실을 서술하거나 물음, 명령, 권유를 나타내는 종결 어미.
Pas d'expression équivalente
(forme non honorifique non formelle) Terminaison finale pour décrire un fait ou pour indiquer une question, un ordre, ou une recommandation. <description>

• 너 (pronom) : 듣는 사람이 친구나 아랫사람일 때, 그 사람을 가리키는 말.
tu, toi
Terme designant l'interlocuteur, quand celui-ci est un ami ou une personne de rang inférieur.

• 도 : 이미 있는 어떤 것에 다른 것을 더하거나 포함함을 나타내는 조사.
Pas d'expression équivalente
Particule indiquant qu'une chose est ajoutée ou comprise dans une autre qui existe déjà.

· **추위 (nom)** : 주로 겨울철의 추운 기운이나 추운 날씨.
froid
Ambiance froide ou temps froid notamment en hiver.

· **를** : 동작이 직접적으로 영향을 미치는 대상을 나타내는 조사.
Pas d'expression équivalente
Particule indiquant un objet directement influencé par un mouvement.

· **많이 (adverbe)** : 수나 양, 정도 등이 일정한 기준보다 넘게.
beaucoup
(Nombre, quantité, degré, etc.) De manière à être au-delà d'un critère donné.

· **타다 (verbe)** : 날씨나 계절의 영향을 쉽게 받다.
être affecté, être influencé, être sensible à
Être facilement influencé par la météo ou la saison.

· **-는데** : 뒤의 말을 하기 위하여 그 대상과 관련이 있는 상황을 미리 말함을 나타내는 연결 어미.
Pas d'expression équivalente
Terminaison connective indiquant le fait de parler à l'avance d'une situation en rapport avec l'objet des propos suivants.

· **괜히 (adverbe)** : 특별한 이유나 실속이 없게.
pour rien, inutilement
Sans raison particulière ou sans utilité particulière.

· **멋있다 (adjectif)** : 매우 좋거나 훌륭하다.
chic, élégant
Qui est très bon ou excellent.

· **-는 척하다** : 실제로 그렇지 않은데도 어떤 행동이나 상태를 거짓으로 꾸밈을 나타내는 표현.
Pas d'expression équivalente
Expression pour indiquer qu'une action ou un état est faussement déguisé(e) alors que la réalité en est différente.

· **-지 않다** : 앞의 말이 나타내는 행위나 상태를 부정하는 뜻을 나타내는 표현.
Pas d'expression équivalente
Expression pour indiquer la négation d'une action ou d'un état précisé dans la proposition précédente.

· **-아도 되다** : 어떤 행동에 대한 허락이나 허용을 나타낼 때 쓰는 표현.
Pas d'expression équivalente
Expression utilisée pour manifester l'autorisation ou la permission concernant une action.

• -어 : (두루낮춤으로) 어떤 사실을 서술하거나 물음, 명령, 권유를 나타내는 종결 어미.

Pas d'expression équivalente

(forme non honorifique non formelle) Terminaison finale pour décrire un fait ou pour indiquer une question, un ordre, ou une recommandation. **<description>**

< 대화(conversation) > - 52

어제 친구들이 너 몰래 생일 파티를 준비해서 깜짝 놀랐다면서?
어제 친구드리 너 몰래 생일 파티를 준비해서 깜짝 놀랃따면서?
eoje chingudeuri neo mollae saengil patireul junbihaeseo kkamjjak nollatdamyeonseo?

사실은 미리 눈치를 챘었는데 그래도 놀라는 체했지.
사시른 미리 눈치를 채썬는데 그래도 놀라는 체핻찌.
sasireun miri nunchireul chaesseonneunde geuraedo nollaneun chehaetji.

< 설명(explication) / 번역(traduction) >

어제 친구+들+이 너 몰래 생일 파티+를 <u>준비하+여서</u> 깜짝 <u>놀라+았+다면서</u>?
준비해서   놀랐다면서

• **어제 (adverbe)** : 오늘의 하루 전날에.
  hier
  Un jour avant aujourd'hui.

• **친구 (nom)** : 사이가 가까워 서로 친하게 지내는 사람.
  ami, amie, camarade, copain, copine, compagnon
  Personne proche de nous et avec qui on entretient une relation intime.

• **들** : '복수'의 뜻을 더하는 접미사.
  Pas d'expression équivalente
  Suffixe signifiant « pluriel ».

• **이** : 어떤 상태나 상황의 대상이나 동작의 주체를 나타내는 조사.
  Pas d'expression équivalente
  Particule qui indique l'objet d'un état ou d'une situation, ou le sujet d'une action.

• **너 (pronom)** : 듣는 사람이 친구나 아랫사람일 때, 그 사람을 가리키는 말.
  tu, toi
  Terme designant l'interlocuteur, quand celui-ci est un ami ou une personne de rang inférieur.

• **몰래 (adverbe)** : 남이 알지 못하게.
  secrètement, en cachette
  À l'insu de quelqu'un.

• **생일** (nom) : 사람이 세상에 태어난 날.
anniversaire
Date où une personne est née.

• **파티** (nom) : 친목을 도모하거나 무엇을 기념하기 위한 잔치나 모임.
fête
Célébration ou réunion organisée pour sympathiser ou pour fêter quelque chose.

• **를** : 동작이 직접적으로 영향을 미치는 대상을 나타내는 조사.
Pas d'expression équivalente
Particule indiquant un objet directement influencé par un mouvement.

• **준비하다** (verbe) : 미리 마련하여 갖추다.
préparer, se préparer
Se procurer et s'équiper du nécessaire à l'avance.

• **-여서** : 이유나 근거를 나타내는 연결 어미.
Pas d'expression équivalente
Terminaison connective indiquant la raison ou la base.

• **깜짝** (adverbe) : 갑자기 놀라는 모양.
Pas d'expression équivalente
Idéophone indiquant la manière dont quelqu'un a une brusque surprise.

• **놀라다** (verbe) : 뜻밖의 일을 당하거나 무서워서 순간적으로 긴장하거나 가슴이 뛰다.
s'étonner, être surpris, être étonné, être stupéfait
Se tendre ou avoir le coeur qui bat après avoir subi un choc ou par peur.

• **-았-** : 사건이 과거에 일어났음을 나타내는 어미.
Pas d'expression équivalente
Terminaison indiquant qu'un évènement s'est produit dans le passé.

• **-다면서** : (두루낮춤으로) 말하는 사람이 들어서 아는 사실을 확인하여 물음을 나타내는 종결 어미.
Pas d'expression équivalente
(forme non honorifique non formelle) Terminaison finale utilisée lorsque le locuteur s'interroge sur un fait dont il a entendu parler, en le confirmant.

사실+은 미리 눈치+를 채+었었+는데 그러+어도 놀라+[는 체하]+였+지.
채+었었+는데   그래도   놀라는 체했지
챘었는데

• **사실** (nom) : 겉으로 드러나지 않은 일을 솔직하게 말할 때 쓰는 말.
(n.) en fait
Terme employé pour avouer honnêtement une chose qui n'était pas explicite.

• 은 : 문장 속에서 어떤 대상이 화제임을 나타내는 조사.

Pas d'expression équivalente

Particule indiquant qu'un objet est le principal sujet (de conversation) d'une phrase.

• 미리 (adverbe) : 어떤 일이 있기 전에 먼저.

à l'avance

De manière préalable à l'arrivée de quelque chose.

• 눈치 (nom) : 상대가 말하지 않아도 그 사람의 마음이나 일의 상황을 이해하고 아는 능력.

sens, intuition, (n.) être perspicace, avoir du nez, avoir le nez creux, avoir le nez fin

Capacité de connaître et de comprendre la pensée ou la situation de son interlocuteur bien que ce dernier n'en parle pas.

• 를 : 동작이 직접적으로 영향을 미치는 대상을 나타내는 조사.

Pas d'expression équivalente

Particule indiquant un objet directement influencé par un mouvement.

• 채다 (verbe) : 사정이나 형편을 재빨리 미루어 헤아리거나 깨닫다.

subodorer, soupçonner, flairer, renifler

Présumer ou comprendre rapidement des circonstances ou une situation.

• -었었- : 현재와 비교하여 다르거나 현재로 이어지지 않는 과거의 사건을 나타내는 어미.

Pas d'expression équivalente

Terminaison indiquant qu'un évènement du passé comparé à l'état présent en est différent, ou qui n'est pas connecté au présent.

• -는데 : 뒤의 말을 하기 위하여 그 대상과 관련이 있는 상황을 미리 말함을 나타내는 연결 어미.

Pas d'expression équivalente

Terminaison connective indiquant le fait de parler à l'avance d'une situation en rapport avec l'objet des propos suivants.

• 그러다 (verbe) : 앞에서 일어난 일이나 말한 것과 같이 그렇게 하다.

faire ainsi, faire comme cela

Faire quelque chose de la même manière que ce qui s'est précédemment passé ou selon ce qui a été précédemment dit.

• -어도 : 앞에 오는 말을 가정하거나 인정하지만 뒤에 오는 말에는 관계가 없거나 영향을 끼치지 않음을 나타내는 연결 어미.

Pas d'expression équivalente

Terminaison connective indiquant que bien que l'on suppose ou reconnaisse les propos précédents, ceux-ci n'ont aucun rapport ou n'exercent aucune influence sur les propos suivants.

• **놀라다 (verbe)** : 뜻밖의 일을 당하거나 무서워서 순간적으로 긴장하거나 가슴이 뛰다.

s'étonner, être surpris, être étonné, être stupéfait

Se tendre ou avoir le coeur qui bat après avoir subi un choc ou par peur.

• -는 체하다 : 실제로 그렇지 않은데도 어떤 행동이나 상태를 거짓으로 꾸밈을 나타내는 표현.

Pas d'expression équivalente

Expression pour indiquer qu'une action ou un état est faussement déguisé(e) alors que la réalité en est différente.

• -였- : 사건이 과거에 일어났음을 나타내는 어미.

Pas d'expression équivalente

Terminaison indiquant qu'un évènement s'est produit dans le passé.

• -지 : (두루낮춤으로) 말하는 사람이 자신에 대한 이야기나 자신의 생각을 친근하게 말할 때 쓰는 종결 어미.

Pas d'expression équivalente

(forme non honorifique non formelle) Terminaison finale utilisée par le locuteur pour parler d'une chose qui le concerne, ou pour affirmer sa pensée sur un ton familier.

< 대화(conversation) > - 53

영화를 보는 것이 취미라고 하셨는데 영화를 자주 보세요?
영화를 보는 거시 취미라고 하션는데 영화를 자주 보세요?
yeonghwareul boneun geosi chwimirago hasyeonneunde yeonghwareul jaju boseyo?

일주일에 한 편 이상 보니까 자주 보는 편이죠.
일쭈이레 한 편 이상 보니까 자주 보는 펴니죠.
iljuire han pyeon isang bonikka jaju boneun pyeonijyo.

< 설명(explication) / 번역(traduction) >

영화+를 보+[는 것]+이 <u>취미+(이)+라고</u> <u>하+시+었+는데</u> 영화+를 자주 보+세요?
　　　　　　　　　　　취미라고　　　　　하셨는데

- **영화 (nom)** : 일정한 의미를 갖고 움직이는 대상을 촬영하여 영사기로 영사막에 비추어서 보게 하는 종합 예술.
  film, cinéma
  Art composite consistant à filmer les mouvements des objets, qui ont une certaine signification, et à les projeter sur un écran au moyen d'un projecteur.

- **를** : 동작이 직접적으로 영향을 미치는 대상을 나타내는 조사.
  Pas d'expression équivalente
  Particule indiquant un objet directement influencé par un mouvement.

- **보다 (verbe)** : 눈으로 대상을 즐기거나 감상하다.
  voir, apprécier, contempler
  Prendre plaisir à regarder un objet ou l'apprécier visuellement.

- **-는 것** : 명사가 아닌 것을 문장에서 명사처럼 쓰이게 하거나 '이다' 앞에 쓰일 수 있게 할 때 쓰는 표현.
  Pas d'expression équivalente
  Expression permettant d'utiliser un groupe non nominal comme un nom dans une phrase ou de l'utiliser avec '이다'.

- **이** : 어떤 상태나 상황의 대상이나 동작의 주체를 나타내는 조사.
  Pas d'expression équivalente
  Particule qui indique l'objet d'un état ou d'une situation, ou le sujet d'une action.

· **취미 (nom)** : 좋아하여 재미로 즐겨서 하는 일.
hobby, passe-temps
Activité que l'on aime mener avec plaisir.

· 이다 : 주어가 지시하는 대상의 속성이나 부류를 지정하는 뜻을 나타내는 서술격 조사.
Pas d'expression équivalente
Particule du cas prédicatif pour indiquer la caractéristique ou la catégorie d'un objet qui se rapporte au sujet d'une phrase.

· -라고 : 다른 사람에게서 들은 내용을 간접적으로 전달하거나 주어의 생각, 의견 등을 나타내는 표현.
Pas d'expression équivalente
Expression indiquant le fait de transmettre indirectement le contenu des propos dont on a entendu parler par une autre personne, ou exprimant une pensée, une opinion, etc. à propos du sujet d'une certaine phrase.

· **하다 (verbe)** : 무엇에 대해 말하다.
Pas d'expression équivalente
Parler de quelque chose.

· -시- : 어떤 동작이나 상태의 주체를 높이는 뜻을 나타내는 어미.
Pas d'expression équivalente
Terminaison signifiant le fait de montrer du respect à l'auteur d'une action ou d'un état.

· -었- : 사건이 과거에 일어났음을 나타내는 어미.
Pas d'expression équivalente
Terminaison indiquant qu'un évènement s'est produit dans le passé.

· -는데 : 뒤의 말을 하기 위하여 그 대상과 관련이 있는 상황을 미리 말함을 나타내는 연결 어미.
Pas d'expression équivalente
Terminaison connective indiquant le fait de parler à l'avance d'une situation en rapport avec l'objet des propos suivants.

· **영화 (nom)** : 일정한 의미를 갖고 움직이는 대상을 촬영하여 영사기로 영사막에 비추어서 보게 하는 종합 예술.
film, cinéma
Art composite consistant à filmer les mouvements des objets, qui ont une certaine signification, et à les projeter sur un écran au moyen d'un projecteur.

· 를 : 동작이 직접적으로 영향을 미치는 대상을 나타내는 조사.
Pas d'expression équivalente
Particule indiquant un objet directement influencé par un mouvement.

· **자주 (adverbe)** : 같은 일이 되풀이되는 간격이 짧게.
souvent, fréquemment
(Même chose) De manière à se répéter à courtes intervalles.

- **보다 (verbe)** : 눈으로 대상을 즐기거나 감상하다.
  voir, apprécier, contempler
  Prendre plaisir à regarder un objet ou l'apprécier visuellement.

- **-세요** : (두루높임으로) 설명, 의문, 명령, 요청의 뜻을 나타내는 종결 어미.
  Pas d'expression équivalente
  (forme honorifique non formelle) Terminaison finale pour indiquer une explication, une interrogation, un ordre ou une demande. **<question>**

일주일+에 한 편 이상 보+니까 자주 보+[는 편이]+죠.

- **일주일 (nom)** : 월요일부터 일요일까지 칠 일. 또는 한 주일.
  semaine
  Période de sept jours (allant) du lundi au dimanche ; durée de sept jours.

- **에** : 앞말이 기준이 되는 대상이나 단위임을 나타내는 조사.
  Pas d'expression équivalente
  Particule indiquant que la proposition précédente est l'objet ou l'unité qui est pris comme référence.

- **한 (déterminant)** : 하나의.
  un
  D'un.

- **편 (nom)** : 책이나 문학 작품, 또는 영화나 연극 등을 세는 단위.
  pyeon (Pas d'expression équivalente)
  Nom dépendant, quantificateur servant à dénombrer des livres, des ouvrages littéraires, des films, des pièces de théâtre, etc.

- **이상 (nom)** : 수량이나 정도가 일정한 기준을 포함하여 그보다 많거나 나은 것.
  (n.) égal ou plus
  Quantité ou niveau qui inclut un critère ou qui est plus nombreux(se) ou meilleur(e) que celui-ci.

- **보다 (verbe)** : 눈으로 대상을 즐기거나 감상하다.
  voir, apprécier, contempler
  Prendre plaisir à regarder un objet ou l'apprécier visuellement.

- **-니까** : 뒤에 오는 말에 대하여 앞에 오는 말이 원인이나 근거, 전제가 됨을 강조하여 나타내는 연결 어미.
  Pas d'expression équivalente
  Terminaison connective pour souligner que les propos précédents constituent la cause, le fondement ou un prérequis des propos suivants.

• **자주 (adverbe)** : 같은 일이 되풀이되는 간격이 짧게.
souvent, fréquemment
(Même chose) De manière à se répéter à courtes intervalles.

• **보다 (verbe)** : 눈으로 대상을 즐기거나 감상하다.
voir, apprécier, contempler
Prendre plaisir à regarder un objet ou l'apprécier visuellement.

• **-는 편이다** : 어떤 사실을 단정적으로 말하기보다는 대체로 어떤 쪽에 가깝다거나 속한다고 말할 때 쓰는 표현.
Pas d'expression équivalente
Expression pour indiquer qu'un fait est vraisemblablement proche ou fait partie de quelque chose au lieu de le confirmer catégoriquement.

• **-죠** : (두루높임으로) 말하는 사람이 자신에 대한 이야기나 자신의 생각을 친근하게 말할 때 쓰는 종결 어미.
Pas d'expression équivalente
(forme honorifique non formelle) Terminaison finale utilisée par le locuteur pour parler d'une chose qui le concerne, ou pour affirmer sa pensée sur un ton familier.

< 대화(conversation) > - 54

지아 씨, 이번 대회 우승을 축하합니다.
지아 씨, 이번 대회 우승을 추카합니다.
jia ssi, ibeon daehoe useungeul chukahamnida.

고맙습니다. 제가 음악을 계속하는 한 이 우승의 감격은 잊지 못할 것입니다.
고맙씀니다. 제가 으마글 계소카는 한 이 우승의(우승에) 감겨근 읻찌 모탈 꺼심니다.
gomapseumnida. jega eumageul gyesokaneun han i useungui(useunge) gamgyeogeun itji motal geosimnida.

< 설명(explication) / 번역(traduction) >

지아 씨, 이번 대회 우승+을 <u>축하하+ㅂ니다</u>.
축하합니다

• **지아 (nom)** : nom de personne

• **씨 (nom)** : 그 사람을 높여 부르거나 이르는 말.
  Pas d'expression équivalente
  Nom dépendant utilisé pour s'adresser ou désigner une personne sous la forme honorifique.

• **이번 (nom)** : 곧 돌아올 차례. 또는 막 지나간 차례.
  cette fois-ici, (n.) ce
  Tour qui reviendra bientôt : tour qui vient de passer.

• **대회 (nom)** : 여러 사람이 실력이나 기술을 겨루는 행사.
  concours, tournoi, compétition, épreuve
  Évènement où plusieurs personnes comparent leurs capacités ou techniques.

• **우승 (nom)** : 경기나 시합에서 상대를 모두 이겨 일 위를 차지함.
  victoire, succès final
  Fait de vaincre tous ses adversaires et d'occuper la première place dans un match ou dans une compétition.

• **을** : 동작이 직접적으로 영향을 미치는 대상을 나타내는 조사.
  Pas d'expression équivalente
  Particule indiquant un objet directement influencé par un acte.

- **축하하다 (verbe)** : 남의 좋은 일에 대하여 기쁜 마음으로 인사하다.
  féliciter, complimenter
  Rendre hommage avec plaisir à quelqu'un.

- **-ㅂ니다** : (아주높임으로) 현재의 동작이나 상태, 사실을 정중하게 설명함을 나타내는 종결 어미.
  Pas d'expression équivalente
  (forme honorifique très marquée) Terminaison finale indiquant que l'on explique poliment l'action, l'état ou un fait présent.

고맙+습니다.

제+가 음악+을 계속하+[는 한]

이 우승+의 감격+은 잊+[지 못하]+[ㄹ 것]+이+ㅂ니다.
잊지 못할 것입니다

- **고맙다 (adjectif)** : 남이 자신을 위해 무엇을 해주어서 마음이 흐뭇하고 보답하고 싶다.
  reconnaissant
  Être touché par l'action que quelqu'un nous porte et avoir envie de faire de même.

- **-습니다** : (아주높임으로) 현재의 동작이나 상태, 사실을 정중하게 설명함을 나타내는 종결 어미.
  Pas d'expression équivalente
  (forme honorifique très marquée) Terminaison finale indiquant que l'on explique poliment l'action, l'état ou un fait présent.

- **제 (pronom)** : 말하는 사람이 자신을 낮추어 가리키는 말인 '저'에 조사 '가'가 붙을 때의 형태.
  Pas d'expression équivalente
  Forme issue de l'ajout de la particule '가' au terme '저', utilisé par le locuteur qui se désigne lui-même en s'abaissant.

- **가** : 어떤 상태나 상황에 놓인 대상이나 동작의 주체를 나타내는 조사.
  Pas d'expression équivalente
  Particule indiquant l'objet d'un état ou d'une situation, ou le sujet d'une action.

- **음악 (nom)** : 목소리나 악기로 박자와 가락이 있게 소리 내어 생각이나 감정을 표현하는 예술.
  musique
  Art qui permet d'exprimer une pensée ou un sentiment par l'intermédiaire de sons rythmiques et mélodiques produits avec la voix humaine ou des instruments musicaux.

• 을 : 동작이 직접적으로 영향을 미치는 대상을 나타내는 조사.
Pas d'expression équivalente
Particule indiquant un objet directement influencé par un acte.

• 계속하다 (verbe) : 끊지 않고 이어 나가다.
continuer
Poursuivre quelque chose, sans interruption.

• -는 한 : 앞에 오는 말이 뒤의 행위나 상태에 대해 전제나 조건이 됨을 나타내는 표현.
Pas d'expression équivalente
Expression pour indiquer dans la proposition précédente un prérequis ou une condition de l'action ou de l'état de la proposition suivante.

• 이 (déterminant) : 말하는 사람에게 가까이 있거나 말하는 사람이 생각하고 있는 대상을 가리킬 때 쓰는 말.
ce (cet, cette, ces)
Terme utilisé pour indiquer l'objet qui se trouve près du locuteur ou auquel pense ce dernier.

• 우승 (nom) : 경기나 시합에서 상대를 모두 이겨 일 위를 차지함.
victoire, succès final
Fait de vaincre tous ses adversaires et d'occuper la première place dans un match ou dans une compétition.

• 의 : 앞의 말이 뒤의 말에 대하여 속성이나 수량을 한정하거나 같은 자격임을 나타내는 조사.
Pas d'expression équivalente
Particule pour indiquer que la proposition précédente a une caractéristique ou une quantité limitée, ou la même qualité que la proposition suivante.

• 감격 (nom) : 마음에 깊이 느끼어 매우 감동함. 또는 그 감동.
émotion profonde
Fait d'être profondément touché ; l'émotion elle-même.

• 은 : 강조의 뜻을 나타내는 조사.
Pas d'expression équivalente
Particule servant à insister.

• 잊다 (verbe) : 한번 알았던 것을 기억하지 못하거나 기억해 내지 못하다.
oublier, ne plus se souvenir
Ne pas se souvenir ou ne pas réussir à se souvenir d'une chose que l'on savait.

• -지 못하다 : 앞의 말이 나타내는 행동을 할 능력이 없거나 주어의 의지대로 되지 않음을 나타내는 표현.

Pas d'expression équivalente

Expression pour indiquer qu'on n'a pas la capacité à faire l'action de la proposition précédente ou que les choses ne se passent pas comme le voulait le sujet.

• -ㄹ 것 : 명사가 아닌 것을 문장에서 명사처럼 쓰이게 하거나 '이다' 앞에 쓰일 수 있게 할 때 쓰는 표현.

Pas d'expression équivalente

Expression utilisée pour qu'un mot qui n'est pas un nom soit utilisé comme tel dans une phrase, ou pour que ce mot se place devant l'expression « Ida(être) »

• 이다 : 주어가 지시하는 대상의 속성이나 부류를 지정하는 뜻을 나타내는 서술격 조사.

Pas d'expression équivalente

Particule du cas prédicatif pour indiquer la caractéristique ou la catégorie d'un objet qui se rapporte au sujet d'une phrase.

• -ㅂ니다 : (아주높임으로) 현재의 동작이나 상태, 사실을 정중하게 설명함을 나타내는 종결 어미.

Pas d'expression équivalente

(forme honorifique très marquée) Terminaison finale indiquant que l'on explique poliment l'action, l'état ou un fait présent.

< 대화(conversation) > - 55

지아 씨, 영화 홍보는 어떻게 되고 있어요?
지아 씨, 영화 홍보는 어떠케 되고 이써요?
jia ssi, yeonghwa hongboneun eotteoke doego isseoyo?

길거리 홍보 활동을 벌이는 한편 관객을 초대해서 무료 시사회를 하기로 했어요.
길꺼리 홍보 활동을 버리는 한편 관개글 초대해서 무료 시사회를 하기로 해써요.
gilgeori hongbo hwaldongeul beorineun hanpyeon gwangaegeul chodaehaeseo muryo
sisahoereul hagiro haesseoyo.

< 설명(explication) / 번역(traduction) >

지아 씨, 영화 홍보+는 어떻게 되+[고 있]+어요?

• **지아 (nom)** : nom de personne

• **씨 (nom)** : 그 사람을 높여 부르거나 이르는 말.
  Pas d'expression équivalente
  Nom dépendant utilisé pour s'adresser ou désigner une personne sous la forme honorifique.

• **영화 (nom)** : 일정한 의미를 갖고 움직이는 대상을 촬영하여 영사기로 영사막에 비추어서 보게 하는 종
                합 예술.
  film, cinéma
  Art composite consistant à filmer les mouvements des objets, qui ont une certaine
  signification, et à les projeter sur un écran au moyen d'un projecteur.

• **홍보 (nom)** : 널리 알림. 또는 그 소식.
  relations publiques, activités de communication
  Action de publier largement ; une telle nouvelle.

• **는** : 문장 속에서 어떤 대상이 화제임을 나타내는 조사.
  Pas d'expression équivalente
  Particule indiquant qu'un objet est le principal sujet d'une phrase.

• **어떻게 (adverbe)** : 어떤 방법으로. 또는 어떤 방식으로.
  comment
  Par quel moyen ; de quelle manière.

- **되다 (verbe)** : 일이 잘 이루어지다.
  tourner bien
  (Affaire) Bien marcher.

- **-고 있다** : 앞의 말이 나타내는 행동이 계속 진행됨을 나타내는 표현.
  Pas d'expression équivalente
  Expression pour indiquer que l'action de la proposition précédente est toujours en cours.

- **-어요** : (두루높임으로) 어떤 사실을 서술하거나 질문, 명령, 권유함을 나타내는 종결 어미.
  Pas d'expression équivalente
  (forme honorifique non formelle) Terminaison finale pour décrire un fait ou pour indiquer une question, un ordre ou une recommandation. <question>

길거리 홍보 활동+을 벌이+[는 한편] 관객+을 <u>초대하+여서</u>
초대해서

무료 시사회+를 <u>하+[기로 하]+였+어요</u>.
하기로 했어요

- **길거리 (nom)** : 사람이나 차가 다니는 길.
  rue, avenue, boulevard, chaussée
  Voie empruntée par les hommes ou les véhicules.

- **홍보 (nom)** : 널리 알림. 또는 그 소식.
  relations publiques, activités de communication
  Action de publier largement ; une telle nouvelle.

- **활동 (nom)** : 어떤 일에서 좋은 결과를 거두기 위해 힘씀.
  activité
  Fait de se concentrer sur une chose pour obtenir de bons résultats.

- **을** : 동작이 직접적으로 영향을 미치는 대상을 나타내는 조사.
  Pas d'expression équivalente
  Particule indiquant un objet directement influencé par un acte.

- **벌이다 (verbe)** : 일을 계획하여 시작하거나 펼치다.
  organiser, engager, amorcer, entreprendre, démarrer
  Commencer ou mettre en œuvre quelque chose après l'avoir planifié.

• -는 한편 : 앞의 말이 나타내는 일을 하는 동시에 다른 쪽에서 또 다른 일을 함을 나타내는 표현.
Pas d'expression équivalente
Expression pour indiquer que l'on fait une chose en même temps qu'une autre, indiquée dans la proposition précédente.

• 관객 (nom) : 운동 경기, 영화, 연극, 음악회, 무용 공연 등을 구경하는 사람.
spectateur
Personne qui assiste à un spectacle (match, film, pièce de théâtre, concert, spectacle de danse, etc.).

• 을 : 동작이 직접적으로 영향을 미치는 대상을 나타내는 조사.
Pas d'expression équivalente
Particule indiquant un objet directement influencé par un acte.

• 초대하다 (verbe) : 다른 사람에게 어떤 자리, 모임, 행사 등에 와 달라고 요청하다.
inviter
Demander à quelqu'un d'autre de venir à un lieu, une réunion , un événement, etc.

• -여서 : 앞의 말과 뒤의 말이 순차적으로 일어남을 나타내는 연결 어미.
Pas d'expression équivalente
Terminaison connective indiquant que les propos précédents et suivants se succèdent tour à tour.

• 무료 (nom) : 요금이 없음.
gratuité
(n.) Sans frais.

• 시사회 (nom) : 영화나 광고 등을 일반에게 보이기 전에 몇몇 사람들에게 먼저 보이고 평가를 받기 위한 모임.
avant-première
Réunion de quelques personnes à qui on montre un film ou une publicité, etc. avant de le dévoiler au public, pour qu'ils l'évaluent.

• 를 : 동작이 직접적으로 영향을 미치는 대상을 나타내는 조사.
Pas d'expression équivalente
Particule indiquant un objet directement influencé par un mouvement.

• 하다 (verbe) : 어떤 행동이나 동작, 활동 등을 행하다.
faire, exécuter, effectuer, s'occuper de
Effectuer une action, un mouvement, une activité, etc.

• -기로 하다 : 앞의 말이 나타내는 행동을 할 것을 결심하거나 약속함을 나타내는 표현.
Pas d'expression équivalente
Expression pour indiquer que le locuteur se décide à faire l'action de la proposition précédente ou en fait la promesse.

• -였- : 어떤 사건이 과거에 완료되었거나 그 사건의 결과가 현재까지 지속되는 상황을 나타내는 어미.

Pas d'expression équivalente

Terminaison indiquant qu'un évènement a été accompli dans le passé ou que le résultat de cet évènement perdure jusqu'à présent.

• -어요 : (두루높임으로) 어떤 사실을 서술하거나 질문, 명령, 권유함을 나타내는 종결 어미.

Pas d'expression équivalente

(forme honorifique non formelle) Terminaison finale pour décrire un fait ou pour indiquer une question, un ordre ou une recommandation. **<description>**

< 대화(conversation) > - 56

왜 절뚝거리면서 걸어요?
왜 절뚝꺼리면서 거러요?
wae jeolttukgeorimyeonseo georeoyo?

예전에 교통사고로 다리를 다쳤는데 평소에 괜찮다가도 비만 오면 다시 아파요.
예저네 교통사고로 다리를 다쳔는데 평소에 괜찬다가도 비만 오면 다시 아파요.
yejeone gyotongsagoro darireul dacheonneunde pyeongsoe gwaenchantagado biman omyeon dasi apayo.

< 설명(explication) / 번역(traduction) >

왜 절뚝거리+면서 걷(걸)+어요?
걸어요

• **왜 (adverbe)** : 무슨 이유로. 또는 어째서.
  pourquoi, dans quelle intention, à quelle fin
  Pour quelle raison ; comment se fait-il que.

• **절뚝거리다 (verbe)** : 한쪽 다리가 짧거나 다쳐서 자꾸 중심을 잃고 절다.
  boiter, boitiller
  Marcher continuellement en perdant son équilibre du fait d'une jambe blessée ou d'une jambe plus courte que l'autre.

• **-면서** : 두 가지 이상의 동작이나 상태가 함께 일어남을 나타내는 연결 어미.
  Pas d'expression équivalente
  Terminaison connective indiquant que plus de deux actions ou états surviennent en même temps.

• **걷다 (verbe)** : 바닥에서 발을 번갈아 떼어 옮기면서 움직여 위치를 옮기다.
  marcher
  Se déplacer au moyen de pas alternés.

• **-어요** : (두루높임으로) 어떤 사실을 서술하거나 질문, 명령, 권유함을 나타내는 종결 어미.
  Pas d'expression équivalente
  (forme honorifique non formelle) Terminaison finale pour décrire un fait ou pour indiquer une question, un ordre ou une recommandation. <question>

예전+에 교통사고+로 다리+를 <u>다치+었+는데</u> 평소+에 괜찮+다가도
다쳤는데

비+만 오+면 다시 <u>아프(아ㅍ)+아요</u>.
아파요

- **예전 (nom)** : 꽤 시간이 흐른 지난날.
  (n.) autrefois
  Temps reculé, il y a assez longtemps.

- **에** : 앞말이 시간이나 때임을 나타내는 조사.
  à, en
  Particule indiquant que la proposition précédente (en coréen) est l'heure ou le moment.

- **교통사고 (nom)** : 자동차나 기차 등이 다른 교통 기관과 부딪치거나 사람을 치는 사고.
  accident de la route, accident de la circulation
  Accident dans lequel une voiture, un train, etc. heurte un autre moyen de transport ou une personne.

- **로** : 어떤 일의 원인이나 이유를 나타내는 조사.
  en raison de
  Particule indiquant la cause ou la raison d'une chose.

- **다리 (nom)** : 사람이나 동물의 몸통 아래에 붙어, 서고 걷고 뛰는 일을 하는 신체 부위.
  jambe, patte
  Partie du corps attachée au bas du corps humain ou animal servant à se lever, marcher et courir.

- **를** : 동작이 직접적으로 영향을 미치는 대상을 나타내는 조사.
  Pas d'expression équivalente
  Particule indiquant un objet directement influencé par un mouvement.

- **다치다 (verbe)** : 부딪치거나 맞거나 하여 몸이나 몸의 일부에 상처가 생기다. 또는 상처가 생기게 하다.
  se blesser, se faire mal ; blesser, faire mal à
  (Corps ou partie du corps) Être blessé à la suite de coups ou après avoir heurté quelque chose ; faire en sorte qu'il y ait une blessure.

- **-었-** : 사건이 과거에 일어났음을 나타내는 어미.
  Pas d'expression équivalente
  Terminaison indiquant qu'un évènement s'est produit dans le passé.

• -는데 : 뒤의 말을 하기 위하여 그 대상과 관련이 있는 상황을 미리 말함을 나타내는 연결 어미.
  Pas d'expression équivalente
  Terminaison connective indiquant le fait de parler à l'avance d'une situation en rapport avec l'objet des propos suivants.

• **평소 (nom)** : 특별한 일이 없는 보통 때.
  temps habituel
  Moment ordinaire où rien de particulier ne se présente.

• 에 : 앞말이 시간이나 때임을 나타내는 조사.
  à, en
  Particule indiquant que la proposition précédente (en coréen) est l'heure ou le moment.

• **괜찮다 (adjectif)** : 별 문제가 없다.
  bon, bien
  Qui ne pose pas de problème.

• -다가도 : 앞의 말이 나타내는 행위나 상태가 다른 행위나 상태로 쉽게 바뀜을 나타내는 표현.
  Pas d'expression équivalente
  Expression indiquant que l'action ou l'état des propos précédents se transforme facilement en une autre action ou en un autre état.

• **비 (nom)** : 높은 곳에서 구름을 이루고 있던 수증기가 식어서 뭉쳐 떨어지는 물방울.
  pluie
  Vapeur ayant formé des nuages en hauteur, s'étant refroidie et tombant en s'agglomérant sous forme de gouttes d'eau.

• 만 : 앞의 말이 어떤 것에 대한 조건임을 나타내는 조사.
  Pas d'expression équivalente
  Particule indiquant que le mot précédent est la condition d'un autre.

• **오다 (verbe)** : 비, 눈 등이 내리거나 추위 등이 닥치다.
  tomber, neiger, pleuvoir
  (Pluie, neige, etc.) Tomber, ou (froid, etc.) survenir.

• -면 : 뒤에 오는 말에 대한 근거나 조건이 됨을 나타내는 연결 어미.
  Pas d'expression équivalente
  Terminaison connective indiquant une chose qui constitue le fondement ou la condition des propos suivants.

• **다시 (adverbe)** : 같은 말이나 행동을 반복해서 또.
  encore, de nouveau, à nouveau, encore une fois, une fois de plus, derechef
  Encore, en répétant le même propos ou la même action.

• **아프다 (adjectif)** : 다치거나 병이 생겨 통증이나 괴로움을 느끼다.

malade

Ressentir une douleur ou une souffrance en étant blessé ou ayant contracté une maladie.

• -아요 : (두루높임으로) 어떤 사실을 서술하거나 질문, 명령, 권유함을 나타내는 종결 어미.

Pas d'expression équivalente

(forme honorifique non formelle) Terminaison finale pour décrire un fait ou pour indiquer une question, un ordre ou une recommandation. **\<description\>**

< 대화(conversation) > - 57

한국어를 잘하게 된 방법이 뭐니?
한구거를 잘하게 된 방버비 뭐니?
hangugeoreul jalhage doen bangbeobi mwoni?

한국 음악을 좋아해서 많이 듣다 보니까 한국어를 잘하게 됐어.
한국 으마글 조아해서 마니 듣따 보니까 한구거를 잘하게 돼써.
hanguk eumageul joahaeseo mani deutda bonikka hangugeoreul jalhage dwaesseo.

< 설명(explication) / 번역(traduction) >

한국어+를 잘하+[게 되]+ㄴ 방법+이 뭐+(이)+니?
　　　　　잘하게 된　　　　　　　뭐니

• **한국어 (nom)** : 한국에서 사용하는 말.
coréen, langue coréenne
Langue utilisée en Corée.

• **를** : 동작이 직접적으로 영향을 미치는 대상을 나타내는 조사.
Pas d'expression équivalente
Particule indiquant un objet directement influencé par un mouvement.

• **잘하다 (verbe)** : 익숙하고 솜씨가 있게 하다.
bien (+verbe), être bon en
Faire une chose de manière habile et avec talent.

• **-게 되다** : 앞의 말이 나타내는 상태나 상황이 됨을 나타내는 표현.
Pas d'expression équivalente
Expression indiquant que l'état ou la situation exprimé(e) par les propos précédents se produit.

• **-ㄴ** : 앞의 말이 관형어의 기능을 하게 만들고 사건이나 동작이 완료되어 그 상태가 유지되고 있음을 나타내는 어미.
Pas d'expression équivalente
Terminaison donnant la fonction de déterminant à la proposition précédente et indiquant que l'événement ou l'action en question est achevé et que cet état est maintenu.

• **방법 (nom)** : 어떤 일을 해 나가기 위한 수단이나 방식.

méthode, moyen, procédé

Moyen ou façon de procéder utilisé(e) pour faire quelque chose.

• **이** : 어떤 상태나 상황의 대상이나 동작의 주체를 나타내는 조사.

Pas d'expression équivalente

Particule qui indique l'objet d'un état ou d'une situation, ou le sujet d'une action.

• **뭐 (pronom)** : 모르는 사실이나 사물을 가리키는 말.

que, quoi, quelque chose

Terme désignant un fait ou un objet inconnu.

• **이다** : 주어가 지시하는 대상의 속성이나 부류를 지정하는 뜻을 나타내는 서술격 조사.

Pas d'expression équivalente

Particule du cas prédicatif pour indiquer la caractéristique ou la catégorie d'un objet qui se rapporte au sujet d'une phrase.

• **-니** : (아주낮춤으로) 물음을 나타내는 종결 어미.

Pas d'expression équivalente

(forme non honorifique très marquée) Terminaison finale indiquant une interrogation.

한국 음악+을 좋아하+여서 많이 듣+[다(가) 보]+니까
　　　　　　　좋아해서　　　　　　　듣다 보니까

한국어+를 잘하+[게 되]+었+어.
　　　　　　잘하게 됐어

• **한국 (nom)** : 아시아 대륙의 동쪽에 있는 나라. 한반도와 그 부속 섬들로 이루어져 있으며, 대한민국이라고도 부른다. 1950년에 일어난 육이오 전쟁 이후 휴전선을 사이에 두고 국토가 둘로 나뉘었다. 언어는 한국어이고, 수도는 서울이다.

Corée (du Sud)

Pays situé à l'est de l'Asie. Composé de la péninsule coréenne et de ses archipels, il est aussi appelé République de Corée. Le territoire a été divisé en deux de part et d'autre de la ligne d'armistice à la suite de la guerre de Corée qui a éclaté en 1950. Le coréen est sa langue officielle et sa capitale, Séoul.

• **음악 (nom)** : 목소리나 악기로 박자와 가락이 있게 소리 내어 생각이나 감정을 표현하는 예술.

musique

Art qui permet d'exprimer une pensée ou un sentiment par l'intermédiaire de sons rythmiques et mélodiques produits avec la voix humaine ou des instruments musicaux.

• 을 : 동작이 직접적으로 영향을 미치는 대상을 나타내는 조사.
  Pas d'expression équivalente
  Particule indiquant un objet directement influencé par un acte.

• **좋아하다 (verbe)** : 무엇에 대하여 좋은 느낌을 가지다.
  aimer, affectionner, adorer, apprécier,
  Avoir un bonne sensation au sujet de chose.

• **-여서** : 이유나 근거를 나타내는 연결 어미.
  Pas d'expression équivalente
  Terminaison connective indiquant la raison ou la base.

• **많이 (adverbe)** : 수나 양, 정도 등이 일정한 기준보다 넘게.
  beaucoup
  (Nombre, quantité, degré, etc.) De manière à être au-delà d'un critère donné.

• **듣다 (verbe)** : 귀로 소리를 알아차리다.
  entendre, écouter, ouïr
  Reconnaître un son par l'ouïe.

• **-다가 보다** : 앞에 오는 말이 나타내는 행동을 하는 과정에서 뒤에 오는 말이 나타내는 사실을 새로 깨
  닫게 됨을 나타내는 표현.
  Pas d'expression équivalente
  Expression indiquant qu'en effectuant l'action des propos précédents, le locuteur prend
  conscience du fait nouveau indiqué dans les propos suivants.

• **-니까** : 뒤에 오는 말에 대하여 앞에 오는 말이 원인이나 근거, 전제가 됨을 강조하여 나타내는 연결 어
  미.
  Pas d'expression équivalente
  Terminaison connective pour souligner que les propos précédents constituent la cause, le
  fondement ou un prérequis des propos suivants.

• **한국어 (nom)** : 한국에서 사용하는 말.
  coréen, langue coréenne
  Langue utilisée en Corée.

• 를 : 동작이 직접적으로 영향을 미치는 대상을 나타내는 조사.
  Pas d'expression équivalente
  Particule indiquant un objet directement influencé par un mouvement.

• **잘하다 (verbe)** : 익숙하고 솜씨가 있게 하다.
  bien (+verbe), être bon en
  Faire une chose de manière habile et avec talent.

- -게 되다 : 앞의 말이 나타내는 상태나 상황이 됨을 나타내는 표현.

  Pas d'expression équivalente

  Expression indiquant que l'état ou la situation exprimé(e) par les propos précédents se produit.

- -었- : 어떤 사건이 과거에 완료되었거나 그 사건의 결과가 현재까지 지속되는 상황을 나타내는 어미.

  Pas d'expression équivalente

  Terminaison indiquant une situation où un évènement a été accompli dans le passé ou que le résultat de cet évènement se poursuit jusqu'à présent.

- -어 : (두루낮춤으로) 어떤 사실을 서술하거나 물음, 명령, 권유를 나타내는 종결 어미.

  Pas d'expression équivalente

  (forme non honorifique non formelle) Terminaison finale pour décrire un fait ou pour indiquer une question, un ordre, ou une recommandation. **<description>**

< 대화(conversation) > - 58

너 이 영화 봤어?
너 이 영화 봐써?
neo i yeonghwa bwasseo?

나는 못 보고 우리 형이 봤는데 내용이 엄청 슬프다고 그러더라.
나는 몯 보고 우리 형이 봗는데 내용이 엄청 슬프다고 그러더라.
naneun mot bogo uri hyeongi bwanneunde naeyongi eomcheong seulpeudago geureodeora.

< 설명(explication) / 번역(traduction) >

너 이 영화 <u>보+았+어</u>?
봤어

• 너 (pronom) : 듣는 사람이 친구나 아랫사람일 때, 그 사람을 가리키는 말.
  tu, toi
  Terme designant l'interlocuteur, quand celui-ci est un ami ou une personne de rang inférieur.

• 이 (déterminant) : 말하는 사람에게 가까이 있거나 말하는 사람이 생각하고 있는 대상을 가리킬 때 쓰는 말.
  ce (cet, cette, ces)
  Terme utilisé pour indiquer l'objet qui se trouve près du locuteur ou auquel pense ce dernier.

• 영화 (nom) : 일정한 의미를 갖고 움직이는 대상을 촬영하여 영사기로 영사막에 비추어서 보게 하는 종합 예술.
  film, cinéma
  Art composite consistant à filmer les mouvements des objets, qui ont une certaine signification, et à les projeter sur un écran au moyen d'un projecteur.

• 보다 (verbe) : 눈으로 대상을 즐기거나 감상하다.
  voir, apprécier, contempler
  Prendre plaisir à regarder un objet ou l'apprécier visuellement.

• -았- : 어떤 사건이 과거에 완료되었거나 그 사건의 결과가 현재까지 지속되는 상황을 나타내는 어미.

Pas d'expression équivalente

Terminaison indiquant une situation où un évènement a eu lieu dans le passé ou que le résultat de cet évènement se poursuit jusqu'à présent.

• -어 : (두루낮춤으로) 어떤 사실을 서술하거나 물음, 명령, 권유를 나타내는 종결 어미.

Pas d'expression équivalente

(forme non honorifique non formelle) Terminaison finale pour décrire un fait ou pour indiquer une question, un ordre, ou une recommandation. **<question>**

나+는 못 보+고 우리 형+이 <u>보+았+는데</u> 내용+이 엄청 슬프+다고 그러+더라.
봤는데

• **나 (pronom)** : 말하는 사람이 친구나 아랫사람에게 자기를 가리키는 말.

je, moi, me

Terme employé par le locuteur pour se désigner, lorsqu'il s'adresse à une personne du même âge ou plus jeune.

• **는** : 어떤 대상이 다른 것과 대조됨을 나타내는 조사.

Pas d'expression équivalente

Particule indiquant qu'un objet contraste avec un autre.

• **못 (adverbe)** : 동사가 나타내는 동작을 할 수 없게.

Pas d'expression équivalente

De façon à ce que l'action exprimée par le verbe ne puisse pas s'effectuer.

• **보다 (verbe)** : 눈으로 대상을 즐기거나 감상하다.

voir, apprécier, contempler

Prendre plaisir à regarder un objet ou l'apprécier visuellement.

• **-고** : 두 가지 이상의 대등한 사실을 나열할 때 쓰는 연결 어미.

Pas d'expression équivalente

Terminaison connective utilisée pour énumérer deux faits égaux ou plus.

• **우리 (pronom)** : 말하는 사람이 자기보다 높지 않은 사람에게 자기와 관련된 것을 친근하게 나타낼 때 쓰는 말.

(pro.) notre, nos, mon, ma, mes

Terme utilisé par le locuteur pour désigner affectueusement quelque chose lié à lui-même, lorsqu'il s'adresse à quelqu'un qui occupe une position moins élevée que lui.

• **형 (nom)** : 남자가 형제나 친척 형제들 중에서 자기보다 나이가 많은 남자를 이르거나 부르는 말.

grand frère, frère aîné

Terme utilisé par un homme pour désigner ou s'adresser à un frère ou un cousin plus âgé.

- 이 : 어떤 상태나 상황의 대상이나 동작의 주체를 나타내는 조사.
  Pas d'expression équivalente
  Particule qui indique l'objet d'un état ou d'une situation, ou le sujet d'une action.

- 보다 (verbe) : 눈으로 대상을 즐기거나 감상하다.
  voir, apprécier, contempler
  Prendre plaisir à regarder un objet ou l'apprécier visuellement.

- -았- : 어떤 사건이 과거에 완료되었거나 그 사건의 결과가 현재까지 지속되는 상황을 나타내는 어미.
  Pas d'expression équivalente
  Terminaison indiquant une situation où un évènement a eu lieu dans le passé ou que le résultat de cet évènement se poursuit jusqu'à présent.

- -는데 : 뒤의 말을 하기 위하여 그 대상과 관련이 있는 상황을 미리 말함을 나타내는 연결 어미.
  Pas d'expression équivalente
  Terminaison connective indiquant le fait de parler à l'avance d'une situation en rapport avec l'objet des propos suivants.

- 내용 (nom) : 말, 글, 그림, 영화 등의 줄거리. 또는 그것들로 전하고자 하는 것.
  substance
  Grandes lignes d'un propos, d'un écrit, d'un tableau, d'un film, etc. ; ce que l'on veut transmettre par l'intermédiaire de tout cela.

- 이 : 어떤 상태나 상황의 대상이나 동작의 주체를 나타내는 조사.
  Pas d'expression équivalente
  Particule qui indique l'objet d'un état ou d'une situation, ou le sujet d'une action.

- 엄청 (adverbe) : 양이나 정도가 아주 지나치게.
  très, extraordinairement, extrêmement, exagérément, excessivement, démesurément, énormément, prodigieusement
  (Quantité ou degré) À l'excès.

- 슬프다 (adjectif) : 눈물이 날 만큼 마음이 아프고 괴롭다.
  triste, affligé, chagriné
  (Cœur) Douloureux et en peine, au point d'en avoir les larmes aux yeux.

- -다고 : 다른 사람에게서 들은 내용을 간접적으로 전달하거나 주어의 생각, 의견 등을 나타내는 표현.
  Pas d'expression équivalente
  Expression indiquant le fait de transmettre indirectement le contenu des propos énoncés par une autre personne, ou exprimant une pensée, une opinion, etc. du sujet d'une certaine phrase.

- 그러다 (verbe) : 그렇게 말하다.
  Pas d'expression équivalente
  Parler ainsi.

- -더라 : (아주낮춤으로) 말하는 이가 직접 경험하여 새롭게 알게 된 사실을 지금 전달함을 나타내는 종
  결 어미.

Pas d'expression équivalente

(forme non honorifique très marquée) Expression indiquant le fait de rapporter maintenant
un fait qu'on a appris pour la première fois en en faisant l'expérience.

< 대화(conversation) > - 59

뭘 만들기에 이렇게 냄새가 좋아요?
뭘 만들기에 이러케 냄새가 조아요?
mwol mandeulgie ireoke naemsaega joayo?

지우가 입맛이 없다길래 이것저것 만드는 중이에요.
지우가 임마시 업따길래 이걷쩌걷 만드는 중이에요.
jiuga immasi eopdagillae igeotjeogeot mandeuneun jungieyo.

< 설명(explication) / 번역(traduction) >

뭐+를 만들+기에 이렇+게 냄새+가 좋+아요?
뭘

- **뭐 (pronom)** : 모르는 사실이나 사물을 가리키는 말.
  que, quoi, quelque chose
  Terme désignant un fait ou un objet inconnu.

- **를** : 동작이 직접적으로 영향을 미치는 대상을 나타내는 조사.
  Pas d'expression équivalente
  Particule indiquant un objet directement influencé par un mouvement.

- **만들다 (verbe)** : 힘과 기술을 써서 없던 것을 생기게 하다.
  produire, fabriquer
  Faire apparaître ce qui n'existait pas, à l'aide d'une force ou d'une technique.

- **-기에** : 뒤에 오는 말의 원인이나 근거를 나타내는 연결 어미.
  Pas d'expression équivalente
  Terminaison connective pour indiquer une cause ou un fondement de la proposition suivante.

- **이렇다 (adjectif)** : 상태, 모양, 성질 등이 이와 같다.
  tel
  (État, forme, nature, etc.) Qui est semblable à cela.

- -게 : 앞의 말이 뒤에서 가리키는 일의 목적이나 결과, 방식, 정도 등이 됨을 나타내는 연결 어미.
  Pas d'expression équivalente
  Terminaison connective indiquant que les propos précédents constituent l'objectif, le résultat, la méthode ou le degré des propos qui suivent.

- 냄새 (nom) : 코로 맡을 수 있는 기운.
  odeur, effluve, exhalaison, fumet
  Sensation que l'on peut sentir par le nez.

- 가 : 어떤 상태나 상황에 놓인 대상이나 동작의 주체를 나타내는 조사.
  Pas d'expression équivalente
  Particule indiquant l'objet d'un état ou d'une situation, ou le sujet d'une action.

- 좋다 (adjectif) : 어떤 일이나 대상이 마음에 들고 만족스럽다.
  bon
  (Travail ou objet) Qui nous plaît et qui est satisfaisant.

- -아요 : (두루높임으로) 어떤 사실을 서술하거나 질문, 명령, 권유함을 나타내는 종결 어미.
  Pas d'expression équivalente
  (forme honorifique non formelle) Terminaison finale pour décrire un fait ou pour indiquer une question, un ordre ou une recommandation. <question>

지우+가 입맛+이 없+다길래 이것저것 만들(만드)+[는 중이]+에요.
만드는 중이에요

- 지우 (nom) : nom de personne

- 가 : 어떤 상태나 상황에 놓인 대상이나 동작의 주체를 나타내는 조사.
  Pas d'expression équivalente
  Particule indiquant l'objet d'un état ou d'une situation, ou le sujet d'une action.

- 입맛 (nom) : 음식을 먹을 때 입에서 느끼는 맛. 또는 음식을 먹고 싶은 욕구.
  appétit, goût, eau à la bouche, envie
  Goût ressenti dans la bouche quand on mange ; désir de manger de la nourriture.

- 이 : 어떤 상태나 상황의 대상이나 동작의 주체를 나타내는 조사.
  Pas d'expression équivalente
  Particule qui indique l'objet d'un état ou d'une situation, ou le sujet d'une action.

- 없다 (adjectif) : 어떤 사실이나 현상이 현실로 존재하지 않는 상태이다.
  Pas d'expression équivalente
  (Certain fait ou certain phénomène) Qui n'existe pas réellement.

• -다길래 : 뒤 내용의 이유나 근거로 다른 사람에게 들은 사실을 말할 때 쓰는 표현.
  Pas d'expression équivalente
  Expression utilisée quand le locuteur parle d'un fait énoncé par une autre personne comme la raison ou le fondement du contenu suivant.

• **이것저것 (nom)** : 분명하게 정해지지 않은 여러 가지 사물이나 일.
  ceci cela
  Plusieurs objets ou nombreuses choses indéfinies.

• **만들다 (verbe)** : 힘과 기술을 써서 없던 것을 생기게 하다.
  produire, fabriquer
  Faire apparaître ce qui n'existait pas, à l'aide d'une force ou d'une technique.

• -는 중이다 : 어떤 일이 진행되고 있음을 나타내는 표현.
  Pas d'expression équivalente
  Expression pour indiquer qu'une chose est en cours.

• -에요 : (두루높임으로) 어떤 사실을 서술하거나 질문함을 나타내는 종결 어미.
  Pas d'expression équivalente
  (forme honorifique non formelle) Terminaison finale pour décrire un fait ou pour indiquer une question. <description>

< 대화(conversation) > - 60

설명서를 아무리 봐도 무슨 말인지 잘 모르겠죠?
설명서를 아무리 봐도 무슨 마린지 잘 모르겐쬬?
seolmyeongseoreul amuri bwado museun marinji jal moreugetjyo?

그래도 자꾸 읽다 보니 조금씩 이해가 되던걸요.
그래도 자꾸 익따 보니 조금씩 이해가 되던거료.
geuraedo jakku ikda boni jogeumssik ihaega doedeongeoryo.

< 설명(explication) / 번역(traduction) >

설명서+를 아무리 보+아도 무슨 말+이+ㄴ지 잘 모르+겠+죠?
　　　　　　　　봐도　　　　　말인지

- **설명서 (nom)** : 일이나 사물의 내용, 이유, 사용법 등을 설명한 글.
  notice explicative, notice informative
  Ecrit contenant des explications sur une affaire, ou sur le contenu, les raisons, le mode d'emploi d'un objet.

- **를** : 동작이 직접적으로 영향을 미치는 대상을 나타내는 조사.
  Pas d'expression équivalente
  Particule indiquant un objet directement influencé par un mouvement.

- **아무리 (adverbe)** : 비록 그렇다 하더라도.
  quelque...que, si...que, si aussi...que, tout...que
  Bien que ce soit ainsi.

- **보다 (verbe)** : 책이나 신문, 지도 등의 글자나 그림, 기호 등을 읽고 내용을 이해하다.
  lire, consulter, prendre connaissance de
  Lire des lettres, des tableaux, des signes, etc. dans un livre, un journal, une carte, etc. et comprendre leur contenu.

- **-아도** : 앞에 오는 말을 가정하거나 인정하지만 뒤에 오는 말에는 관계가 없거나 영향을 끼치지 않음을 나타내는 연결 어미.
  Pas d'expression équivalente
  Terminaison connective indiquant que bien que l'on suppose ou reconnaisse les propos précédents, ceux-ci n'ont aucun rapport ou n'exercent aucune influence sur les propos suivants.

• **무슨 (déterminant)** : 확실하지 않거나 잘 모르는 일, 대상, 물건 등을 물을 때 쓰는 말.
　Pas d'expression équivalente
　Terme utilisé pour souligner ce qui est insatisfasant contre toute attente.

• **말 (nom)** : 단어나 구나 문장.
　mot, langage
　Mot, syntagme ou phrase.

• **이다** : 주어가 지시하는 대상의 속성이나 부류를 지정하는 뜻을 나타내는 서술격 조사.
　Pas d'expression équivalente
　Particule du cas prédicatif pour indiquer la caractéristique ou la catégorie d'un objet qui se rapporte au sujet d'une phrase.

• **-ㄴ지** : 뒤에 오는 말의 내용에 대한 막연한 이유나 판단을 나타내는 연결 어미.
　Pas d'expression équivalente
　Terminaison connective indiquant une raison vague du contenu des propos suivants ou un jugement vague sur ce contenu.

• **잘 (adverbe)** : 분명하고 정확하게.
　clairement, nettement
　De manière claire et exacte.

• **모르다 (verbe)** : 사람이나 사물, 사실 등을 알지 못하거나 이해하지 못하다.
　ignorer, ne pas savoir, ne pas connaître
　Ne pas connaître ou comprendre une personne, un objet, un fait, etc.

• **-겠-** : 미래의 일이나 추측을 나타내는 어미.
　Pas d'expression équivalente
　Terminaison exprimant un fait à venir ou une supposition.

• **-죠** : (두루높임으로) 말하는 사람이 듣는 사람에게 친근함을 나타내며 물을 때 쓰는 종결 어미.
　Pas d'expression équivalente
　(forme honorifique non formelle) Terminaison finale utilisée par le locuteur pour s'adresser à un interlocuteur sur un ton de sympathie.

<u>그렇+어도</u> 자꾸 <u>읽+[다(가) 보]</u>+니 조금씩 이해+가 되+던걸요.
　그래도　　　　　　　읽다 보니

• **그렇다 (adjectif)** : 상태, 모양, 성질 등이 그와 같다.
　ainsi
　Semblable à l'état, à la forme, à la nature, etc. de quelque chose.

- -어도 : 앞에 오는 말을 가정하거나 인정하지만 뒤에 오는 말에는 관계가 없거나 영향을 끼치지 않음을 나타내는 연결 어미.

  Pas d'expression équivalente

  Terminaison connective indiquant que bien que l'on suppose ou reconnaisse les propos précédents, ceux-ci n'ont aucun rapport ou n'exercent aucune influence sur les propos suivants.

- **자꾸** (adverbe) : 여러 번 계속하여.

  souvent, de manière répétée, encore et encore, (adv.) ne pas arrêter de, constamment

  Plusieurs fois, en continu.

- **읽다** (verbe) : 글을 보고 뜻을 알다.

  lire

  connaître le sens d'un texte que l'on voit.

- -다가 보다 : 앞에 오는 말이 나타내는 행동을 하는 과정에서 뒤에 오는 말이 나타내는 사실을 새로 깨닫게 됨을 나타내는 표현.

  Pas d'expression équivalente

  Expression indiquant qu'en effectuant l'action des propos précédents, le locuteur prend conscience du fait nouveau indiqué dans les propos suivants.

- -니 : 뒤에 오는 말에 대하여 앞에 오는 말이 원인이나 근거, 전제가 됨을 나타내는 연결 어미.

  Pas d'expression équivalente

  Terminaison connective indiquant que les propos précédents constituent la cause, la base et la présupposition des propos suivants.

- **조금씩** (adverbe) : 적은 정도로 계속해서.

  petit à petit, progressivement, un peu

  À petite quantité et constamment.

- **이해** (nom) : 무엇이 어떤 것인지를 앎. 또는 무엇이 어떤 것이라고 받아들임.

  compréhension, connaissance

  Fait de savoir ce qu'est une chose ; fait d'accepter une chose comme telle.

- **가** : 어떤 상태나 상황에 놓인 대상이나 동작의 주체를 나타내는 조사.

  Pas d'expression équivalente

  Particule indiquant l'objet d'un état ou d'une situation, ou le sujet d'une action.

- **되다** (verbe) : 어떠한 심리적인 상태에 있다.

  Pas d'expression équivalente

  Se trouver dans un certain état psychologique.

• -던걸요 : (두루높임으로) 과거의 사실에 대한 자기 생각이나 주장을 설명하듯 말하거나 그 근거를 댈 때 쓰는 표현.

Pas d'expression équivalente

(forme honorifique non formelle) Expression utilisée par le locuteur pour exprimer sa pensée ou une assertion sur un fait du passé comme pour l'expliquer, ou pour lui en donner la raison.

< 대화(conversation) > - 61

저는 이번에 개봉한 영화가 재미있던데요.
저는 이버네 개봉한 영화가 재미읻떤데요.
jeoneun ibeone gaebonghan yeonghwaga jaemiitdeondeyo.

그래도 원작이 더 재미있지 않나요?
그래도 원자기 더 재미읻찌 안나요?
geuraedo wonjagi deo jaemiitji annayo?

< 설명(explication) / 번역(traduction) >

저+는 이번+에 <u>개봉하+ㄴ</u> 영화+가 재미있+던데요.
개봉한

- **저 (pronom)** : 말하는 사람이 듣는 사람에게 자신을 낮추어 가리키는 말.
  moi, je
  Terme utilisé par le locuteur pour se désigner en s'abaissant.

- **는** : 문장 속에서 어떤 대상이 화제임을 나타내는 조사.
  Pas d'expression équivalente
  Particule indiquant qu'un objet est le principal sujet d'une phrase.

- **이번 (nom)** : 곧 돌아올 차례. 또는 막 지나간 차례.
  cette fois-ici, (n.) ce
  Tour qui reviendra bientôt ; tour qui vient de passer.

- **에** : 앞말이 시간이나 때임을 나타내는 조사.
  à, en
  Particule indiquant que la proposition précédente (en coréen) est l'heure ou le moment.

- **개봉하다 (verbe)** : 새 영화를 처음으로 상영하다.
  présenter au public
  Présenter un nouveau film au public pour la première fois.

• -ㄴ : 앞의 말이 관형어의 기능을 하게 만들고 사건이나 동작이 완료되어 그 상태가 유지되고 있음을 나타내는 어미.

Pas d'expression équivalente

Terminaison donnant la fonction de déterminant à la proposition précédente et indiquant que l'événement ou l'action en question est achevé et que cet état est maintenu.

• 영화 (nom) : 일정한 의미를 갖고 움직이는 대상을 촬영하여 영사기로 영사막에 비추어서 보게 하는 종합 예술.

film, cinéma

Art composite consistant à filmer les mouvements des objets, qui ont une certaine signification, et à les projeter sur un écran au moyen d'un projecteur.

• 가 : 어떤 상태나 상황에 놓인 대상이나 동작의 주체를 나타내는 조사.

Pas d'expression équivalente

Particule indiquant l'objet d'un état ou d'une situation, ou le sujet d'une action.

• 재미있다 (adjectif) : 즐겁고 유쾌한 느낌이 있다.

intéressant, amusant, divertissant

Qui donne une impression joyeuse et gaie.

• -던데요 : (두루높임으로) 과거에 직접 경험한 사실을 전달하여 듣는 사람의 반응을 기대함을 나타내는 표현.

Pas d'expression équivalente

(forme honorifique non formelle) Expression indiquant l'attente d'une réaction de l'interlocuteur en rapportant une expérience que le locuteur a faite lui-même dans le passé.

그렇+어도 원작+이 더 재미있+[지 않]+나요?
그래도

• 그렇다 (adjectif) : 상태, 모양, 성질 등이 그와 같다.

ainsi

Semblable à l'état, à la forme, à la nature, etc. de quelque chose.

• -어도 : 앞에 오는 말을 가정하거나 인정하지만 뒤에 오는 말에는 관계가 없거나 영향을 끼치지 않음을 나타내는 연결 어미.

Pas d'expression équivalente

Terminaison connective indiquant que bien que l'on suppose ou reconnaisse les propos précédents, ceux-ci n'ont aucun rapport ou n'exercent aucune influence sur les propos suivants.

• **원작 (nom)** : 연극이나 영화의 대본으로 만들거나 다른 나라 말로 고치기 전의 원래 작품.

original

Œuvre qui est avant d'être adaptée en texte de pièce de théâtre ou en scénario de film, ou avant d'être traduite vers une autre langue.

• **이** : 어떤 상태나 상황의 대상이나 동작의 주체를 나타내는 조사.

Pas d'expression équivalente

Particule qui indique l'objet d'un état ou d'une situation, ou le sujet d'une action.

• **더 (adverbe)** : 비교의 대상이나 어떤 기준보다 정도가 크게, 그 이상으로.

encore un peu, encore plus, davantage, encore davantage

De façon à ce que le degré de quelque chose soit plus grand que l'objet de la comparaison en question ou qu'il soit plus grand qu'un certain critère ou supérieur à ce dernier.

• **재미있다 (adjectif)** : 즐겁고 유쾌한 느낌이 있다.

intéressant, amusant, divertissant

Qui donne une impression joyeuse et gaie.

• **-지 않다** : 앞의 말이 나타내는 행위나 상태를 부정하는 뜻을 나타내는 표현.

Pas d'expression équivalente

Expression pour indiquer la négation d'une action ou d'un état précisé dans la proposition précédente.

• **-나요** : (두루높임으로) 앞의 내용에 대해 상대방에게 물어볼 때 쓰는 표현.

Pas d'expression équivalente

(forme honorifique non formelle) Expression pour poser une question sur la proposition précédente à l'interlocuteur.

< 대화(conversation) > - 62

이 집 강아지가 밤마다 너무 짖어서 저희가 잠을 잘 못 자요.
이 집 강아지가 밤마다 너무 지저서 저히가 자믈 잘 몯 자요.
i jip gangajiga bammada neomu jijeoseo jeohiga jameul jal mot jayo.

정말 죄송합니다. 못 짖도록 하는데도 그게 쉽지가 않네요.
정말 죄송함니다. 몯 짇또록 하는데도 그게 쉽찌가 안네요.
jeongmal joesonghamnida. mot jitdorok haneundedo geuge swipjiga anneyo.

< 설명(explication) / 번역(traduction) >

이 집 강아지+가 밤+마다 너무 짖+어서 저희+가 잠+을 잘 못 <u>자+(아)요</u>.
자요

- **이 (déterminant)** : 말하는 사람에게 가까이 있거나 말하는 사람이 생각하고 있는 대상을 가리킬 때 쓰는 말.
  ce (cet, cette, ces)
  Terme utilisé pour indiquer l'objet qui se trouve près du locuteur ou auquel pense ce dernier.

- **집 (nom)** : 사람이나 동물이 추위나 더위 등을 막고 그 속에 들어 살기 위해 지은 건물.
  maison, foyer, demeure, habitation, domicile, résidence, logis, pavillon, lotissement, appartement, logement, immeuble
  Bâtiment construit pour servir de lieu d'habitation et protéger des personnes ou des animaux du froid, du chaud, etc.

- **강아지 (nom)** : 개의 새끼.
  chiot
  Petit du chien.

- **가** : 어떤 상태나 상황에 놓인 대상이나 동작의 주체를 나타내는 조사.
  Pas d'expression équivalente
  Particule indiquant l'objet d'un état ou d'une situation, ou le sujet d'une action.

- **밤 (nom)** : 해가 진 후부터 다음 날 해가 뜨기 전까지의 어두운 동안.
  nuit, obscurité
  Heures sombres depuis le coucher jusqu'au lever du soleil, le lendemain.

· 마다 : 하나하나 빠짐없이 모두의 뜻을 나타내는 조사.
Pas d'expression équivalente
Particule signifiant "tous les éléments sans exception" de l'objet indiqué.

· 너무 (adverbe) : 일정한 정도나 한계를 훨씬 넘어선 상태로.
trop, excessivement, à l'excès, avec excès, outre mesure, démesurément
De manière à dépasser de loin un certain niveau ou une limite.

· 짖다 (verbe) : 개가 크게 소리를 내다.
pousser des aboiements, aboyer, japper, glapir
(Chien) Faire un grand bruit.

· -어서 : 이유나 근거를 나타내는 연결 어미.
Pas d'expression équivalente
Terminaison connective indiquant une raison ou une base.

· 저희 (pronom) : 말하는 사람이 자기보다 높은 사람에게 자기를 포함한 여러 사람들을 가리키는 말.
nous, notre, nôtre, nos, je, moi, mon, ma, mes
Terme employé lorsqu'on s'adresse à une personne plus âgée ou qui a un statut supérieur, pour se désigner ou pour désigner un groupe de gens l'incluant.

· 가 : 어떤 상태나 상황에 놓인 대상이나 동작의 주체를 나타내는 조사.
Pas d'expression équivalente
Particule indiquant l'objet d'un état ou d'une situation, ou le sujet d'une action.

· 잠 (nom) : 눈을 감고 몸과 정신의 활동을 멈추고 한동안 쉬는 상태.
sommeil, somme
État dans lequel on se repose pendant un certain temps en fermant les yeux et en cessant toute activité physique et mentale.

· 을 : 서술어의 명사형 목적어임을 나타내는 조사.
Pas d'expression équivalente
Particule pour indiquer le complément objet nominal d'un prédicat.

· 잘 (adverbe) : 충분히 만족스럽게.
bien
De manière suffisamment satisfaisante.

· 못 (adverbe) : 동사가 나타내는 동작을 할 수 없게.
Pas d'expression équivalente
De façon à ce que l'action exprimée par le verbe ne puisse pas s'effectuer.

• **자다 (verbe)** : 눈을 감고 몸과 정신의 활동을 멈추고 한동안 쉬는 상태가 되다.
dormir, sommeiller, faire un somme
Se mettre dans un état dans lequel on se repose pendant un certain temps en fermant les yeux et en cessant toute activité du corps et de l'esprit.

• **-아요** : (두루높임으로) 어떤 사실을 서술하거나 질문, 명령, 권유함을 나타내는 종결 어미.
Pas d'expression équivalente
(forme honorifique non formelle) Terminaison finale pour décrire un fait ou pour indiquer une question, un ordre ou une recommandation.

정말 <u>죄송하+ㅂ니다</u>.
죄송합니다

못 짖+[도록 하]+는데도 <u>그것(그거)+이</u> 쉽+[지+가 않]+네요.
그게

• **정말 (adverbe)** : 거짓이 없이 진짜로.
véritablement, en vérité, tout à fait, réellement, très
Vraiment et sans fausseté.

• **죄송하다 (adjectif)** : 죄를 지은 것처럼 몹시 미안하다.
se sentir confus, être navré
Être vraiment désolé comme si l'on avait commis un crime.

• **-ㅂ니다** : (아주높임으로) 현재의 동작이나 상태, 사실을 정중하게 설명함을 나타내는 종결 어미.
Pas d'expression équivalente
(forme honorifique très marquée) Terminaison finale indiquant que l'on explique poliment l'action, l'état ou un fait présent.

• **못 (adverbe)** : 동사가 나타내는 동작을 할 수 없게.
Pas d'expression équivalente
De façon à ce que l'action exprimée par le verbe ne puisse pas s'effectuer.

• **짖다 (verbe)** : 개가 크게 소리를 내다.
pousser des aboiements, aboyer, japper, glapir
(Chien) Faire un grand bruit.

• **-도록 하다** : 남에게 어떤 행동을 하도록 시키거나 물건이 어떤 작동을 하게 만듦을 나타내는 표현.
Pas d'expression équivalente
Expression pour montrer que l'on fait faire une action dirigée vers quelqu'un ou que l'on fait fonctionner un objet d'une certaine manière.

- -는데도 : 앞에 오는 말이 나타내는 상황에 상관없이 뒤에 오는 말이 나타내는 상황이 일어남을 나타내
  는 표현.
  Pas d'expression équivalente
  Expression indiquant que la situation suivante se produit malgré la précédente.

- **그것 (pronom)** : 앞에서 이미 이야기한 대상을 가리키는 말.
  il, elle
  Terme désignant un objet précédemment évoqué.

- 이 : 어떤 상태나 상황의 대상이나 동작의 주체를 나타내는 조사.
  Pas d'expression équivalente
  Particule qui indique l'objet d'un état ou d'une situation, ou le sujet d'une action.

- **쉽다 (adjectif)** : 하기에 힘들거나 어렵지 않다.
  facile, aisé, simple
  Qui n'est pas pénible, ni difficile à faire.

- -지 않다 : 앞의 말이 나타내는 행위나 상태를 부정하는 뜻을 나타내는 표현.
  Pas d'expression équivalente
  Expression pour indiquer la négation d'une action ou d'un état précisé dans la proposition précédente.

- 가 : 앞의 말을 강조하는 뜻을 나타내는 조사.
  Pas d'expression équivalente
  Particule utilisée pour mettre l'accent sur la proposition précédente.

- -네요 : (두루높임으로) 말하는 사람이 직접 경험하여 새롭게 알게 된 사실에 대해 감탄함을 나타낼 때
  쓰는 표현.
  Pas d'expression équivalente
  (forme honorifique non formelle) Expression pour indiquer que le locuteur parle d'une chose nouvelle dont il a fait l'expérience lui-même, sur un ton d'exclamation.

< 대화(conversation) > - 63

메일 보냈습니다. 확인 좀 부탁 드립니다.
메일 보낼씀니다. 화긴 좀 부탁 드림니다.
meil bonaetseumnida. hwagin jom butak deurimnida.

네. 보내 주신 자료를 검토하고 다시 연락 드리도록 하겠습니다.
네. 보내 주신 자료를 검토하고 다시 열락 드리도록 하겔씀니다.
ne. bonae jusin jaryoreul geomtohago dasi yeollak deuridorok hagetseumnida.

< 설명(explication) / 번역(traduction) >

메일 <u>보내+었+습니다</u>.
　　　　보냈습니다

확인 좀 부탁 <u>드리+ㅂ니다</u>.
　　　　　　드립니다

- **메일 (nom)** : 인터넷이나 통신망으로 주고받는 편지.
  courriel, courrier électronique, message électronique, mél
  Messages échangés par internet ou par d'autres réseaux de communication.

- **보내다 (verbe)** : 내용이 전달되게 하다.
  adresser, transmettre
  Faire parvenir un contenu.

- **-었-** : 어떤 사건이 과거에 완료되었거나 그 사건의 결과가 현재까지 지속되는 상황을 나타내는 어미.
  Pas d'expression équivalente
  Terminaison indiquant une situation où un évènement a été accompli dans le passé ou que le résultat de cet évènement se poursuit jusqu'à présent.

- **-습니다** : (아주높임으로) 현재의 동작이나 상태, 사실을 정중하게 설명함을 나타내는 종결 어미.
  Pas d'expression équivalente
  (forme honorifique très marquée) Terminaison finale indiquant que l'on explique poliment l'action, l'état ou un fait présent.

- **확인 (nom)** : 틀림없이 그러한지를 알아보거나 인정함.
  vérification, affirmation, confirmation
  Fait de se renseigner si une chose est vraie ou de reconnaître qu'une chose est certaine.

- **좀 (adverbe)** : 주로 부탁이나 동의를 구할 때 부드러운 느낌을 주기 위해 넣는 말.
  s'il vous plaît, s'il te plaît
  Terme utilisé pour demander quelque chose à quelqu'un gentiment ou pour en obtenir un accord.

- **부탁 (nom)** : 어떤 일을 해 달라고 하거나 맡김.
  demande
  Action de demander de faire quelque chose ou de confier quelque chose à quelqu'un.

- **드리다 (verbe)** : 윗사람에게 어떤 말을 하거나 인사를 하다.
  présenter
  Dire quelque chose à son supérieur, à un aîné ou saluer celui-ci.

- **-ㅂ니다** : (아주높임으로) 현재의 동작이나 상태, 사실을 정중하게 설명함을 나타내는 종결 어미.
  Pas d'expression équivalente
  (forme honorifique très marquée) Terminaison finale indiquant que l'on explique poliment l'action, l'état ou un fait présent.

네.

보내+[(어) 주]+시+ㄴ 자료+를 검토하+고 다시 연락 드리+[도록 하]+겠+습니다.
보내 주신

- **네 (exclamatif)** : 윗사람의 물음이나 명령 등에 긍정하여 대답할 때 쓰는 말.
  oui, très bien
  Exclamation utilisée pour répondre positivement à une demande ou à un ordre d'une personne supérieure, etc.

- **보내다 (verbe)** : 내용이 전달되게 하다.
  adresser, transmettre
  Faire parvenir un contenu.

- **-어 주다** : 남을 위해 앞의 말이 나타내는 행동을 함을 나타내는 표현.
  Pas d'expression équivalente
  Expression indiquant le fait d'effectuer pour autrui une action exprimée par les propos précédents.

- -시- : 어떤 동작이나 상태의 주체를 높이는 뜻을 나타내는 어미.
  Pas d'expression équivalente
  Terminaison signifiant le fait de montrer du respect à l'auteur d'une action ou d'un état.

- -ㄴ : 앞의 말이 관형어의 기능을 하게 만들고 사건이나 동작이 완료되어 그 상태가 유지되고 있음을 나타내는 어미.
  Pas d'expression équivalente
  Terminaison donnant la fonction de déterminant à la proposition précédente et indiquant que l'événement ou l'action en question est achevé et que cet état est maintenu.

- **자료 (nom)** : 연구나 조사를 하는 데 기본이 되는 재료.
  matériaux, documents, documentation, données, archives
  Matériaux qui constituent la base d'une étude ou d'une recherche.

- 를 : 동작이 직접적으로 영향을 미치는 대상을 나타내는 조사.
  Pas d'expression équivalente
  Particule indiquant un objet directement influencé par un mouvement.

- **검토하다 (verbe)** : 어떤 사실이나 내용을 자세히 따져서 조사하고 분석하다.
  examiner, vérifier, étudier, considérer
  Étudier en détail un fait ou le contenu de quelque chose et l'analyser.

- -고 : 앞의 말과 뒤의 말이 차례대로 일어남을 나타내는 연결 어미.
  Pas d'expression équivalente
  Terminaison connective indiquant que les propos précédents et les propos suivants se succèdent tour à tour.

- **다시 (adverbe)** : 다음에 또.
  encore, de nouveau, à nouveau, encore une fois, une fois de plus
  Encore, la prochaine fois.

- **연락 (nom)** : 어떤 사실을 전하여 알림.
  communication, information
  Fait de transmettre et de faire connaître un fait.

- **드리다 (verbe)** : 윗사람에게 어떤 말을 하거나 인사를 하다.
  présenter
  Dire quelque chose à son supérieur, à un aîné ou saluer celui-ci.

- -도록 하다 : 말하는 사람이 어떤 행위를 할 것이라는 의지나 다짐을 나타내는 표현.
  Pas d'expression équivalente
  Expression indiquant la volonté ou la détermination du locuteur pour effectuer une action.

• -겠- : 완곡하게 말하는 태도를 나타내는 어미.

Pas d'expression équivalente

Terminaison indiquant le fait de s'exprimer sous forme détournée.

• -습니다 : (아주높임으로) 현재의 동작이나 상태, 사실을 정중하게 설명함을 나타내는 종결 어미.

Pas d'expression équivalente

(forme honorifique très marquée) Terminaison finale indiquant que l'on explique poliment l'action, l'état ou un fait présent.

< 대화(conversation) > - 64

이제 아홉 신데 벌써 자려고?
이제 아홉 신데 벌써 자려고?
ije ahop sinde beolsseo jaryeogo?

시험 기간에 도서관 자리 잡기가 어려워서 내일 일찍 일어나려고요.
시험 기가네 도서관 자리 잡끼가 어려워서 내일 일찍 이러나려고요.
siheom gigane doseogwan jari japgiga eoryeowoseo naeil iljjik ireonaryeogoyo.

< 설명(explication) / 번역(traduction) >

이제 아홉 <u>시+(이)+ㄴ데</u> 벌써 자+려고?
신데

- **이제 (adverbe)** : 말하고 있는 바로 이때에.
  maintenant, à présent
  Au moment présent où je parle.

- **아홉 (déterminant)** : 여덟에 하나를 더한 수의.
  neuf
  Qui se rapporte à la somme de huit plus un.

- **시 (nom)** : 하루를 스물넷으로 나누었을 때 그 하나를 나타내는 시간의 단위.
  heure
  Nom dépendant servant d'unité de temps indiquant l'une des vingt-quatre divisions qui forment un jour.

- **이다** : 주어가 지시하는 대상의 속성이나 부류를 지정하는 뜻을 나타내는 서술격 조사.
  Pas d'expression équivalente
  Particule du cas prédicatif pour indiquer la caractéristique ou la catégorie d'un objet qui se rapporte au sujet d'une phrase.

- **-ㄴ데** : 뒤의 말을 하기 위하여 그 대상과 관련이 있는 상황을 미리 말함을 나타내는 연결 어미.
  Pas d'expression équivalente
  Terminaison connective indiquant qu'afin de formuler les propos suivants, le locuteur parle à l'avance d'une situation en rapport avec l'objet de ces propos.

- **벌써 (adverbe)** : 생각보다 빠르게.
  déjà
  Plus rapidement qu'on ne pense.

- **자다 (verbe)** : 눈을 감고 몸과 정신의 활동을 멈추고 한동안 쉬는 상태가 되다.
  dormir, sommeiller, faire un somme
  Se mettre dans un état dans lequel on se repose pendant un certain temps en fermant les yeux et en cessant toute activité du corps et de l'esprit.

- **-려고** : (두루낮춤으로) 어떤 주어진 상황에 대하여 의심이나 반문을 나타내는 종결 어미.
  Pas d'expression équivalente
  (forme non honorifique non formelle) Terminaison finale employer pour exprimer le doute ou pour répondre par une question sur une situation donnée.

시험 기간+에 도서관 자리 잡+기+가 <u>어렵(어려우)+어서</u>
어려워서

내일 일찍 일어나+려고요.

- **시험 (nom)** : 문제, 질문, 실제의 행동 등의 일정한 절차에 따라 지식이나 능력을 검사하고 평가하는 일.
  examen, test, épreuve, contrôle, évaluation
  Fait d'examiner ou d'évaluer les connaissances ou les capacités de quelqu'un à travers des procédures comme des problèmes, des questions, des actions concrètes, etc.

- **기간 (nom)** : 어느 일정한 때부터 다른 일정한 때까지의 동안.
  durée, délai, période
  Temps écoulé entre un moment et un autre.

- **에** : 앞말이 시간이나 때임을 나타내는 조사.
  à, en
  Particule indiquant que la proposition précédente (en coréen) est l'heure ou le moment.

- **도서관 (nom)** : 책과 자료 등을 많이 모아 두고 사람들이 빌려 읽거나 공부를 할 수 있게 마련한 시설.
  bibliothèque
  Installations où l'on met beaucoup de livres ou de documents pour le prêt et la lecture ou pour l'étude.

- **자리 (nom)** : 사람이 앉을 수 있도록 만들어 놓은 곳.
  place, emplacement, siège
  Espace aménagé pour que quelqu'un puisse s'asseoir.

· **잡다 (verbe)** : 자리, 방향, 시기 등을 정하다.
Pas d'expression équivalente
Fixer une place, une direction, une période, etc.

· **-기** : 앞의 말이 명사의 기능을 하게 하는 어미.
Pas d'expression équivalente
Terminaison attribuant la fonction de nom à la proposition précédente.

· **가** : 어떤 상태나 상황에 놓인 대상이나 동작의 주체를 나타내는 조사.
Pas d'expression équivalente
Particule indiquant l'objet d'un état ou d'une situation, ou le sujet d'une action.

· **어렵다 (adjectif)** : 하기가 복잡하거나 힘이 들다.
compliqué, complexe, délicat
Qui est compliqué ou pénible à faire.

· **-어서** : 이유나 근거를 나타내는 연결 어미.
Pas d'expression équivalente
Terminaison connective indiquant une raison ou une base.

· **내일 (adverbe)** : 오늘의 다음 날에.
demain
Jour suivant aujourd'hui.

· **일찍 (adverbe)** : 정해진 시간보다 빠르게.
très tôt
Plus tôt que l'heure prévue.

· **일어나다 (verbe)** : 잠에서 깨어나다.
se lever
Se réveiller de son sommeil.

· **-려고요** : (두루높임으로) 어떤 행동을 할 의도나 욕망을 가지고 있음을 나타내는 표현.
Pas d'expression équivalente
(forme honorifique non formelle) Expression pour indiquer l'intention ou le désir d'effectuer une action.

< 대화(conversation) > - 65

나 지금 마트에 가려고 하는데 혹시 필요한 거 있니?
나 지금 마트에 가려고 하는데 혹씨 피료한 거 인니?
na jigeum mateue garyeogo haneunde hoksi piryohan geo inni?

그럼 오는 길에 휴지 좀 사다 줄래?
그럼 오는 기레 휴지 좀 사다 줄래?
geureom oneun gire hyuji jom sada jullae?

< 설명(explication) / 번역(traduction) >

나 지금 마트+에 가+[려고 하]+는데 혹시 <u>필요하+[ㄴ 것(거)]</u> 있+니?
필요한 거

- **나 (pronom)** : 말하는 사람이 친구나 아랫사람에게 자기를 가리키는 말.
  je, moi, me
  Terme employé par le locuteur pour se désigner, lorsqu'il s'adresse à une personne du même âge ou plus jeune.

- **지금 (adverbe)** : 말을 하고 있는 바로 이때에. 또는 그 즉시에.
  à l'heure qu'il est, maintenant, tout de suite
  Au moment précis où l'on est en train de parler ; dans l'immédiat.

- **마트 (nom)** : 각종 생활용품을 판매하는 대형 매장.
  supermarché
  Grande surface où l'on vend toutes sortes de produits de première nécessité.

- **에** : 앞말이 목적지이거나 어떤 행위의 진행 방향임을 나타내는 조사.
  à, en, sur, dans
  Particule indiquant que la proposition précédente (en coréen) est la destination ou la direction de progression d'une action.

- **가다 (verbe)** : 한 곳에서 다른 곳으로 장소를 이동하다.
  aller, se rendre, s'en aller, passer, partir
  Se déplacer d'un endroit à un autre.

• -려고 하다 : 앞의 말이 나타내는 행동을 할 의도나 의향이 있음을 나타내는 표현.
  Pas d'expression équivalente
  Expression indiquant le fait d'avoir l'intention ou la volonté d'effectuer l'action exprimée par les propos précédents.

• -는데 : 뒤의 말을 하기 위하여 그 대상과 관련이 있는 상황을 미리 말함을 나타내는 연결 어미.
  Pas d'expression équivalente
  Terminaison connective indiquant le fait de parler à l'avance d'une situation en rapport avec l'objet des propos suivants.

• 혹시 (adverbe) : 그러리라 생각하지만 분명하지 않아 말하기를 망설일 때 쓰는 말.
  par hasard
  Terme utilisé quand on hésite à parler du fait que quelque chose se passera ainsi mais que cela n'est pas clair.

• 필요하다 (adjectif) : 꼭 있어야 하다.
  nécessaire, essentiel, indispensable
  Qu'il faut absolument.

• -ㄴ 것 : 명사가 아닌 것을 문장에서 명사처럼 쓰이게 하거나 '이다' 앞에 쓰일 수 있게 할 때 쓰는 표현.
  Pas d'expression équivalente
  Expression permettant à un mot qui n'est pas un nom d'être utilisé comme tel, ou d'être utilisé devant '이다'.

• 있다 (adjectif) : 사람, 동물, 물체 등이 존재하는 상태이다.
  (adj.) il y a
  (Personne, animal, objet, etc.) Qui existe.

• -니 : (아주낮춤으로) 물음을 나타내는 종결 어미.
  Pas d'expression équivalente
  (forme non honorifique très marquée) Terminaison finale indiquant une interrogation.

그럼 오+[는 길에] 휴지 좀 사+(아)다 주+ㄹ래?
사다   줄래

• 그럼 (adverbe) : 앞의 내용을 받아들이거나 그 내용을 바탕으로 하여 새로운 주장을 할 때 쓰는 말.
  alors, en effet
  Terme utilisé lorsqu'on accepte les propos qui ont été dits auparavant ou lorsqu' on veut présenter un nouvel argument sur la base de ces propos.

- **오다 (verbe)** : 무엇이 다른 곳에서 이곳으로 움직이다.
  venir, arriver, apparaître
  (Quelque chose) Bouger d'un lieu à celui où l'on se trouve.

- **-는 길에** : 어떤 일을 하는 도중이나 기회임을 나타내는 표현.
  Pas d'expression équivalente
  Expression pour indiquer un moment durant lequel une chose est en cours, ou une occasion.

- **휴지 (nom)** : 더러운 것을 닦는 데 쓰는 얇은 종이.
  papier hygiénique
  Papier fin servant à essuyer des saletés.

- **좀 (adverbe)** : 주로 부탁이나 동의를 구할 때 부드러운 느낌을 주기 위해 넣는 말.
  s'il vous plaît, s'il te plaît
  Terme utilisé pour demander quelque chose à quelqu'un gentiment ou pour en obtenir un accord.

- **사다 (verbe)** : 돈을 주고 어떤 물건이나 권리 등을 자기 것으로 만들다.
  acheter
  Donner de l'argent pour s'approprier un objet, un droit, etc.

- **-아다** : 어떤 행동을 한 뒤 그 행동의 결과를 가지고 뒤의 말이 나타내는 행동을 이어 함을 나타내는 연결 어미.
  Pas d'expression équivalente
  Terminaison connective indiquant, dans la proposition suivante, qu'une action est réalisée sur la base du résultat d'une première action.

- **주다 (verbe)** : 물건 등을 남에게 건네어 가지거나 쓰게 하다.
  donner, offrir, allouer
  Passer un objet ou autre à autrui pour qu'il le possède ou l'utilise.

- **-ㄹ래** : (두루낮춤으로) 앞으로 어떤 일을 하려고 하는 자신의 의사를 나타내거나 그 일에 대하여 듣는 사람의 의사를 물어봄을 나타내는 종결 어미.
  Pas d'expression équivalente
  (forme non honorifique non formelle) Terminaison finale indiquant la volonté du locuteur d'entreprendre quelque chose dans l'avenir ou le fait de demander son avis à l'interlocuteur qui en entend parler.

< 대화(conversation) > - 66

오늘 회의 몇 시부터 시작하지?
오늘 회이 멷 시부터 시자카지?
oneul hoei myeot sibuteo sijakaji?

지금 시작하려고 하니까 빨리 준비하고 와.
지금 시자카려고 하니까 빨리 준비하고 와.
jigeum sijakaryeogo hanikka ppalli junbihago wa.

< 설명(explication) / 번역(traduction) >

오늘 회의 몇 시+부터 시작하+지?

• **오늘 (nom)** : 지금 지나가고 있는 이날.
  aujourd'hui, ce jour
  Jour qui est en train de passer.

• **회의 (nom)** : 여럿이 모여 의논함. 또는 그런 모임.
  réunion, conférence
  Fait pour plusieurs personnes de se rassembler et de discuter ensemble : un tel rassemblement.

• **몇 (déterminant)** : 잘 모르는 수를 물을 때 쓰는 말.
  combien de
  Mot utilisé pour demander un nombre que l'on ne connaît pas exactement.

• **시 (nom)** : 하루를 스물넷으로 나누었을 때 그 하나를 나타내는 시간의 단위.
  heure
  Nom dépendant servant d'unité de temps indiquant l'une des vingt-quatre divisions qui forment un jour.

• **부터** : 어떤 일의 시작이나 처음을 나타내는 조사.
  Pas d'expression équivalente
  Particule servant à exprimer le début ou l'origine d'une chose.

• 시작하다 (verbe) : 어떤 일이나 행동의 처음 단계를 이루거나 이루게 하다.
commencer, débuter, ouvrir, démarrer
Accomplir la première étape d'un évènement ou d'une action, ou faire accomplir cette étape par une tierce personne.

• -지 : (두루낮춤으로) 말하는 사람이 듣는 사람에게 친근함을 나타내며 물을 때 쓰는 종결 어미.
Pas d'expression équivalente
(forme non honorifique non formelle) Terminaison finale utilisée par le locuteur pour interroger amicalement un interlocuteur.

지금 시작하+[려고 하]+니까 빨리 준비하+고 오+아.
와

• 지금 (adverbe) : 말을 하고 있는 바로 이때에. 또는 그 즉시에.
à l'heure qu'il est, maintenant, tout de suite
Au moment précis où l'on est en train de parler ; dans l'immédiat.

• 시작하다 (verbe) : 어떤 일이나 행동의 처음 단계를 이루거나 이루게 하다.
commencer, débuter, ouvrir, démarrer
Accomplir la première étape d'un évènement ou d'une action, ou faire accomplir cette étape par une tierce personne.

• -려고 하다 : 앞의 말이 나타내는 일이 곧 일어날 것 같거나 시작될 것임을 나타내는 표현.
Pas d'expression équivalente
Expression indiquant que l'événement exprimé par les propos précédents semble se produire ou débuter immédiatement.

• -니까 : 뒤에 오는 말에 대하여 앞에 오는 말이 원인이나 근거, 전제가 됨을 강조하여 나타내는 연결 어미.
Pas d'expression équivalente
Terminaison connective pour souligner que les propos précédents constituent la cause, le fondement ou un prérequis des propos suivants.

• 빨리 (adverbe) : 걸리는 시간이 짧게.
vite, rapidement
(Temps nécessaire pour faire une action) Brièvement.

• 준비하다 (verbe) : 미리 마련하여 갖추다.
préparer, se préparer
Se procurer et s'équiper du nécessaire à l'avance.

- -고 : 앞의 말과 뒤의 말이 차례대로 일어남을 나타내는 연결 어미.

  Pas d'expression équivalente

  Terminaison connective indiquant que les propos précédents et les propos suivants se succèdent tour à tour.

- **오다 (verbe)** : 무엇이 다른 곳에서 이곳으로 움직이다.

  venir, arriver, apparaître

  (Quelque chose) Bouger d'un lieu à celui où l'on se trouve.

- -아 : (두루낮춤으로) 어떤 사실을 서술하거나 물음, 명령, 권유를 나타내는 종결 어미.

  Pas d'expression équivalente

  (forme non honorifique non formelle) Terminaison finale pour décrire un fait ou pour indiquer une question, un ordre, ou une recommandation. <ordre>

< 대화(conversation) > - 67

장마도 끝났으니 이제 정말 더워지려나 봐.
장마도 끈나쓰니 이제 정말 더워지려나 봐.
jangmado kkeunnasseuni ije jeongmal deowojiryeona bwa.

맞아. 오늘 아침에 걸어오는데 땀이 줄줄 나더라.
마자. 오늘 아치메 거러오는데 따미 줄줄 나더라.
maja. oneul achime georeooneunde ttami juljul nadeora.

< 설명(explication) / 번역(traduction) >

장마+도 끝나+았+으니 이제 정말 더워지+[려나 보]+아.
　　　　　　끝났으니　　　　　　　　　　더워지려나 봐

- **장마 (nom)** : 여름철에 여러 날 계속해서 비가 오는 현상이나 날씨. 또는 그 비.
  saison des pluies, mousson
  Phénomène ou temps de pluie continue sur plusieurs jours, en été ; cette pluie.

- **도** : 이미 있는 어떤 것에 다른 것을 더하거나 포함함을 나타내는 조사.
  Pas d'expression équivalente
  Particule indiquant qu'une chose est ajoutée ou comprise dans une autre qui existe déjà.

- **끝나다 (verbe)** : 정해진 기간이 모두 지나가다.
  se terminer, être fini, expirer
  (Temps fixé) S'écouler.

- **-았-** : 어떤 사건이 과거에 완료되었거나 그 사건의 결과가 현재까지 지속되는 상황을 나타내는 어미.
  Pas d'expression équivalente
  Terminaison indiquant une situation où un évènement a eu lieu dans le passé ou que le résultat de cet évènement se poursuit jusqu'à présent.

- **-으니** : 뒤에 오는 말에 대하여 앞에 오는 말이 원인이나 근거, 전제가 됨을 나타내는 연결 어미.
  Pas d'expression équivalente
  Terminaison connective indiquant que les propos précédents constituent la cause, la base ou la présupposition des propos qui suivent.

• **이제 (adverbe)** : 지금부터 앞으로.
à présent, à partir de maintenant, à l'avenir
À partir du moment présent jusque par la suite.

• **정말 (adverbe)** : 거짓이 없이 진짜로.
véritablement, en vérité, tout à fait, réellement, très
Vraiment et sans fausseté.

• **더워지다 (verbe)** : 온도가 올라가다. 또는 그로 인해 더위나 뜨거움을 느끼다.
se réchauffer, faire chaud
(Température) Monter : sentir la chaleur par cette montée de température.

• **-려나 보다** : 앞의 말이 나타내는 일이 일어날 것이라고 추측함을 나타내는 표현.
Pas d'expression équivalente
Expression indiquant le fait de supposer qu'un événement exprimé par les propos précédents va se produire.

• **-아** : (두루낮춤으로) 어떤 사실을 서술하거나 물음, 명령, 권유를 나타내는 종결 어미.
Pas d'expression équivalente
(forme non honorifique non formelle) Terminaison finale pour décrire un fait ou pour indiquer une question, un ordre, ou une recommandation. <description>

맞+아.

오늘 아침+에 걸어오+는데 땀+이 줄줄 나+더라.

• **맞다 (verbe)** : 그렇거나 옳다.
avoir raison
Être le cas ou correct.

• **-아** : (두루낮춤으로) 어떤 사실을 서술하거나 물음, 명령, 권유를 나타내는 종결 어미.
Pas d'expression équivalente
(forme non honorifique non formelle) Terminaison finale pour décrire un fait ou pour indiquer une question, un ordre, ou une recommandation. <description>

• **오늘 (nom)** : 지금 지나가고 있는 이날.
aujourd'hui, ce jour
Jour qui est en train de passer.

• **아침 (nom)** : 날이 밝아올 때부터 해가 떠올라 하루의 일이 시작될 때쯤까지의 시간.
matin, matinée
Période entre le moment où le jour se lève et celui où la journée commence, après le lever du soleil.

• **에** : 앞말이 시간이나 때임을 나타내는 조사.
à, en
Particule indiquant que la proposition précédente (en coréen) est l'heure ou le moment.

• **걸어오다 (verbe)** : 목적지를 향하여 다리를 움직여서 이동하여 오다.
marcher, venir à pied
Venir à une destination en faisant usage de ses jambes.

• **-는데** : 뒤의 말을 하기 위하여 그 대상과 관련이 있는 상황을 미리 말함을 나타내는 연결 어미.
Pas d'expression équivalente
Terminaison connective indiquant le fait de parler à l'avance d'une situation en rapport avec l'objet des propos suivants.

• **땀 (nom)** : 덥거나 몸이 아프거나 긴장을 했을 때 피부를 통해 나오는 짭짤한 맑은 액체.
sueur, transpiration
Liquide un peu salé et limpide sortant de la peau quand on a chaud, quand on est malade ou quand on est tendu.

• **이** : 어떤 상태나 상황의 대상이나 동작의 주체를 나타내는 조사.
Pas d'expression équivalente
Particule qui indique l'objet d'un état ou d'une situation, ou le sujet d'une action.

• **줄줄 (adverbe)** : 굵은 물줄기 등이 계속 흐르는 소리. 또는 그 모양.
Pas d'expression équivalente
Onomatopée illustrant le son émis lorsque quelque chose tel qu'un important courant d'eau s'écoule en continu ; idéophone décrivant un tel aspect.

• **나다 (verbe)** : 몸에서 땀, 피, 눈물 등이 흐르다.
Pas d'expression équivalente
(Sueurs, larmes ou sang) Couler.

• **-더라** : (아주낮춤으로) 말하는 이가 직접 경험하여 새롭게 알게 된 사실을 지금 전달함을 나타내는 종결 어미.
Pas d'expression équivalente
(forme non honorifique très marquée) Expression indiquant le fait de rapporter maintenant un fait qu'on a appris pour la première fois en en faisant l'expérience.

< 대화(conversation) > - 68

나는 아내를 위해서 대신 죽을 수도 있을 것 같아.
나는 아내를 위해서 대신 주글 쑤도 이쓸 껃 가타.
naneun anaereul wihaeseo daesin jugeul sudo isseul geot gata.

네가 아내를 정말 사랑하는구나.
네가 아내를 정말 사랑하는구나.
nega anaereul jeongmal saranghaneunguna.

< 설명(explication) / 번역(traduction) >

나+는 아내+[를 위해서] 대신 죽+[을 수+도 있]+[을 것 같]+아.

• 나 (pronom) : 말하는 사람이 친구나 아랫사람에게 자기를 가리키는 말.
  je, moi, me
  Terme employé par le locuteur pour se désigner, lorsqu'il s'adresse à une personne du même âge ou plus jeune.

• 는 : 문장 속에서 어떤 대상이 화제임을 나타내는 조사.
  Pas d'expression équivalente
  Particule indiquant qu'un objet est le principal sujet d'une phrase.

• 아내 (nom) : 결혼하여 남자의 짝이 된 여자.
  sa femme, son épouse, sa compagne
  Femme devenue la partenaire d'un homme suite à leur mariage.

• 를 위해서 : 어떤 대상에게 이롭게 하거나 어떤 목표나 목적을 이루려고 함을 나타내는 표현.
  Pas d'expression équivalente
  Expression indiquant la volonté de vouloir être bénéfique à quelqu'un ou d'atteindre un certain objectif ou but.

• 대신 (nom) : 어떤 대상이 맡던 구실을 다른 대상이 새로 맡음. 또는 그렇게 새로 맡은 대상.
  remplacement, substitution, remplaçant, substitut, suppléant
  Se dit lorsqu'un objet est utilisé pour remplir la fonction d'un autre objet ; objet remplissant ainsi cette fonction.

• 죽다 (verbe) : 생물이 생명을 잃다.

mourir, décéder, trépasser, périr, s'éteindre, y rester, se tuer, crever, être rappelé à Dieu, quitter ce monde

(Être vivant) Perdre la vie.

• -을 수 있다 : 어떤 행동이나 상태가 가능함을 나타내는 표현.

Pas d'expression équivalente

Expression indiquant qu'une action ou un état est possible.

• 도 : 극단적인 경우를 들어 다른 경우는 말할 것도 없음을 나타내는 조사.

Pas d'expression équivalente

Particule indiquant qu'il ne sert à rien de considérer tout autre cas en évoquant une situation extrême.

• -을 것 같다 : 추측을 나타내는 표현.

Pas d'expression équivalente

Expression utilisée pour indiquer une supposition.

• -아 : (두루낮춤으로) 어떤 사실을 서술하거나 물음, 명령, 권유를 나타내는 종결 어미.

Pas d'expression équivalente

(forme non honorifique non formelle) Terminaison finale pour décrire un fait ou pour indiquer une question, un ordre, ou une recommandation. <description>

네+가 아내+를 정말 사랑하+는구나.

• 네 (pronom) : '너'에 조사 '가'가 붙을 때의 형태.

toi, tu

Forme issue de l'ajout de la particule '가' au pronom '너'.

• 가 : 어떤 상태나 상황에 놓인 대상이나 동작의 주체를 나타내는 조사.

Pas d'expression équivalente

Particule indiquant l'objet d'un état ou d'une situation, ou le sujet d'une action.

• 아내 (nom) : 결혼하여 남자의 짝이 된 여자.

sa femme, son épouse, sa compagne

Femme devenue la partenaire d'un homme suite à leur mariage.

• 를 : 동작이 직접적으로 영향을 미치는 대상을 나타내는 조사.

Pas d'expression équivalente

Particule indiquant un objet directement influencé par un mouvement.

• **정말 (adverbe)** : 거짓이 없이 진짜로.

 véritablement, en vérité, tout à fait, réellement, très

 Vraiment et sans fausseté.

• **사랑하다 (verbe)** : 상대에게 성적으로 매력을 느껴 열렬히 좋아하다.

 aimer

 Ressentir une attirance sexuelle pour quelqu'un, et avoir de l'affection passionnée pour lui(elle).

• **-는구나** : (아주낮춤으로) 새롭게 알게 된 사실에 어떤 느낌을 실어 말함을 나타내는 종결 어미.

 Pas d'expression équivalente

 (forme non honorifique très marquée) Terminaison finale pour parler avec un certain sentiment d'un fait nouveau dont on a pris connaissance.

< 대화(conversation) > - 69

이 약은 하루에 몇 번이나 먹어야 하나요?
이 야근 하루에 멷 버니나 머거야 하나요?
i yageun harue myeot beonina meogeoya hanayo?

아침저녁으로 두 번만 드시면 됩니다.
아침저녀그로 두 번만 드시면 됨니다.
achimjeonyeogeuro du beonman deusimyeon doemnida.

< 설명(explication) / 번역(traduction) >

이 약+은 하루+에 몇 번+이나 먹+[어야 하]+나요?

- **이 (déterminant)** : 말하는 사람에게 가까이 있거나 말하는 사람이 생각하고 있는 대상을 가리킬 때 쓰는 말.
  ce (cet, cette, ces)
  Terme utilisé pour indiquer l'objet qui se trouve près du locuteur ou auquel pense ce dernier.

- **약 (nom)** : 병이나 상처 등을 낫게 하거나 예방하기 위하여 먹거나 바르거나 주사하는 물질.
  médicament, remède, préparation pharmaceutique, produit pharmaceutique, produit médicamenteux, pommade, crème, onguent
  Matière que l'on mange, applique ou injecte afin de guérir une maladie, une blessure, etc., ou bien afin de la prévenir.

- **은** : 문장 속에서 어떤 대상이 화제임을 나타내는 조사.
  Pas d'expression équivalente
  Particule indiquant qu'un objet est le principal sujet (de conversation) d'une phrase.

- **하루 (nom)** : 밤 열두 시부터 다음 날 밤 열두 시까지의 스물네 시간.
  un jour, une journée
  24 heures allant de minuit un certain jour jusqu'à minuit le lendemain.

- **에** : 앞말이 기준이 되는 대상이나 단위임을 나타내는 조사.
  Pas d'expression équivalente
  Particule indiquant que la proposition précédente est l'objet ou l'unité qui est pris comme référence.

• **몇 (déterminant)** : 잘 모르는 수를 물을 때 쓰는 말.
combien de
Mot utilisé pour demander un nombre que l'on ne connaît pas exactement.

• **번 (nom)** : 일의 횟수를 세는 단위.
Pas d'expression équivalente
Nom dépendant, quantificateur pour compter le nombre de fois.

• **이나** : 수량이나 정도를 대강 짐작할 때 쓰는 조사.
Pas d'expression équivalente
Particule utilisée lorsque l'on estime approximativement la quantité ou l'étendue de quelque chose.

• **먹다 (verbe)** : 약을 입에 넣어 삼키다.
prendre
Mettre un médicament dans sa bouche et l'avaler.

• **–어야 하다** : 앞에 오는 말이 어떤 일을 하거나 어떤 상황에 이르기 위한 의무적인 행동이거나 필수적인 조건임을 나타내는 표현.
Pas d'expression équivalente
Expression indiquant que les propos précédents constituent une action obligatoire ou une condition indispensable pour effectuer une chose ou pour parvenir à une situation.

• **–나요** : (두루높임으로) 앞의 내용에 대해 상대방에게 물어볼 때 쓰는 표현.
Pas d'expression équivalente
(forme honorifique non formelle) Expression pour poser une question sur la proposition précédente à l'interlocuteur.

아침저녁+으로 두 번+만 <u>들(드)+시+[면 되]+ㅂ니다</u>.
드시면 됩니다

• **아침저녁 (nom)** : 아침과 저녁.
Pas d'expression équivalente
Matin et soir.

• **으로** : 시간을 나타내는 조사.
depuis, à
Particule indiquant un moment ou un temps donné.

• **두 (déterminant)** : 둘의.
deux
De deux.

- 번 (nom) : 일의 횟수를 세는 단위.
  Pas d'expression équivalente
  Nom dépendant, quantificateur pour compter le nombre de fois.

- 만 : 다른 것은 제외하고 어느 것을 한정함을 나타내는 조사.
  Pas d'expression équivalente
  Particule exprimant la limitation à une certaine chose en éliminant les autres.

- 들다 (verbe) : (높임말로) 먹다.
  manger, prendre, boire, se servir
  (forme honorifique) Manger.

- -시- : 어떤 동작이나 상태의 주체를 높이는 뜻을 나타내는 어미.
  Pas d'expression équivalente
  Terminaison signifiant le fait de montrer du respect à l'auteur d'une action ou d'un état.

- -면 되다 : 조건이 되는 어떤 행동을 하거나 어떤 상태만 갖추어지면 문제가 없거나 충분함을 나타내는 표현.
  Pas d'expression équivalente
  Expression indiquant qu'il suffit qu'une action qui remplit une certaine condition soit effectuée ou qu'un certain état se produise pour être sans problème ou suffisant.

- -ㅂ니다 : (아주높임으로) 현재의 동작이나 상태, 사실을 정중하게 설명함을 나타내는 종결 어미.
  Pas d'expression équivalente
  (forme honorifique très marquée) Terminaison finale indiquant que l'on explique poliment l'action, l'état ou un fait présent.

< 대화(conversation) > - 70

다음부터는 수업 시간에 떠들면 안 돼.
다음부터는 수업 시가네 떠들면 안 돼.
daeumbuteoneun sueop sigane tteodeulmyeon an dwae.

네, 선생님. 다음부터는 절대 떠들지 않을게요.
네, 선생님. 다음부터는 절대 떠들지 아늘께요.
ne, seonsaengnim. daeumbuteoneun jeoldae tteodeulji aneulgeyo.

< 설명(explication) / 번역(traduction) >

다음+부터+는 수업 시간+에 떠들+[면 안 되]+어.
떠들면 안 돼

- **다음 (nom)** : 이번 차례의 바로 뒤.
  suivant, prochain
  Juste après ce tour.

- **부터** : 어떤 일의 시작이나 처음을 나타내는 조사.
  Pas d'expression équivalente
  Particule servant à exprimer le début ou l'origine d'une chose.

- **는** : 어떤 대상이 다른 것과 대조됨을 나타내는 조사.
  Pas d'expression équivalente
  Particule indiquant qu'un objet contraste avec un autre.

- **수업 (nom)** : 교사가 학생에게 지식이나 기술을 가르쳐 줌.
  cours, leçon, classe
  Fait qu'un enseignant transmet des connaissances ou des techniques à des élèves.

- **시간 (nom)** : 어떤 일이 시작되어 끝날 때까지의 동안.
  heures, moment, temps
  Instant s'écoulant du commencement de quelque chose jusqu'à son achèvement.

- **에** : 앞말이 시간이나 때임을 나타내는 조사.
  à, en
  Particule indiquant que la proposition précédente (en coréen) est l'heure ou le moment.

- 떠들다 (verbe) : 큰 소리로 시끄럽게 말하다.
bavarder à haute voix
Parler à haute voix de manière bruyante.

- -면 안 되다 : 어떤 행동이나 상태를 금지하거나 제한함을 나타내는 표현.
Pas d'expression équivalente
Expression indiquant le fait d'interdire ou limiter une action ou un état.

- -어 : (두루낮춤으로) 어떤 사실을 서술하거나 물음, 명령, 권유를 나타내는 종결 어미.
Pas d'expression équivalente
(forme non honorifique non formelle) Terminaison finale pour décrire un fait ou pour indiquer une question, un ordre, ou une recommandation. <ordre>

네, 선생님.

다음+부터+는 절대 떠들+[지 않]+을게요.

- 네 (exclamatif) : 윗사람의 물음이나 명령 등에 긍정하여 대답할 때 쓰는 말.
oui, très bien
Exclamation utilisée pour répondre positivement à une demande ou à un ordre d'une personne supérieure, etc.

- 선생님 (nom) : (높이는 말로) 학생을 가르치는 사람.
professeur
(forme honorifique) Personne qui enseigne à des élèves.

- 다음 (nom) : 이번 차례의 바로 뒤.
suivant, prochain
Juste après ce tour.

- 부터 : 어떤 일의 시작이나 처음을 나타내는 조사.
Pas d'expression équivalente
Particule servant à exprimer le début ou l'origine d'une chose.

- 는 : 어떤 대상이 다른 것과 대조됨을 나타내는 조사.
Pas d'expression équivalente
Particule indiquant qu'un objet contraste avec un autre.

- 절대 (adverbe) : 어떤 경우라도 반드시.
(ne) jamais, sans doute, sûrement, certainement, sans faute
Quoi qu'il arrive, à tout prix.

• **떠들다 (verbe)** : 큰 소리로 시끄럽게 말하다.

bavarder à haute voix

Parler à haute voix de manière bruyante.

• **-지 않다** : 앞의 말이 나타내는 행위나 상태를 부정하는 뜻을 나타내는 표현.

Pas d'expression équivalente

Expression pour indiquer la négation d'une action ou d'un état précisé dans la proposition précédente.

• **-을게요** : (두루높임으로) 말하는 사람이 어떤 행동을 할 것을 듣는 사람에게 약속하거나 의지를 나타내는 표현.

Pas d'expression équivalente

(forme honorifique non formelle) Expression indiquant que le locuteur promet à son interlocuteur de faire une action ou lui montre sa volonté de le faire.

< 대화(conversation) > - 71

엄마, 할머니 댁은 아직 멀었어요?
엄마, 할머니 대근 아직 머러써요?
eomma, halmeoni daegeun ajik meoreosseoyo?

아냐. 다 와 가. 삼십 분만 더 가면 되니까 조금만 참아.
아냐. 다 와 가. 삼십 분만 더 가면 되니까 조금만 차마.
anya. da wa ga. samsip bunman deo gamyeon doenikka jogeumman chama.

< 설명(explication) / 번역(traduction) >

엄마, 할머니 댁+은 아직 멀+었+어요?

- **엄마 (nom)** : 격식을 갖추지 않아도 되는 상황에서 어머니를 이르거나 부르는 말.
  maman
  Terme pour désigner ou s'adresser à sa mère dans une situation informelle.

- **할머니 (nom)** : 아버지의 어머니, 또는 어머니의 어머니를 이르거나 부르는 말.
  grand-mère
  Terme pour désigner ou s'adresser à la mère du père ou à celle de la mère.

- **댁 (nom)** : (높이는 말로) 남의 집이나 가정.
  vous, la maison des autres, la famille des autres, votre famille, sa famille
  (forme honorifique) Maison ou famille d'autrui.

- **은** : 문장 속에서 어떤 대상이 화제임을 나타내는 조사.
  Pas d'expression équivalente
  Particule indiquant qu'un objet est le principal sujet (de conversation) d'une phrase.

- **아직 (adverbe)** : 어떤 일이나 상태 또는 어떻게 되기까지 시간이 더 지나야 함을 나타내거나, 어떤 일이나 상태가 끝나지 않고 계속 이어지고 있음을 나타내는 말.
  encore, toujours
  Terme indiquant qu'il faut encore qu'une certaine période s'écoule pour qu'une chose ou un état devienne tel ou tel, ou continue sans s'arrêter.

- **멀다 (adjectif)** : 지금으로부터 시간이 많이 남아 있다. 오랜 시간이 필요하다.
  au loin, bien loin, être loin de
  Qui est situé loin dans le temps ; qui nécessite encore plus de temps.

- -었- : 어떤 사건이 과거에 완료되었거나 그 사건의 결과가 현재까지 지속되는 상황을 나타내는 어미.
  Pas d'expression équivalente
  Terminaison indiquant une situation où un évènement a été accompli dans le passé ou que le résultat de cet évènement se poursuit jusqu'à présent.

- -어요 : (두루높임으로) 어떤 사실을 서술하거나 질문, 명령, 권유함을 나타내는 종결 어미.
  Pas d'expression équivalente
  (forme honorifique non formelle) Terminaison finale pour décrire un fait ou pour indiquer une question, un ordre ou une recommandation. **<question>**

아냐.

다 <u>오+[아 가]+(아)</u>.
와 가

삼십 분+만 더 가+[면 되]+니까 조금+만 참+아.

- **아냐 (exclamatif)** : 묻는 말에 대하여 강조하며, 또는 단호하게 부정하며 대답할 때 쓰는 말.
  non
  Exclamation utilisée pour répondre à une question posée avec insistance, ou pour y répondre négativement, de manière ferme.

- **다 (adverbe)** : 행동이나 상태의 정도가 한정된 정도에 거의 가깝게.
  presque, complètement
  De façon à ce que le degré d'une action ou d'un état soit proche du degré limite.

- **오다 (verbe)** : 가고자 하는 곳에 이르다.
  Pas d'expression équivalente
  Atteindre un lieu voulu.

- -아 가다 : 앞의 말이 나타내는 행동이나 상태가 계속 진행됨을 나타내는 표현.
  Pas d'expression équivalente
  Expression indiquant qu'une action ou un état exprimé dans les propos précédents se maintient.

- -아 : (두루낮춤으로) 어떤 사실을 서술하거나 물음, 명령, 권유를 나타내는 종결 어미.
  Pas d'expression équivalente
  (forme non honorifique non formelle) Terminaison finale pour décrire un fait ou pour indiquer une question, un ordre, ou une recommandation. **<description>**

• **삼십 (déterminant)** : 서른의.
Pas d'expression équivalente
Trente.

• **분 (nom)** : 한 시간의 60분의 1을 나타내는 시간의 단위.
minute
Nom dépendant, unité pour représenter un soixantième d'heure.

• **만** : 앞의 말이 어떤 것에 대한 조건임을 나타내는 조사.
Pas d'expression équivalente
Particule indiquant que le mot précédent est la condition d'un autre.

• **더 (adverbe)** : 보태어 계속해서.
plus, davantage, encore plus, mieux, de plus
En continuation, en additionnant.

• **가다 (verbe)** : 한 곳에서 다른 곳으로 장소를 이동하다.
aller, se rendre, s'en aller, passer, partir
Se déplacer d'un endroit à un autre.

• **-면 되다** : 조건이 되는 어떤 행동을 하거나 어떤 상태만 갖추어지면 문제가 없거나 충분함을 나타내는 표현.
Pas d'expression équivalente
Expression indiquant qu'il suffit qu'une action qui remplit une certaine condition soit effectuée ou qu'un certain état se produise pour être sans problème ou suffisant.

• **-니까** : 뒤에 오는 말에 대하여 앞에 오는 말이 원인이나 근거, 전제가 됨을 강조하여 나타내는 연결 어미.
Pas d'expression équivalente
Terminaison connective pour souligner que les propos précédents constituent la cause, le fondement ou un prérequis des propos suivants.

• **조금 (nom)** : 짧은 시간 동안.
moment, instant
Temps court.

• **만** : 말하는 사람이 기대하는 최소의 선을 나타내는 조사.
Pas d'expression équivalente
Particule exprimant le minimum attendu par le locuteur.

• **참다 (verbe)** : 어떤 시간 동안을 견디고 기다리다.
attendre
Supporter une certaine durée et attendre pendant ce temps.

• -아 : (두루낮춤으로) 어떤 사실을 서술하거나 물음, 명령, 권유를 나타내는 종결 어미.

Pas d'expression équivalente

(forme non honorifique non formelle) Terminaison finale pour décrire un fait ou pour indiquer une question, un ordre, ou une recommandation. <ordre>

< 대화(conversation) > - 72

부산까지는 시간이 꽤 오래 걸리니까 번갈아 가면서 운전하는 게 어때?
부산까지는 시가니 꽤 오래 걸리니까 번가라 가면서 운전하는 게 어때?
busankkajineun sigani kkwae orae geollinikka beongara gamyeonseo unjeonhaneun ge eottae?

그래. 그게 좋겠다.
그래. 그게 조켇따.
geurae. geuge joketda.

< 설명(explication) / 번역(traduction) >

부산+까지+는 시간+이 꽤 오래 걸리+니까 번갈+[아 가]+면서

운전하+[는 것(거)]+이 어떻+어?
　　　운전하는 게　　　어때

- **부산 (nom)** : 경상남도 동남부에 있는 광역시. 서울에 다음가는 대도시이며 한국 최대의 무역항이 있다.
  Busan
  Ville métropolitaine située au sud-est de Gyeongsangnam-do, ou province Gyeongsang du Sud. C'est la deuxième plus grande ville après Séoul en Corée du Sud, et elle abrite le plus grand port de commerce du pays.

- **까지** : 어떤 범위의 끝임을 나타내는 조사.
  Pas d'expression équivalente
  Particule indiquant la limite d'un champ.

- **는** : 문장 속에서 어떤 대상이 화제임을 나타내는 조사.
  Pas d'expression équivalente
  Particule indiquant qu'un objet est le principal sujet d'une phrase.

- **시간 (nom)** : 어떤 때에서 다른 때까지의 동안.
  temps, heure, moment
  Intervalle de temps entre un moment et un autre.

- **이** : 어떤 상태나 상황의 대상이나 동작의 주체를 나타내는 조사.
  Pas d'expression équivalente
  Particule qui indique l'objet d'un état ou d'une situation, ou le sujet d'une action.

• **꽤 (adverbe)** : 예상이나 기대 이상으로 상당히.
relativement, assez, très
Considérablement au-dessus des prévisions ou des attentes.

• **오래 (adverbe)** : 긴 시간 동안.
longtemps
Pendant une longue durée.

• **걸리다 (verbe)** : 시간이 들다.
demander, prendre, exiger, nécessiter
Occuper du temps.

• **-니까** : 뒤에 오는 말에 대하여 앞에 오는 말이 원인이나 근거, 전제가 됨을 강조하여 나타내는 연결 어미.
Pas d'expression équivalente
Terminaison connective pour souligner que les propos précédents constituent la cause, le fondement ou un prérequis des propos suivants.

• **번갈다 (verbe)** : 여럿이 어떤 일을 할 때, 일정한 시간 동안 한 사람씩 차례를 바꾸다.
se relayer, alterner
(Plusieurs personnes) Faire quelque chose à tour de rôle, pendant un temps déterminé.

• **-아 가다** : 앞의 말이 나타내는 행동을 이따금 반복함과 동시에 또 다른 행동을 이어 함을 나타내는 표현.
Pas d'expression équivalente
Expression pour répéter de temps à autre l'action ou l'état exprimé dans les propos précédents tout en faisant une autre action à la suite.

• **-면서** : 두 가지 이상의 동작이나 상태가 함께 일어남을 나타내는 연결 어미.
Pas d'expression équivalente
Terminaison connective indiquant que plus de deux actions ou états surviennent en même temps.

• **운전하다 (verbe)** : 기계나 자동차를 움직이고 조종하다.
conduire
Faire marcher une machine, conduire une voiture, etc.

• **-는 것** : 명사가 아닌 것을 문장에서 명사처럼 쓰이게 하거나 '이다' 앞에 쓰일 수 있게 할 때 쓰는 표현.
Pas d'expression équivalente
Expression permettant d'utiliser un groupe non nominal comme un nom dans une phrase ou de l'utiliser avec '이다'.

- 이 : 어떤 상태나 상황의 대상이나 동작의 주체를 나타내는 조사.
  Pas d'expression équivalente
  Particule qui indique l'objet d'un état ou d'une situation, ou le sujet d'une action.

- **어떻다 (adjectif)** : 생각, 느낌, 상태, 형편 등이 어찌 되어 있다.
  (adj.) tel, certain
  (Pensée, sentiment, état, situation, etc.) Qui est comme ceci ou comme cela.

- -어 : (두루낮춤으로) 어떤 사실을 서술하거나 물음, 명령, 권유를 나타내는 종결 어미.
  Pas d'expression équivalente
  (forme non honorifique non formelle) Terminaison finale pour décrire un fait ou pour indiquer une question, un ordre, ou une recommandation. **<question>**

그래.

그것(그거)+이 좋+겠+다.
그게

- **그래 (exclamatif)** : '그렇게 하겠다, 그렇다, 알았다' 등 긍정하는 뜻으로, 대답할 때 쓰는 말.
  oui
  Terme utilisé quand on répond positivement à quelque chose, signifiant "je vais faire comme ça", "c'est ça", "ok", etc.

- **그것 (pronom)** : 앞에서 이미 이야기한 대상을 가리키는 말.
  il, elle
  Terme désignant un objet précédemment évoqué.

- 이 : 어떤 상태나 상황의 대상이나 동작의 주체를 나타내는 조사.
  Pas d'expression équivalente
  Particule qui indique l'objet d'un état ou d'une situation, ou le sujet d'une action.

- **좋다 (adjectif)** : 어떤 일이나 대상이 마음에 들고 만족스럽다.
  bon
  (Travail ou objet) Qui nous plaît et qui est satisfaisant.

- -겠- : 미래의 일이나 추측을 나타내는 어미.
  Pas d'expression équivalente
  Terminaison exprimant un fait à venir ou une supposition.

• -다 : (아주낮춤으로) 어떤 사건이나 사실, 상태를 서술함을 나타내는 종결 어미.

Pas d'expression équivalente

(forme non honorifique très marquée) Terminaison finale employée pour décrire un événement, un fait ou un état.

< 대화(conversation) > - 73

처음 해 보는 일에 새롭게 도전하는 것이 두렵지 않으세요?
처음 해 보는 이레 새롭께 도전하는 거시 두렵찌 아느세요?
cheoeum hae boneun ire saeropge dojeonhaneun geosi duryeopji aneuseyo?

아니요. 더디지만 하나씩 알아 나가는 재미가 있어요.
아니요. 더디지만 하나씩 아라 나가는 재미가 이써요.
aniyo. deodijiman hanassik ara naganeun jaemiga isseoyo.

< 설명(explication) / 번역(traduction) >

처음 하+[여 보]+는 일+에 새롭+게 도전하+[는 것]+이 두렵+[지 않]+으세요?
　　　　해 보는

- **처음 (nom)** : 차례나 시간상으로 맨 앞.
  (n.) premier
  Ce qui se situe tout au début dans l'ordre ou dans le temps.

- **하다 (verbe)** : 어떤 행동이나 동작, 활동 등을 행하다.
  faire, exécuter, effectuer, s'occuper de
  Effectuer une action, un mouvement, une activité, etc.

- **-여 보다** : 앞의 말이 나타내는 행동을 시험 삼아 함을 나타내는 표현.
  Pas d'expression équivalente
  Expression indiquant le fait d'essayer d'effectuer une action exprimée par les propos précédents.

- **-는** : 앞의 말이 관형어의 기능을 하게 만들고 사건이나 동작이 현재 일어남을 나타내는 어미.
  Pas d'expression équivalente
  Terminaison attribuant la fonction de déterminant à la proposition précédente, et pour indiquer que la situation ou l'action en question se réalise au présent.

- **일 (nom)** : 무엇을 이루려고 몸이나 정신을 사용하는 활동. 또는 그 활동의 대상.
  travail
  Activité demandant un exercice physique ou mental dans le but de réaliser quelque chose ; objet de cette activité.

• 에 : 앞말이 어떤 행위나 감정 등의 대상임을 나타내는 조사.
  Pas d'expression équivalente
  Particule indiquant que la proposition précédente est l'objet d'une action ou d'un sentiment.

• **새롭다 (adjectif)** : 지금까지의 것과 다르거나 있은 적이 없다.
  neuf, nouveau, inconnu
  Qui est différent de ce qui était jusqu'alors ou qui n'avait jamais existé auparavant.

• -게 : 앞의 말이 뒤에서 가리키는 일의 목적이나 결과, 방식, 정도 등이 됨을 나타내는 연결 어미.
  Pas d'expression équivalente
  Terminaison connective indiquant que les propos précédents constituent l'objectif, le résultat, la méthode ou le degré des propos qui suivent. <méthode>

• **도전하다 (verbe)** : (비유적으로) 가치 있는 것이나 목표한 것을 얻기 위해 어려움에 맞서다.
  défier, lancer un défi
  (figuré) Affronter une difficulté en vue d'obtenir une chose de valeur ou d'atteindre un objectif.

• -는 것 : 명사가 아닌 것을 문장에서 명사처럼 쓰이게 하거나 '이다' 앞에 쓰일 수 있게 할 때 쓰는 표현.
  Pas d'expression équivalente
  Expression permettant d'utiliser un groupe non nominal comme un nom dans une phrase ou de l'utiliser avec '이다'.

• 이 : 어떤 상태나 상황의 대상이나 동작의 주체를 나타내는 조사.
  Pas d'expression équivalente
  Particule qui indique l'objet d'un état ou d'une situation, ou le sujet d'une action.

• **두렵다 (adjectif)** : 걱정되고 불안하다.
  craintif, effrayé, épouvanté, inquiété, préoccupé, (adj.) avoir peur
  Soucieux et anxieux.

• -지 않다 : 앞의 말이 나타내는 행위나 상태를 부정하는 뜻을 나타내는 표현.
  Pas d'expression équivalente
  Expression pour indiquer la négation d'une action ou d'un état précisé dans la proposition précédente.

• -으세요 : (두루높임으로) 설명, 의문, 명령, 요청의 뜻을 나타내는 종결 어미.
  Pas d'expression équivalente
  (forme honorifique non formelle) Terminaison finale pour indiquer une explication, une interrogation, un ordre ou une demande. <question>

아니요.

더디+지만 하나+씩 알+[아 나가]+는 재미+가 있+어요.

- **아니요 (exclamatif)** : 윗사람이 묻는 말에 대하여 부정하며 대답할 때 쓰는 말.
  non (vouvoiement)
  Exclamation utilisée pour répondre négativement à une question posée par un supérieur.

- **더디다 (adjectif)** : 속도가 느려 무엇을 하는 데 걸리는 시간이 길다.
  lent
  (Temps pris pour faire quelque chose) Long en raison d'une faible vitesse.

- **-지만** : 앞에 오는 말을 인정하면서 그와 반대되거나 다른 사실을 덧붙일 때 쓰는 연결 어미.
  Pas d'expression équivalente
  Terminaison connective utilisée pour reconnaître la proposition précédente, tout en rajoutant un fait contraire ou différent.

- **하나 (numéral)** : 숫자를 셀 때 맨 처음의 수.
  un
  Premier chiffre que l'on évoque lorsque l'on compte.

- **씩** : '그 수량이나 크기로 나눔'의 뜻을 더하는 접미사.
  Pas d'expression équivalente
  Suffixe signifiant « le fait d'être divisé par ce chiffre ou par cette valeur ».

- **알다 (verbe)** : 교육이나 경험, 생각 등을 통해 사물이나 상황에 대한 정보 또는 지식을 갖추다.
  savoir, connaître, apprendre
  Acquérir une information ou une connaissance sur un objet ou sur une situation par l'éducation, l'expérience, la réflexion, etc.

- **-아 나가다** : 앞의 말이 나타내는 행동을 계속 진행함을 나타내는 표현.
  Pas d'expression équivalente
  Expression indiquant qu'une action exprimée par les propos précédents est maintenue.

- **-는** : 앞의 말이 관형어의 기능을 하게 만들고 사건이나 동작이 현재 일어남을 나타내는 어미.
  Pas d'expression équivalente
  Terminaison attribuant la fonction de déterminant à la proposition précédente, et pour indiquer que la situation ou l'action en question se réalise au présent.

- **재미 (nom)** : 어떤 것이 주는 즐거운 기분이나 느낌.
  intérêt, agrément, joie, plaisir
  Impression ou sentiment joyeux provoqué par quelque chose.

· 가 : 어떤 상태나 상황에 놓인 대상이나 동작의 주체를 나타내는 조사.

Pas d'expression équivalente

Particule indiquant l'objet d'un état ou d'une situation, ou le sujet d'une action.

· 있다 (adjectif) : 사실이나 현상이 존재하다.

(adj.) il y a, (y) avoir

(Fait ou phénomène) Qui existe.

· -어요 : (두루높임으로) 어떤 사실을 서술하거나 질문, 명령, 권유함을 나타내는 종결 어미.

Pas d'expression équivalente

(forme honorifique non formelle) Terminaison finale pour décrire un fait ou pour indiquer une question, un ordre ou une recommandation. **<description>**

< 대화(conversation) > - 74

너 지우랑 화해했니?
너 지우랑 화해핸니?
neo jiurang hwahaehaenni?

아니. 난 지우한테 먼저 사과를 받아 낼 거야.
아니. 난 지우한테 먼저 사과를 바다 낼 꺼야.
ani. nan jiuhante meonjeo sagwareul bada nael geoya.

< 설명(explication) / 번역(traduction) >

너 지우+랑 <u>화해하+였+니</u>?
　　　　　화해했니

- 너 (pronom) : 듣는 사람이 친구나 아랫사람일 때, 그 사람을 가리키는 말.
  tu, toi
  Terme designant l'interlocuteur, quand celui-ci est un ami ou une personne de rang inférieur.

- 지우 (nom) : nom de personne

- 랑 : 누군가를 상대로 하여 어떤 일을 할 때 그 상대임을 나타내는 조사.
  Pas d'expression équivalente
  Particule montrant que la personne indiquée est l'adversaire ou le partenaire d'une chose que l'on fait.

- 화해하다 (verbe) : 싸움을 멈추고 서로 가지고 있던 안 좋은 감정을 풀어 없애다.
  se réconcilier, trouver un compromis
  Arrêter de se disputer et résoudre les rancœurs que l'on avait l'un pour l'autre.

- -였- : 어떤 사건이 과거에 완료되었거나 그 사건의 결과가 현재까지 지속되는 상황을 나타내는 어미.
  Pas d'expression équivalente
  Terminaison indiquant qu'un évènement a été accompli dans le passé ou que le résultat de cet évènement perdure jusqu'à présent.

- -니 : (아주낮춤으로) 물음을 나타내는 종결 어미.
  Pas d'expression équivalente
  (forme non honorifique très marquée) Terminaison finale indiquant une interrogation.

아니.

나+는 지우+한테 먼저 사과+를 받+[아 내]+[ㄹ 것(거)]+(이)+야.
　난　　　　　　　　　　　　　받아 낼 거야

- **아니 (exclamatif)** : 아랫사람이나 나이나 지위 등이 비슷한 사람이 물어보는 말에 대해 부정하여 대답할 때 쓰는 말.
  non
  Exclamation utilisée quand on répond négativement à une question posée par un inférieur ou par une personne dont l'âge, le statut, etc. est semblable au sien.

- **나 (pronom)** : 말하는 사람이 친구나 아랫사람에게 자기를 가리키는 말.
  je, moi, me
  Terme employé par le locuteur pour se désigner, lorsqu'il s'adresse à une personne du même âge ou plus jeune.

- **는** : 문장 속에서 어떤 대상이 화제임을 나타내는 조사.
  Pas d'expression équivalente
  Particule indiquant qu'un objet est le principal sujet d'une phrase.

- **지우 (nom)** : nom de personne

- **한테** : 어떤 행동의 주체이거나 비롯되는 대상임을 나타내는 조사.
  par quelqu'un
  Particule exprimant que le mot précédent est le sujet ou l'origine d'une action.

- **먼저 (adverbe)** : 시간이나 순서에서 앞서.
  avant, d'abord, avant tout, au préalable
  Avant un certain temps ou un certain tour.

- **사과 (nom)** : 자신의 잘못을 인정하며 용서해 달라고 빎.
  excuses, pardon
  Action d'admettre ses fautes et de demander pardon.

- **를** : 동작이 직접적으로 영향을 미치는 대상을 나타내는 조사.
  Pas d'expression équivalente
  Particule indiquant un objet directement influencé par un mouvement.

- **받다 (verbe)** : 요구나 신청, 질문, 공격, 신호 등과 같은 작용을 당하거나 그에 응하다.
  recevoir, accepter
  Subir une action comme une demande, une question, une attaque, un signal, etc. ou y répondre.

- -아 내다 : 앞의 말이 나타내는 행동을 스스로의 힘으로 끝내 이룸을 나타내는 표현.

  Pas d'expression équivalente

  Expression indiquant le fait d'accomplir finalement par ses propres moyens une action exprimée par les propos précédents.

- -ㄹ 것 : 명사가 아닌 것을 문장에서 명사처럼 쓰이게 하거나 '이다' 앞에 쓰일 수 있게 할 때 쓰는 표현.

  Pas d'expression équivalente

  Expression utilisée pour qu'un mot qui n'est pas un nom soit utilisé comme tel dans une phrase, ou pour que ce mot se place devant l'expression « Ida(être) »

- 이다 : 주어가 지시하는 대상의 속성이나 부류를 지정하는 뜻을 나타내는 서술격 조사.

  Pas d'expression équivalente

  Particule du cas prédicatif pour indiquer la caractéristique ou la catégorie d'un objet qui se rapporte au sujet d'une phrase.

- -야 : (두루낮춤으로) 어떤 사실에 대하여 서술하거나 물음을 나타내는 종결 어미.

  Pas d'expression équivalente

  (forme non honorifique non formelle) Terminaison finale indiquant une description ou une interrogation sur un fait. **<description>**

< 대화(conversation) > - 75

왜 교실에 안 들어가고 밖에 서 있어?
왜 교시레 안 드러가고 바께 서 이써?
wae gyosire an deureogago bakke seo isseo?

누가 문을 잠가 놓았는지 문이 안 열려요.
누가 무늘 잠가 노안는지 무니 안 열려요.
nuga muneul jamga noanneunji muni an yeollyeoyo.

< 설명(explication) / 번역(traduction) >

왜 교실+에 안 들어가+고 밖+에 <u>서+[(어) 있]</u>+어?
서 있어

- **왜 (adverbe)** : 무슨 이유로. 또는 어째서.
  pourquoi, dans quelle intention, à quelle fin
  Pour quelle raison ; comment se fait-il que.

- **교실 (nom)** : 유치원, 초등학교, 중학교, 고등학교에서 교사가 학생들을 가르치는 방.
  salle de classe
  Salle où le professeur enseigne ses élèves dans un établissement scolaire (école maternelle, école primaire, collège, lycée).

- **에** : 앞말이 목적지이거나 어떤 행위의 진행 방향임을 나타내는 조사.
  à, en, sur, dans
  Particule indiquant que la proposition précédente (en coréen) est la destination ou la direction de progression d'une action.

- **안 (adverbe)** : 부정이나 반대의 뜻을 나타내는 말.
  Pas d'expression équivalente
  Terme désignant une négation ou une opposition.

- **들어가다 (verbe)** : 밖에서 안으로 향하여 가다.
  entrer, pénétrer, arriver, s'engager, s'enfoncer
  Passer de l'extérieur à l'intérieur d'un lieu.

• -고 : 앞의 말이 나타내는 행동이나 그 결과가 뒤에 오는 행동이 일어나는 동안에 그대로 지속됨을 나
　　 타내는 연결 어미.
Pas d'expression équivalente
Terminaison connective indiquant que l'action exprimée par les propos précédents ou le résultat de cette action continuent pendant que se déroule l'action suivante.

• 밖 (nom) : 선이나 경계를 넘어선 쪽.
dehors, au-delà
Côté dépassant une certaine ligne ou une certaine limite.

• 에 : 앞말이 어떤 장소나 자리임을 나타내는 조사.
à, dans, en, sur
Particule indiquant que la proposition précédente (en coréen) est un lieu ou un emplacement.

• 서다 (verbe) : 사람이나 동물이 바닥에 발을 대고 몸을 곧게 하다.
être debout, se tenir debout
(Homme ou animal) Redresser son corps en posant ses pieds (pattes) sur le sol.

• -어 있다 : 앞의 말이 나타내는 상태가 계속됨을 나타내는 표현.
Pas d'expression équivalente
Expression indiquant le maintien de l'état exprimé par les propos précédents.

• -어 : (두루낮춤으로) 어떤 사실을 서술하거나 물음, 명령, 권유를 나타내는 종결 어미.
Pas d'expression équivalente
(forme non honorifique non formelle) Terminaison finale pour décrire un fait ou pour indiquer une question, un ordre, ou une recommandation. <question>

누(구)+가 문+을 잠그(잠ㄱ)+[아 놓]+았+는지 문+이 안 열리+어요.
　누가　　　　　　　　잠가 놓았는지　　　　　　　　열려요

• 누구 (pronom) : 모르는 사람을 가리키는 말.
qui
Pronom interrogatif désignant une personne inconnue.

• 가 : 어떤 상태나 상황에 놓인 대상이나 동작의 주체를 나타내는 조사.
Pas d'expression équivalente
Particule indiquant l'objet d'un état ou d'une situation, ou le sujet d'une action.

• **문 (nom)** : 사람이 안과 밖을 드나들거나 물건을 넣고 꺼낼 수 있게 하기 위해 열고 닫을 수 있도록 만든 시설.

porte, entrée, portière

Installation conçue pour qu'on puisse l'ouvrir ou la fermer pour que l'homme puisse entrer à l'intérieur d'un lieu et en sortir ou bien y mettre un objet ou l'en sortir.

• **을** : 동작이 직접적으로 영향을 미치는 대상을 나타내는 조사.

Pas d'expression équivalente

Particule indiquant un objet directement influencé par un acte.

• **잠그다 (verbe)** : 문 등을 자물쇠나 고리로 남이 열 수 없게 채우다.

fermer à clé, mettre sous clé, fermer, verrouiller

Placer un cadenas ou un verrou sur une porte, etc., pour que les autres ne puissent pas l'ouvrir.

• **-아 놓다** : 앞의 말이 나타내는 행동을 끝내고 그 결과를 유지함을 나타내는 표현.

Pas d'expression équivalente

Expression indiquant le fait de terminer une action exprimée par les propos précédents et d'en maintenir le résultat.

• **-았-** : 어떤 사건이 과거에 완료되었거나 그 사건의 결과가 현재까지 지속되는 상황을 나타내는 어미.

Pas d'expression équivalente

Terminaison indiquant une situation où un évènement a eu lieu dans le passé ou que le résultat de cet évènement se poursuit jusqu'à présent.

• **-는지** : 뒤에 오는 말의 내용에 대한 막연한 이유나 판단을 나타내는 연결 어미.

Pas d'expression équivalente

Terminaison connective indiquant une raison vague ou un jugement vague sur le contenu des propos suivants.

• **문 (nom)** : 사람이 안과 밖을 드나들거나 물건을 넣고 꺼낼 수 있게 하기 위해 열고 닫을 수 있도록 만든 시설.

porte, entrée, portière

Installation conçue pour qu'on puisse l'ouvrir ou la fermer pour que l'homme puisse entrer à l'intérieur d'un lieu et en sortir ou bien y mettre un objet ou l'en sortir.

• **이** : 어떤 상태나 상황의 대상이나 동작의 주체를 나타내는 조사.

Pas d'expression équivalente

Particule qui indique l'objet d'un état ou d'une situation, ou le sujet d'une action.

• **안 (adverbe)** : 부정이나 반대의 뜻을 나타내는 말.

Pas d'expression équivalente

Terme désignant une négation ou une opposition.

- 248 -

- **열리다 (verbe)** : 닫히거나 잠겨 있던 것이 트이거나 풀리다.
  s'ouvrir, être ouvert
  (Ce qui était fermé ou attaché) Être écarté ou défait.

- **-어요** : (두루높임으로) 어떤 사실을 서술하거나 질문, 명령, 권유함을 나타내는 종결 어미.
  Pas d'expression équivalente
  (forme honorifique non formelle) Terminaison finale pour décrire un fait ou pour indiquer une question, un ordre ou une recommandation. **<description>**

< 대화(conversation) > - 76

오늘 행사는 아홉 시부터 시작인데 왜 벌써 가?
오늘 행사는 아홉 시부터 시자긴데 왜 벌써 가?
oneul haengsaneun ahop sibuteo sijaginde wae beolsseo ga?

준비할 게 많으니까 조금 일찍 와 달라는 부탁을 받았어.
준비할 께 마느니까 조금 일찍 와 달라는 부타글 바다써.
junbihal ge maneunikka jogeum iljjik wa dallaneun butageul badasseo.

< 설명(explication) / 번역(traduction) >

오늘 행사+는 아홉 시+부터 <u>시작</u>+이+ㄴ데 왜 벌써 <u>가</u>+(아)?
시작인데   가

• **오늘 (nom)** : 지금 지나가고 있는 이날.
  aujourd'hui, ce jour
  Jour qui est en train de passer.

• **행사 (nom)** : 목적이나 계획을 가지고 절차에 따라서 어떤 일을 시행함. 또는 그 일.
  activité, événement, cérémonie, manifestation
  Action de suivre une procédure selon un objectif ou un programme pour exécuter une tâche ; une telle tâche.

• **는** : 문장 속에서 어떤 대상이 화제임을 나타내는 조사.
  Pas d'expression équivalente
  Particule indiquant qu'un objet est le principal sujet d'une phrase.

• **아홉 (déterminant)** : 여덟에 하나를 더한 수의.
  neuf
  Qui se rapporte à la somme de huit plus un.

• **시 (nom)** : 하루를 스물넷으로 나누었을 때 그 하나를 나타내는 시간의 단위.
  heure
  Nom dépendant servant d'unité de temps indiquant l'une des vingt-quatre divisions qui forment un jour.

- 부터 : 어떤 일의 시작이나 처음을 나타내는 조사.
  Pas d'expression équivalente
  Particule servant à exprimer le début ou l'origine d'une chose.

- **시작 (nom)** : 어떤 일이나 행동의 처음 단계를 이루거나 이루게 함. 또는 그런 단계.
  commencement, début, ouverture, origine, départ
  Fait d'accomplir la première étape d'un évènement ou d'une action ou de faire accomplir cette étape par une tierce personne ; une telle étape.

- 이다 : 주어가 지시하는 대상의 속성이나 부류를 지정하는 뜻을 나타내는 서술격 조사.
  Pas d'expression équivalente
  Particule du cas prédicatif pour indiquer la caractéristique ou la catégorie d'un objet qui se rapporte au sujet d'une phrase.

- -ㄴ데 : 뒤의 말을 하기 위하여 그 대상과 관련이 있는 상황을 미리 말함을 나타내는 연결 어미.
  Pas d'expression équivalente
  Terminaison connective indiquant qu'afin de formuler les propos suivants, le locuteur parle à l'avance d'une situation en rapport avec l'objet de ces propos.

- **왜 (adverbe)** : 무슨 이유로. 또는 어째서.
  pourquoi, dans quelle intention, à quelle fin
  Pour quelle raison ; comment se fait-il que.

- **벌써 (adverbe)** : 생각보다 빠르게.
  déjà
  Plus rapidement qu'on ne pense.

- **가다 (verbe)** : 한 곳에서 다른 곳으로 장소를 이동하다.
  aller, se rendre, s'en aller, passer, partir
  Se déplacer d'un endroit à un autre.

- -아 : (두루낮춤으로) 어떤 사실을 서술하거나 물음, 명령, 권유를 나타내는 종결 어미.
  Pas d'expression équivalente
  (forme non honorifique non formelle) Terminaison finale pour décrire un fait ou pour indiquer une question, un ordre, ou une recommandation. **<question>**

준비하+[ㄹ 것(거)]+이 많+으니까
     준비할 게

조금 일찍 오+[아 달]+라는 부탁+을 받+았+어.
         와 달라는

· **준비하다 (verbe)** : 미리 마련하여 갖추다.
préparer, se préparer
Se procurer et s'équiper du nécessaire à l'avance.

· **-ㄹ 것** : 명사가 아닌 것을 문장에서 명사처럼 쓰이게 하거나 '이다' 앞에 쓰일 수 있게 할 때 쓰는 표현.
Pas d'expression équivalente
Expression utilisée pour qu'un mot qui n'est pas un nom soit utilisé comme tel dans une phrase, ou pour que ce mot se place devant l'expression « Ida(être) »

· **이** : 어떤 상태나 상황의 대상이나 동작의 주체를 나타내는 조사.
Pas d'expression équivalente
Particule qui indique l'objet d'un état ou d'une situation, ou le sujet d'une action.

· **많다 (adjectif)** : 수나 양, 정도 등이 일정한 기준을 넘다.
nombreux, abondant, riche, plein, rempli
(Nombre, quantité, degré, etc.) Qui est au-delà d'un critère donné.

· **-으니까** : 뒤에 오는 말에 대하여 앞에 오는 말이 원인이나 근거, 전제가 됨을 강조하여 나타내는 연결 어미.
Pas d'expression équivalente
Terminaison connective pour souligner que les propos précédents constituent la cause, le fondement ou un prérequis des propos suivants.

· **조금 (adverbe)** : 시간이 짧게.
brièvement, instantanément, momentanément, dans un instant
(Temps) Courtement.

· **일찍 (adverbe)** : 정해진 시간보다 빠르게.
très tôt
Plus tôt que l'heure prévue.

· **오다 (verbe)** : 무엇이 다른 곳에서 이곳으로 움직이다.
venir, arriver, apparaître
(Quelque chose) Bouger d'un lieu à celui où l'on se trouve.

· **-아 달다** : 앞의 말이 나타내는 행동을 해 줄 것을 요구함을 나타내는 표현.
Pas d'expression équivalente
Expression indiquant le fait de demander d'effectuer une action exprimée par les propos précédents.

· **-라는** : 명령이나 요청 등의 말을 인용하여 전달하면서 그 뒤에 오는 명사를 꾸며 줄 때 쓰는 표현.
Pas d'expression équivalente
Expression utilisée quand le locuteur qualifie un nom qui suit un ordre, une demande, etc. en le (la) transmettant en le (la) citant.

• **부탁 (nom)** : 어떤 일을 해 달라고 하거나 맡김.

  demande

  Action de demander de faire quelque chose ou de confier quelque chose à quelqu'un.

• 을 : 동작이 직접적으로 영향을 미치는 대상을 나타내는 조사.

  Pas d'expression équivalente

  Particule indiquant un objet directement influencé par un acte.

• **받다 (verbe)** : 요구나 신청, 질문, 공격, 신호 등과 같은 작용을 당하거나 그에 응하다.

  recevoir, accepter

  Subir une action comme une demande, une question, une attaque, un signal, etc. ou y répondre.

• -았- : 어떤 사건이 과거에 완료되었거나 그 사건의 결과가 현재까지 지속되는 상황을 나타내는 어미.

  Pas d'expression équivalente

  Terminaison indiquant une situation où un évènement a eu lieu dans le passé ou que le résultat de cet évènement se poursuit jusqu'à présent.

• -어 : (두루낮춤으로) 어떤 사실을 서술하거나 물음, 명령, 권유를 나타내는 종결 어미.

  Pas d'expression équivalente

  (forme non honorifique non formelle) Terminaison finale pour décrire un fait ou pour indiquer une question, un ordre, ou une recommandation. **<description>**

< 대화(conversation) > - 77

이 옷 한번 입어 봐도 되죠?
이 옫 한번 이버 봐도 되죠?
i ot hanbeon ibeo bwado doejyo?

그럼요, 손님. 탈의실은 이쪽입니다.
그러묘, 손님. 타리시른 이쪼김니다.
geureomyo, sonnim. tarisireun ijjogimnida.

< 설명(explication) / 번역(traduction) >

이 옷 한번 입+[어 보]+[아도 되]+죠?
입어 봐도 되죠

- **이 (déterminant)** : 말하는 사람에게 가까이 있거나 말하는 사람이 생각하고 있는 대상을 가리킬 때 쓰는 말.
  ce (cet, cette, ces)
  Terme utilisé pour indiquer l'objet qui se trouve près du locuteur ou auquel pense ce dernier.

- **옷 (nom)** : 사람의 몸을 가리고 더위나 추위 등으로부터 보호하며 멋을 내기 위하여 입는 것.
  vêtement, habit, effets
  Ce que l'on porte afin de protéger son corps du chaud, du froid, etc. et de se faire beau.

- **한번 (adverbe)** : 어떤 일을 시험 삼아 시도함을 나타내는 말.
  une fois
  Terme pour indiquer que l'on tente une chose pour essayer.

- **입다 (verbe)** : 옷을 몸에 걸치거나 두르다.
  porter, s'habiller
  Se vêtir ou ceindre son corps d'un vêtement.

- **-어 보다** : 앞의 말이 나타내는 행동을 시험 삼아 함을 나타내는 표현.
  Pas d'expression équivalente
  Expression indiquant le fait d'essayer de réaliser une action exprimée par les propos précédents.

- -아도 되다 : 어떤 행동에 대한 허락이나 허용을 나타낼 때 쓰는 표현.
Pas d'expression équivalente
Expression utilisée pour manifester l'autorisation ou la permission concernant une action.

- -죠 : (두루높임으로) 말하는 사람이 듣는 사람에게 친근함을 나타내며 물을 때 쓰는 종결 어미.
Pas d'expression équivalente
(forme honorifique non formelle) Terminaison finale utilisée par le locuteur pour s'adresser à un interlocuteur sur un ton de sympathie.

그럼+요, 손님.

탈의실+은 <u>이쪽+이+ㅂ니다</u>.
이쪽입니다

- **그럼 (exclamatif)** : 말할 것도 없이 당연하다는 뜻으로 대답할 때 쓰는 말.
bien sûr, évidemment, certainement
Exclamation utilisée pour appuyer une réponse lorsque quelque chose est complètement évident.

- **요** : 높임의 대상인 상대방에게 존대의 뜻을 나타내는 조사.
Pas d'expression équivalente
Particule utilisée pour marquer la forme honorifique envers l'interlocuteur qui est un objet de respect.

- **손님 (nom)** : (높임말로) 여관이나 음식점 등의 가게에 찾아온 사람.
client(e), hôte
(forme honorifique) Personne qui achète des marchandises ou des services dans un établissement commercial comme une auberge ou un restaurant.

- **탈의실 (nom)** : 옷을 벗거나 갈아입는 방.
vestiaires, cabine d'essayage
Pièce où l'on se déshabille ou se change.

- **은** : 문장 속에서 어떤 대상이 화제임을 나타내는 조사.
Pas d'expression équivalente
Particule indiquant qu'un objet est le principal sujet (de conversation) d'une phrase.

- **이쪽 (pronom)** : 말하는 사람에게 가까운 곳이나 방향을 가리키는 말.
ici, de ce côté-là
Terme indiquant un lieu qui est près du locuteur ou la direction vers le locuteur.

• 이다 : 주어가 지시하는 대상의 속성이나 부류를 지정하는 뜻을 나타내는 서술격 조사.

Pas d'expression équivalente

Particule du cas prédicatif pour indiquer la caractéristique ou la catégorie d'un objet qui se rapporte au sujet d'une phrase.

• -ㅂ니다 : (아주높임으로) 현재의 동작이나 상태, 사실을 정중하게 설명함을 나타내는 종결 어미.

Pas d'expression équivalente

(forme honorifique très marquée) Terminaison finale indiquant que l'on explique poliment l'action, l'état ou un fait présent.

< 대화(conversation) > - 78

많이 취하신 거 같아요. 제가 택시 잡아 드릴게요.
마니 취하신 거 가타요. 제가 택씨 자바 드릴께요.
mani chwihasin geo gatayo. jega taeksi jaba deurilgeyo.

괜찮아요. 좀 걷다가 지하철 타고 가면 됩니다.
괜차나요. 좀 걷따가 지하철 타고 가면 됩니다.
gwaenchanayo. jom geotdaga jihacheol tago gamyeon doemnida.

< 설명(explication) / 번역(traduction) >

많이 취하+시+[ㄴ 것(거) 같]+아요.
취하신 거 같아요

제+가 택시 잡+[아 드리]+ㄹ게요.
잡아 드릴게요

- **많이 (adverbe)** : 수나 양, 정도 등이 일정한 기준보다 넘게.
  beaucoup
  (Nombre, quantité, degré, etc.) De manière à être au-delà d'un critère donné.

- **취하다 (verbe)** : 술이나 약 등의 기운으로 정신이 흐려지고 몸을 제대로 움직일 수 없게 되다.
  s'enivrer, se biturer, se soûler
  Devenir incohérent et avoir du mal à bouger aisément sous l'influence de l'alcool ou d'un médicament.

- **-시-** : 어떤 동작이나 상태의 주체를 높이는 뜻을 나타내는 어미.
  Pas d'expression équivalente
  Terminaison signifiant le fait de montrer du respect à l'auteur d'une action ou d'un état.

- **-ㄴ 것 같다** : 추측을 나타내는 표현.
  Pas d'expression équivalente
  Expression exprimant la supposition.

- -아요 : (두루높임으로) 어떤 사실을 서술하거나 질문, 명령, 권유함을 나타내는 종결 어미.
  Pas d'expression équivalente
  (forme honorifique non formelle) Terminaison finale pour décrire un fait ou pour indiquer une question, un ordre ou une recommandation. <description>

- 제 (pronom) : 말하는 사람이 자신을 낮추어 가리키는 말인 '저'에 조사 '가'가 붙을 때의 형태.
  Pas d'expression équivalente
  Forme issue de l'ajout de la particule '가' au terme '저', utilisé par le locuteur qui se désigne lui-même en s'abaissant.

- 가 : 어떤 상태나 상황에 놓인 대상이나 동작의 주체를 나타내는 조사.
  Pas d'expression équivalente
  Particule indiquant l'objet d'un état ou d'une situation, ou le sujet d'une action.

- 택시 (nom) : 돈을 받고 손님이 원하는 곳까지 태워 주는 일을 하는 승용차.
  taxi
  Véhicule dont le travail est de conduire un client jusqu'à l'endroit désiré, moyennant rémunération.

- 잡다 (verbe) : 자동차 등을 타기 위하여 세우다.
  attraper
  Arrêter une voiture, etc., pour y monter.

- -아 드리다 : (높임말로) 남을 위해 앞의 말이 나타내는 행동을 함을 나타내는 표현.
  Pas d'expression équivalente
  (forme honorifique) Expression indiquant que l'action des propos précédents est effectuée pour quelqu'un d'autre.

- -ㄹ게요 : (두루높임으로) 말하는 사람이 어떤 행동을 할 것을 듣는 사람에게 약속하거나 의지를 나타내는 표현.
  Pas d'expression équivalente
  (forme honorifique non formelle) Expression indiquant que le locuteur promet à son interlocuteur de faire une action ou lui montre sa volonté de le faire.

괜찮+아요.

좀 걷+다가 지하철 타+고 <u>가+[면 되]</u>+ㅂ니다.
가면 됩니다

- 괜찮다 (adjectif) : 별 문제가 없다.
  bon, bien
  Qui ne pose pas de problème.

• -아요 : (두루높임으로) 어떤 사실을 서술하거나 질문, 명령, 권유함을 나타내는 종결 어미.
Pas d'expression équivalente
(forme honorifique non formelle) Terminaison finale pour décrire un fait ou pour indiquer une question, un ordre ou une recommandation. <description>

• 좀 (adverbe) : 시간이 짧게.
brièvement, instantanément, momentanément, dans un instant
(Temps) Courtement.

• 걷다 (verbe) : 바닥에서 발을 번갈아 떼어 옮기면서 움직여 위치를 옮기다.
marcher
Se déplacer au moyen de pas alternés.

• -다가 : 어떤 행동이나 상태 등이 중단되고 다른 행동이나 상태로 바뀜을 나타내는 연결 어미.
Pas d'expression équivalente
Terminaison connective indiquant que l'action, l'état, etc., du sujet prend fin et se transforme en une autre action ou en un autre état.

• 지하철 (nom) : 지하 철도로 다니는 전동차.
métro, métropolitain
Véhicule électrique circulant sur voie ferrée souterraine.

• 타다 (verbe) : 탈것이나 탈것으로 이용하는 짐승의 몸 위에 오르다.
prendre
Monter dans un véhicule ou sur un animal servant au transport.

• -고 : 앞의 말이 나타내는 행동이나 그 결과가 뒤에 오는 행동이 일어나는 동안에 그대로 지속됨을 나타내는 연결 어미.
Pas d'expression équivalente
Terminaison connective indiquant que l'action exprimée par les propos précédents ou le résultat de cette action continuent pendant que se déroule l'action suivante.

• 가다 (verbe) : 한 곳에서 다른 곳으로 장소를 이동하다.
aller, se rendre, s'en aller, passer, partir
Se déplacer d'un endroit à un autre.

• -면 되다 : 조건이 되는 어떤 행동을 하거나 어떤 상태만 갖추어지면 문제가 없거나 충분함을 나타내는 표현.
Pas d'expression équivalente
Expression indiquant qu'il suffit qu'une action qui remplit une certaine condition soit effectuée ou qu'un certain état se produise pour être sans problème ou suffisant.

• -ㅂ니다 : (아주높임으로) 현재의 동작이나 상태, 사실을 정중하게 설명함을 나타내는 종결 어미.

Pas d'expression équivalente

(forme honorifique très marquée) Terminaison finale indiquant que l'on explique poliment l'action, l'état ou un fait présent.

< 대화(conversation) > - 79

책상 위에 있는 쓰레기 같은 것들은 좀 치워 버려라.
책쌍 위에 인는 쓰레기 가튼 걷뜨른 좀 치워 버려라.
chaeksang wie inneun sseuregi gateun geotdeureun jom chiwo beoryeora.

아냐. 다 필요한 것들이니까 버리면 안 돼.
아냐. 다 피료한 걷뜨리니까 버리면 안 돼.
anya. da piryohan geotdeurinikka beorimyeon an dwae.

< 설명(explication) / 번역(traduction) >

책상 위+에 있+는 쓰레기 같+[은 것]+들+은 좀 치우+[어 버리]+어라.
치워 버려라

- **책상 (nom)** : 책을 읽거나 글을 쓰거나 사무를 볼 때 앞에 놓고 쓰는 상.
  table, bureau
  Meuble que l'on utilise devant soi lorsque l'on lit, écrit ou travaille.

- **위 (nom)** : 어떤 것의 겉면이나 평평한 표면.
  haut, dessus
  Surface extérieure ou plane d'une chose.

- **에** : 앞말이 어떤 장소나 자리임을 나타내는 조사.
  à, dans, en, sur
  Particule indiquant que la proposition précédente (en coréen) est un lieu ou un emplacement.

- **있다 (adjectif)** : 무엇이 어떤 곳에 자리나 공간을 차지하고 존재하는 상태이다.
  (adj.) il y a, y avoir
  (Chose) Qui occupe une place ou un espace, et qui existe.

- **-는** : 앞의 말이 관형어의 기능을 하게 만들고 사건이나 동작이 현재 일어남을 나타내는 어미.
  Pas d'expression équivalente
  Terminaison attribuant la fonction de déterminant à la proposition précédente, et pour indiquer que la situation ou l'action en question se réalise au présent.

• **쓰레기 (nom)** : 쓸어 낸 먼지, 또는 못 쓰게 되어 내다 버릴 물건이나 내다 버린 물건.
déchet
Poussière qu'on a nettoyée, ou objet devenu inutilisable et jeté ou qui va être jeté.

• **같다 (adjectif)** : 무엇과 비슷한 종류에 속해 있음을 나타내는 말.
Pas d'expression équivalente
Terme indiquant l'appartenance à un genre semblable à celui de quelque chose.

• **-은 것** : 명사가 아닌 것을 문장에서 명사처럼 쓰이게 하거나 '이다' 앞에 쓰일 수 있게 할 때 쓰는 표현.
Pas d'expression équivalente
Expression faisant jouer un rôle de nom à quelque chose qui ne l'est pas dans une phrase, ou pour être utilisée devant '이다'.

• **들** : '복수'의 뜻을 더하는 접미사.
Pas d'expression équivalente
Suffixe signifiant « pluriel ».

• **은** : 문장 속에서 어떤 대상이 화제임을 나타내는 조사.
Pas d'expression équivalente
Particule indiquant qu'un objet est le principal sujet (de conversation) d'une phrase.

• **좀 (adverbe)** : 주로 부탁이나 동의를 구할 때 부드러운 느낌을 주기 위해 넣는 말.
s'il vous plaît, s'il te plaît
Terme utilisé pour demander quelque chose à quelqu'un gentiment ou pour en obtenir un accord.

• **치우다 (verbe)** : 청소하거나 정리하다.
nettoyer, ranger, débarrasser
Nettoyer ou ranger

• **-어 버리다** : 앞의 말이 나타내는 행동이 완전히 끝났음을 나타내는 표현.
Pas d'expression équivalente
Expression indiquant qu'une action exprimée par les propos précédents s'est complètement terminée.

• **-어라** : (아주낮춤으로) 명령을 나타내는 종결 어미.
Pas d'expression équivalente
(forme non honorifique très marquée) Terminaison finale indiquant un ordre.

<u>아니야</u>.
아냐

다 <u>필요하</u>+[ㄴ 것]+들+이+니까 <u>버리</u>+[면 안 되]+어.
　　필요한 것들이니까　　　　　버리면 안 돼

• **아니야 (exclamatif)** : 묻는 말에 대하여 강조하며, 또는 단호하게 부정하며 대답할 때 쓰는 말.
non
Exclamation utilisée pour répondre à une question posée avec insistance, ou pour y répondre négativement, de manière ferme.

• **다 (adverbe)** : 남거나 빠진 것이 없이 모두.
tout, toute, tous, toutes, complètement, parfaitement, vraiment, même, dans son intégralité
Tout sans que rien ne reste ou ne soit ôté.

• **필요하다 (adjectif)** : 꼭 있어야 하다.
nécessaire, essentiel, indispensable
Qu'il faut absolument.

• **-ㄴ 것** : 명사가 아닌 것을 문장에서 명사처럼 쓰이게 하거나 '이다' 앞에 쓰일 수 있게 할 때 쓰는 표현.
Pas d'expression équivalente
Expression permettant à un mot qui n'est pas un nom d'être utilisé comme tel, ou d'être utilisé devant '이다'.

• **들** : '복수'의 뜻을 더하는 접미사.
Pas d'expression équivalente
Suffixe signifiant « pluriel ».

• **이다** : 주어가 지시하는 대상의 속성이나 부류를 지정하는 뜻을 나타내는 서술격 조사.
Pas d'expression équivalente
Particule du cas prédicatif pour indiquer la caractéristique ou la catégorie d'un objet qui se rapporte au sujet d'une phrase.

• **-니까** : 뒤에 오는 말에 대하여 앞에 오는 말이 원인이나 근거, 전제가 됨을 강조하여 나타내는 연결 어미.
Pas d'expression équivalente
Terminaison connective pour souligner que les propos précédents constituent la cause, le fondement ou un prérequis des propos suivants.

• **버리다 (verbe)** : 가지고 있을 필요가 없는 물건을 내던지거나 쏟거나 하다.
 jeter, déposer, se débarrasser de
 Lancer ou se débarrasser d'un objet qu'on n'a plus besoin de garder.

• **-면 안 되다** : 어떤 행동이나 상태를 금지하거나 제한함을 나타내는 표현.
 Pas d'expression équivalente
 Expression indiquant le fait d'interdire ou limiter une action ou un état.

• **-어** : (두루낮춤으로) 어떤 사실을 서술하거나 물음, 명령, 권유를 나타내는 종결 어미.
 Pas d'expression équivalente
 (forme non honorifique non formelle) Terminaison finale pour décrire un fait ou pour indiquer une question, un ordre, ou une recommandation. **<description>**

< 대화(conversation) > - 80

좋은 일 있었나 봐? 기분이 좋아 보이네.
조은 일 이썬나 봐? 기부니 조아 보이네.
joeun il isseonna bwa? gibuni joa boine.

아, 어제 남자 친구한테 반지를 선물로 받았거든요.
아, 어제 남자 친구한테 반지를 선물로 바닫꺼드뇨.
a, eoje namja chinguhante banjireul seonmullo badatgeodeunyo.

< 설명(explication) / 번역(traduction) >

좋+은 일 있+었+[나 보]+아?
                있었나 봐

기분+이 좋+[아 보이]+네.

- **좋다 (adjectif)** : 어떤 일이나 대상이 마음에 들고 만족스럽다.
  bon
  (Travail ou objet) Qui nous plaît et qui est satisfaisant.

- **-은** : 앞의 말이 관형어의 기능을 하게 만들고 현재의 상태를 나타내는 어미.
  Pas d'expression équivalente
  Terminaison faisant fonctionner le mot précédent comme un déterminant et exprimant l'état présent.

- **일 (nom)** : 어떤 내용을 가진 상황이나 사실.
  chose
  Situation ou fait avec un certain contenu.

- **있다 (adjectif)** : 어떤 사람에게 무슨 일이 생긴 상태이다.
  (adj.) il y a
  (Chose) Qui est arrivé à quelqu'un.

- **-었-** : 사건이 과거에 일어났음을 나타내는 어미.
  Pas d'expression équivalente
  Terminaison indiquant qu'un évènement s'est produit dans le passé.

• -나 보다 : 앞의 말이 나타내는 사실을 추측함을 나타내는 표현.
Pas d'expression équivalente
Expression indiquant la supposition quant au fait mentionné dans la proposition précédente.

• -아 : (두루낮춤으로) 어떤 사실을 서술하거나 물음, 명령, 권유를 나타내는 종결 어미.
Pas d'expression équivalente
(forme non honorifique non formelle) Terminaison finale pour décrire un fait ou pour indiquer une question, un ordre, ou une recommandation. <question>

• 기분 (nom) : 불쾌, 유쾌, 우울, 분노 등의 감정 상태.
humeur
État sentimental, tel que la déplaisance, la gaîté, la mélancolie, la colère, etc.

• 이 : 어떤 상태나 상황의 대상이나 동작의 주체를 나타내는 조사.
Pas d'expression équivalente
Particule qui indique l'objet d'un état ou d'une situation, ou le sujet d'une action.

• 좋다 (adjectif) : 감정 등이 기쁘고 흐뭇하다.
heureux
(Sentiment ou autre) Heureux et content.

• -아 보이다 : 겉으로 볼 때 앞의 말이 나타내는 것처럼 느껴지거나 추측됨을 나타내는 표현.
Pas d'expression équivalente
Expression indiquant le fait de ressentir ce qui est exprimé par les propos précédents ou de supposer ce sentiment en apparence.

• -네 : (아주낮춤으로) 지금 깨달은 일에 대하여 말함을 나타내는 종결 어미.
Pas d'expression équivalente
(forme non honorifique très marquée) Terminaison finale pour indiquer que le locuteur parle d'une chose dont il vient de se rendre compte.

아, 어제 남자 친구+한테 반지+를 선물+로 받+았+거든요.

• 아 (exclamatif) : 기쁨이나 감동의 느낌을 나타낼 때 내는 소리.
ah !, oh !
Exclamation exprimant la joie ou l'émotion.

• 어제 (adverbe) : 오늘의 하루 전날에.
hier
Un jour avant aujourd'hui.

• **남자 친구 (nom)** : 여자가 사랑하는 감정을 가지고 사귀는 남자.
ami, copain, petit ami
Homme pour lequel une femme éprouve des sentiments amoureux et avec lequel elle est liée.

• 한테 : 어떤 행동의 주체이거나 비롯되는 대상임을 나타내는 조사.
par quelqu'un
Particule exprimant que le mot précédent est le sujet ou l'origine d'une action.

• **반지 (nom)** : 손가락에 끼는 동그란 장신구.
bague, anneau
Accessoire rond porté au doigt.

• 를 : 동작이 직접적으로 영향을 미치는 대상을 나타내는 조사.
Pas d'expression équivalente
Particule indiquant un objet directement influencé par un mouvement.

• **선물 (nom)** : 고마움을 표현하거나 어떤 일을 축하하기 위해 다른 사람에게 물건을 줌. 또는 그 물건.
cadeau, présent, don
Fait d'offrir une chose à quelqu'un pour le remercier ou le féliciter ; cette chose.

• 로 : 신분이나 자격을 나타내는 조사.
en tant que
Particule indiquant le statut ou la qualification d'une personne.

• **받다 (verbe)** : 다른 사람이 주거나 보내온 것을 가지다.
recevoir, percevoir, obtenir, recueillir, prendre, toucher, empocher, toucher, encaisser
Prendre ce que quelqu'un a donné ou envoyé.

• -았- : 사건이 과거에 일어났음을 나타내는 어미.
Pas d'expression équivalente
Terminaison indiquant qu'un évènement s'est produit dans le passé.

• -거든요 : (두루높임으로) 앞의 내용에 대해 말하는 사람이 생각한 이유나 원인, 근거를 나타내는 표현.
Pas d'expression équivalente
(forme honorifique non formelle) Expression indiquant la raison, la cause ou le fondement de ce que pense le locuteur sur le contenu précédent.

< 대화(conversation) > - 81

저는 한국에 온 지 일 년쯤 됐어요.
저는 한구게 온 지 일 년쯤 돼써요.
jeoneun hanguge on ji il nyeonjjeum dwaesseoyo.

일 년밖에 안 됐는데도 한국어를 정말 잘하시네요.
일 년바께 안 됐는데도 한구거를 정말 잘하시네요.
il nyeonbakke an dwaenneundedo hangugeoreul jeongmal jalhasineyo.

< 설명(explication) / 번역(traduction) >

저+는 한국+에 오+[ㄴ 지]] 일 년+쯤 되+었+어요.
　　　　　　　　온 지　　　　　　　　됐어요

- 저 (pronom) : 말하는 사람이 듣는 사람에게 자신을 낮추어 가리키는 말.
  moi, je
  Terme utilisé par le locuteur pour se désigner en s'abaissant.

- 는 : 문장 속에서 어떤 대상이 화제임을 나타내는 조사.
  Pas d'expression équivalente
  Particule indiquant qu'un objet est le principal sujet d'une phrase.

- 한국 (nom) : 아시아 대륙의 동쪽에 있는 나라. 한반도와 그 부속 섬들로 이루어져 있으며, 대한민국이라고도 부른다. 1950년에 일어난 육이오 전쟁 이후 휴전선을 사이에 두고 국토가 둘로 나뉘었다. 언어는 한국어이고, 수도는 서울이다.
  Corée (du Sud)
  Pays situé à l'est de l'Asie. Composé de la péninsule coréenne et de ses archipels, il est aussi appelé République de Corée. Le territoire a été divisé en deux de part et d'autre de la ligne d'armistice à la suite de la guerre de Corée qui a éclaté en 1950. Le coréen est sa langue officielle et sa capitale, Séoul.

- 에 : 앞말이 목적지이거나 어떤 행위의 진행 방향임을 나타내는 조사.
  à, en, sur, dans
  Particule indiquant que la proposition précédente (en coréen) est la destination ou la direction de progression d'une action.

- **오다 (verbe)** : 무엇이 다른 곳에서 이곳으로 움직이다.
  venir, arriver, apparaître
  (Quelque chose) Bouger d'un lieu à celui où l'on se trouve.

- **-ㄴ 지** : 앞의 말이 나타내는 행동을 한 후 시간이 얼마나 지났는지를 나타내는 표현.
  Pas d'expression équivalente
  Expression indiquant combien de temps a passé après avoir fait l'action exprimée par les propos précédents.

- **일 (déterminant)** : 하나의.
  un
  D'un.

- **년 (nom)** : 한 해를 세는 단위.
  Pas d'expression équivalente
  Nom dépendant indiquant l'unité utilisée pour compter les années.

- **쯤** : '정도'의 뜻을 더하는 접미사.
  Pas d'expression équivalente
  Suffixe signifiant "environ".

- **되다 (verbe)** : 어떤 때나 시기, 상태에 이르다.
  atteindre, il est temps de, il est l'heure de
  Arriver à un moment, à une période ou à un état.

- **-었-** : 어떤 사건이 과거에 완료되었거나 그 사건의 결과가 현재까지 지속되는 상황을 나타내는 어미.
  Pas d'expression équivalente
  Terminaison indiquant une situation où un évènement a été accompli dans le passé ou que le résultat de cet évènement se poursuit jusqu'à présent.

- **-어요** : (두루높임으로) 어떤 사실을 서술하거나 질문, 명령, 권유함을 나타내는 종결 어미.
  Pas d'expression équivalente
  (forme honorifique non formelle) Terminaison finale pour décrire un fait ou pour indiquer une question, un ordre ou une recommandation. <description>

일 년+밖에 안 되+었+는데도 한국어+를 정말 잘하+시+네요.
                    됐는데도

- **일 (déterminant)** : 하나의.
  un
  D'un.

• **년 (nom)** : 한 해를 세는 단위.
  Pas d'expression équivalente
  Nom dépendant indiquant l'unité utilisée pour compter les années.

• **밖에** : '그것을 제외하고는', '그것 말고는'의 뜻을 나타내는 조사.
  ne (⋯) que
  Particule exprimant "excepté quelque chose" ou "à part quelque chose".

• **안 (adverbe)** : 부정이나 반대의 뜻을 나타내는 말.
  Pas d'expression équivalente
  Terme désignant une négation ou une opposition.

• **되다 (verbe)** : 어떤 때나 시기, 상태에 이르다.
  atteindre, il est temps de, il est l'heure de
  Arriver à un moment, à une période ou à un état.

• **-었-** : 어떤 사건이 과거에 완료되었거나 그 사건의 결과가 현재까지 지속되는 상황을 나타내는 어미.
  Pas d'expression équivalente
  Terminaison indiquant une situation où un évènement a été accompli dans le passé ou que le résultat de cet évènement se poursuit jusqu'à présent.

• **-는데도** : 앞에 오는 말이 나타내는 상황에 상관없이 뒤에 오는 말이 나타내는 상황이 일어남을 나타내는 표현.
  Pas d'expression équivalente
  Expression indiquant que la situation suivante se produit malgré la précédente.

• **한국어 (nom)** : 한국에서 사용하는 말.
  coréen, langue coréenne
  Langue utilisée en Corée.

• **를** : 동작이 직접적으로 영향을 미치는 대상을 나타내는 조사.
  Pas d'expression équivalente
  Particule indiquant un objet directement influencé par un mouvement.

• **정말 (adverbe)** : 거짓이 없이 진짜로.
  véritablement, en vérité, tout à fait, réellement, très
  Vraiment et sans fausseté.

• **잘하다 (verbe)** : 익숙하고 솜씨가 있게 하다.
  bien (+verbe), être bon en
  Faire une chose de manière habile et avec talent.

• **-시-** : 어떤 동작이나 상태의 주체를 높이는 뜻을 나타내는 어미.
  Pas d'expression équivalente
  Terminaison signifiant le fait de montrer du respect à l'auteur d'une action ou d'un état.

• -네요 : (두루높임으로) 말하는 사람이 직접 경험하여 새롭게 알게 된 사실에 대해 감탄함을 나타낼 때 쓰는 표현.

Pas d'expression équivalente

(forme honorifique non formelle) Expression pour indiquer que le locuteur parle d'une chose nouvelle dont il a fait l'expérience lui-même, sur un ton d'exclamation.

< 대화(conversation) > - 82

지우가 결혼하더니 많이 밝아졌지?
지우가 결혼하더니 마니 발가젇찌?
jiuga gyeolhonhadeoni mani balgajeotji?

맞아. 지우를 십 년 동안 봐 왔지만 요새처럼 행복해 보일 때가 없었어.
마자. 지우를 십 년 동안 봐 왇찌만 요새처럼 행보캐 보일 때가 업써써.
maja. jiureul sip nyeon dongan bwa watjiman yosaecheoreom haengbokae boil ttaega eopseosseo.

< 설명(explication) / 번역(traduction) >

지우+가 결혼하+더니 많이 밝아지+었+지?
밝아졌지

• **지우 (nom)** : nom de personne

• **가** : 어떤 상태나 상황에 놓인 대상이나 동작의 주체를 나타내는 조사.
  Pas d'expression équivalente
  Particule indiquant l'objet d'un état ou d'une situation, ou le sujet d'une action.

• **결혼하다 (verbe)** : 남자와 여자가 법적으로 부부가 되다.
  se marier, épouser
  (Homme et femme) S'unir officiellement par les liens du mariage.

• **-더니** : 과거의 사실이나 상황에 뒤이어 어떤 사실이나 상황이 일어남을 나타내는 연결 어미.
  Pas d'expression équivalente
  Terminaison connective indiquant qu'un fait ou une situation succède à un fait ou une situation passé(e).

• **많이 (adverbe)** : 수나 양, 정도 등이 일정한 기준보다 넘게.
  beaucoup
  (Nombre, quantité, degré, etc.) De manière à être au-delà d'un critère donné.

• **밝아지다 (verbe)** : 밝게 되다.
  s'éclaircir, devenir agréable
  Devenir clair.

• -었- : 어떤 사건이 과거에 완료되었거나 그 사건의 결과가 현재까지 지속되는 상황을 나타내는 어미.
Pas d'expression équivalente
Terminaison indiquant une situation où un évènement a été accompli dans le passé ou que le résultat de cet évènement se poursuit jusqu'à présent.

• -지 : (두루낮춤으로) 이미 알고 있는 것을 다시 확인하듯이 물을 때 쓰는 종결 어미.
Pas d'expression équivalente
(forme non honorifique non formelle) Terminaison finale utilisée pour poser une question, comme si l'on voulait vérifier une chose que l'on sait déjà.

맞+아.

지우+를 십 년 동안 보+[아 오]+았+지만
봐 왔지만

요새+처럼 행복하+[여 보이]+[ㄹ 때]+가 없+었+어.
행복해 보일 때가

• **맞다 (verbe)** : 그렇거나 옳다.
avoir raison
Être le cas ou correct.

• -아 : (두루낮춤으로) 어떤 사실을 서술하거나 물음, 명령, 권유를 나타내는 종결 어미.
Pas d'expression équivalente
(forme non honorifique non formelle) Terminaison finale pour décrire un fait ou pour indiquer une question, un ordre, ou une recommandation. **<description>**

• **지우 (nom)** : nom de personne

• 를 : 동작이 간접적인 영향을 미치는 대상이나 목적임을 나타내는 조사.
Pas d'expression équivalente
Particule indiquant un objet ou un but indirectement influencé par une action.

• **십 (déterminant)** : 열의.
dix
De dix.

• **년 (nom)** : 한 해를 세는 단위.
Pas d'expression équivalente
Nom dépendant indiquant l'unité utilisée pour compter les années.

• **동안 (nom)** : 한때에서 다른 때까지의 시간의 길이.
  intervalle, laps de temps, pendant, durant
  Longueur de temps s'étendant d'un moment à un autre.

• **보다 (verbe)** : 사람을 만나다.
  voir, rendre visite à
  Rencontrer quelqu'un.

• **-아 오다** : 앞의 말이 나타내는 행동이나 상태가 어떤 기준점으로 가까워지면서 계속 진행됨을 나타내는 표현.
  Pas d'expression équivalente
  Expression indiquant qu'une action ou un état exprimé par les propos précédents continue d'être effectué(e) ou se maintient dans la mesure où celui-ci(celle-ci) s'approche d'une limite.

• **-았-** : 어떤 사건이 과거에 완료되었거나 그 사건의 결과가 현재까지 지속되는 상황을 나타내는 어미.
  Pas d'expression équivalente
  Terminaison indiquant une situation où un évènement a eu lieu dans le passé ou que le résultat de cet évènement se poursuit jusqu'à présent.

• **-지만** : 앞에 오는 말을 인정하면서 그와 반대되거나 다른 사실을 덧붙일 때 쓰는 연결 어미.
  Pas d'expression équivalente
  Terminaison connective utilisée pour reconnaître la proposition précédente, tout en rajoutant un fait contraire ou différent.

• **요새 (nom)** : 얼마 전부터 이제까지의 매우 짧은 동안.
  (n.) ces jours-ci, dernièrement, récemment
  Très courte période depuis peu de temps jusqu'à présent.

• **처럼** : 모양이나 정도가 서로 비슷하거나 같음을 나타내는 조사.
  comme, à la manière de, non moins que
  Particule indiquant la similarité ou le caractère identique réciproque dans l'aspect ou le degré.

• **행복하다 (adjectif)** : 삶에서 충분한 만족과 기쁨을 느껴 흐뭇하다.
  heureux
  Être content grâce à la sensation de satisfaction et joie abondante dans la vie.

• **-여 보이다** : 겉으로 볼 때 앞의 말이 나타내는 것처럼 느껴지거나 추측됨을 나타내는 표현.
  Pas d'expression équivalente
  Expression indiquant le fait de ressentir ou supposer en apparence ce qui est exprimé par les propos précédents.

- -ㄹ 때 : 어떤 행동이나 상황이 일어나는 동안이나 그 시기 또는 그러한 일이 일어난 경우를 나타내는
  표현.
  Pas d'expression équivalente
  Expression indiquant le moment pendant lequel une action a lieu ou une situation se produit, ou cette période, ou le cas où une telle chose arrive.

- 가 : 어떤 상태나 상황에 놓인 대상이나 동작의 주체를 나타내는 조사.
  Pas d'expression équivalente
  Particule indiquant l'objet d'un état ou d'une situation, ou le sujet d'une action.

- **없다 (adjectif)** : 어떤 사실이나 현상이 현실로 존재하지 않는 상태이다.
  Pas d'expression équivalente
  (Certain fait ou certain phénomène) Qui n'existe pas réellement.

- -었- : 사건이 과거에 일어났음을 나타내는 어미.
  Pas d'expression équivalente
  Terminaison indiquant qu'un évènement s'est produit dans le passé.

- -어 : (두루낮춤으로) 어떤 사실을 서술하거나 물음, 명령, 권유를 나타내는 종결 어미.
  Pas d'expression équivalente
  (forme non honorifique non formelle) Terminaison finale pour décrire un fait ou pour indiquer une question, un ordre, ou une recommandation. **<description>**

< 대화(conversation) > - 83

나는 먼저 가 있을 테니까 너도 빨리 와.
나는 먼저 가 이쓸 테니까 너도 빨리 와.
naneun meonjeo ga isseul tenikka neodo ppalli wa.

응. 알았어. 금방 따라갈게.
응. 아라써. 금방 따라갈께.
eung. arasseo. geumbang ttaragalge.

< 설명(explication) / 번역(traduction) >

나+는 먼저 가+[(아) 있]+[을 테니까] 너+도 빨리 오+아.
가 있을 테니까   와

- **나 (pronom)** : 말하는 사람이 친구나 아랫사람에게 자기를 가리키는 말.
  je, moi, me
  Terme employé par le locuteur pour se désigner, lorsqu'il s'adresse à une personne du même âge ou plus jeune.

- **는** : 어떤 대상이 다른 것과 대조됨을 나타내는 조사.
  Pas d'expression équivalente
  Particule indiquant qu'un objet contraste avec un autre.

- **먼저 (adverbe)** : 시간이나 순서에서 앞서.
  avant, d'abord, avant tout, au préalable
  Avant un certain temps ou un certain tour.

- **가다 (verbe)** : 한 곳에서 다른 곳으로 장소를 이동하다.
  aller, se rendre, s'en aller, passer, partir
  Se déplacer d'un endroit à un autre.

- **-아 있다** : 앞의 말이 나타내는 상태가 계속됨을 나타내는 표현.
  Pas d'expression équivalente
  Expression indiquant le maintien de l'état exprimé par les propos précédents.

• -을 테니까 : 뒤에 오는 말에 대한 조건임을 강조하여 앞에 오는 말에 대한 말하는 사람의 의지를 나타
　　　　　내는 표현.
　Pas d'expression équivalente
　Expression indiquant la volonté du locuteur quant aux propos précédents en soulignant qu'ils sont la condition des propos qui suivent.

• 너 (pronom) : 듣는 사람이 친구나 아랫사람일 때, 그 사람을 가리키는 말.
　tu, toi
　Terme designant l'interlocuteur, quand celui-ci est un ami ou une personne de rang inférieur.

• 도 : 이미 있는 어떤 것에 다른 것을 더하거나 포함함을 나타내는 조사.
　Pas d'expression équivalente
　Particule indiquant qu'une chose est ajoutée ou comprise dans une autre qui existe déjà.

• 빨리 (adverbe) : 걸리는 시간이 짧게.
　vite, rapidement
　(Temps nécessaire pour faire une action) Brièvement.

• 오다 (verbe) : 무엇이 다른 곳에서 이곳으로 움직이다.
　venir, arriver, apparaître
　(Quelque chose) Bouger d'un lieu à celui où l'on se trouve.

• -아 : (두루낮춤으로) 어떤 사실을 서술하거나 물음, 명령, 권유를 나타내는 종결 어미.
　Pas d'expression équivalente
　(forme non honorifique non formelle) Terminaison finale pour décrire un fait ou pour indiquer une question, un ordre, ou une recommandation. **\<ordre\>**

응.

알+았+어.

금방 <u>따라가</u>+ㄹ게.
　　　따라갈게

• 응 (exclamatif) : 상대방의 물음이나 명령 등에 긍정하여 대답할 때 쓰는 말.
　oui, ouais
　Terme utilisé pour donner une réponse positive à la demande, à l'ordre, etc., d'un interlocuteur.

• **알다 (verbe)** : 상대방의 어떤 명령이나 요청에 대해 그대로 하겠다는 동의의 뜻을 나타내는 말.
Pas d'expression équivalente
Terme signifiant le fait de suivre un ordre ou une demande précise venant de son interlocuteur.

• **-았-** : 어떤 사건이 과거에 완료되었거나 그 사건의 결과가 현재까지 지속되는 상황을 나타내는 어미.
Pas d'expression équivalente
Terminaison indiquant une situation où un évènement a eu lieu dans le passé ou que le résultat de cet évènement se poursuit jusqu'à présent.

• **-어** : (두루낮춤으로) 어떤 사실을 서술하거나 물음, 명령, 권유를 나타내는 종결 어미.
Pas d'expression équivalente
(forme non honorifique non formelle) Terminaison finale pour décrire un fait ou pour indiquer une question, un ordre, ou une recommandation. **<description>**

• **금방 (adverbe)** : 시간이 얼마 지나지 않아 곧바로.
en un instant, en un clin d'oeil, en un rien de temps, bientôt, d'ici peu
Dans peu de temps.

• **따라가다 (verbe)** : 앞에서 가는 것을 뒤에서 그대로 쫓아가다.
suivre, poursuivre, accompagner, courir après, se mettre à la poursuite, aller à la suite, marcher sur les traces de quelqu'un
Aller derrière quelqu'un en effectuant le même trajet.

• **-ㄹ게** : (두루낮춤으로) 말하는 사람이 어떤 행동을 할 것을 듣는 사람에게 약속하거나 의지를 나타내는 종결 어미.
Pas d'expression équivalente
(forme non honorifique non formelle) Terminaison finale indiquant que le locuteur promet à son interlocuteur de faire une action ou de l'informer à ce sujet.

< 대화(conversation) > - 84

오늘 정말 잘 먹고 갑니다. 초대해 주셔서 감사합니다.
오늘 정말 잘 먹꼬 갑니다. 초대해 주셔서 감사함니다.
oneul jeongmal jal meokgo gamnida. chodaehae jusyeoseo gamsahamnida.

아니에요. 바쁜데 이렇게 먼 곳까지 와 줘서 고마워요.
아니에요. 바쁜데 이러케 먼 곧까지 와 줘서 고마워요.
anieyo. bappeunde ireoke meon gotkkaji wa jwoseo gomawoyo.

< 설명(explication) / 번역(traduction) >

오늘 정말 잘 먹+고 가+ㅂ니다.
　　　　　　　　　　갑니다

초대하+[여 주]+시+어서 감사하+ㅂ니다.
　초대해 주셔서　　　　감사합니다

- **오늘 (adverbe)** : 지금 지나가고 있는 이날에.
  aujourd'hui
  (adv.) Jour qui est en train de passer maintenant.

- **정말 (adverbe)** : 거짓이 없이 진짜로.
  véritablement, en vérité, tout à fait, réellement, très
  Vraiment et sans fausseté.

- **잘 (adverbe)** : 충분히 만족스럽게.
  bien
  De manière suffisamment satisfaisante.

- **먹다 (verbe)** : 음식 등을 입을 통하여 배 속에 들여보내다.
  manger, prendre
  Mettre de la nourriture dans sa bouche et l'avaler.

• -고 : 앞의 말과 뒤의 말이 차례대로 일어남을 나타내는 연결 어미.
  Pas d'expression équivalente
  Terminaison connective indiquant que les propos précédents et les propos suivants se succèdent tour à tour.

• **가다 (verbe)** : 한 곳에서 다른 곳으로 장소를 이동하다.
  aller, se rendre, s'en aller, passer, partir
  Se déplacer d'un endroit à un autre.

• -ㅂ니다 : (아주높임으로) 현재의 동작이나 상태, 사실을 정중하게 설명함을 나타내는 종결 어미.
  Pas d'expression équivalente
  (forme honorifique très marquée) Terminaison finale indiquant que l'on explique poliment l'action, l'état ou un fait présent.

• **초대하다 (verbe)** : 다른 사람에게 어떤 자리, 모임, 행사 등에 와 달라고 요청하다.
  inviter
  Demander à quelqu'un d'autre de venir à un lieu, une réunion , un événement, etc.

• -여 주다 : 남을 위해 앞의 말이 나타내는 행동을 함을 나타내는 표현.
  Pas d'expression équivalente
  Expression indiquant le fait d'effectuer l'action exprimée par les propos précédents pour autrui.

• -시- : 어떤 동작이나 상태의 주체를 높이는 뜻을 나타내는 어미.
  Pas d'expression équivalente
  Terminaison signifiant le fait de montrer du respect à l'auteur d'une action ou d'un état.

• -어서 : 이유나 근거를 나타내는 연결 어미.
  Pas d'expression équivalente
  Terminaison connective indiquant une raison ou une base.

• **감사하다 (verbe)** : 고맙게 여기다.
  remercier, être reconnaissant
  Ressentir de la reconnaissance.

• -ㅂ니다 : (아주높임으로) 현재의 동작이나 상태, 사실을 정중하게 설명함을 나타내는 종결 어미.
  Pas d'expression équivalente
  (forme honorifique très marquée) Terminaison finale indiquant que l'on explique poliment l'action, l'état ou un fait présent.

아니+에요.

바쁘+ㄴ데 이렇+게 멀+ㄴ 곳+까지 오+[아 주]+어서 고맙(고마우)+어요.
바쁜데   먼   와 줘서   고마워요

• 아니다 (adjectif) : 어떤 사실이나 내용을 부정하는 뜻을 나타내는 말.
Pas d'expression équivalente
Terme exprimant la négation d'un fait ou d'un contenu.

• -에요 : (두루높임으로) 어떤 사실을 서술하거나 질문함을 나타내는 종결 어미.
Pas d'expression équivalente
(forme honorifique non formelle) Terminaison finale pour décrire un fait ou pour indiquer une question. <description>

• 바쁘다 (adjectif) : 할 일이 많거나 시간이 없어서 다른 것을 할 여유가 없다.
occupé, débordé de travail, submergé de travail
Qui n'est pas disponible pour faire autre chose, parce qu'il a beaucoup de choses à faire ou parce qu'il n'a pas de temps.

• -ㄴ데 : 뒤의 말을 하기 위하여 그 대상과 관련이 있는 상황을 미리 말함을 나타내는 연결 어미.
Pas d'expression équivalente
Terminaison connective indiquant qu'afin de formuler les propos suivants, le locuteur parle à l'avance d'une situation en rapport avec l'objet de ces propos.

• 이렇다 (adjectif) : 상태, 모양, 성질 등이 이와 같다.
tel
(État, forme, nature, etc.) Qui est semblable à cela.

• -게 : 앞의 말이 뒤에서 가리키는 일의 목적이나 결과, 방식, 정도 등이 됨을 나타내는 연결 어미.
Pas d'expression équivalente
Terminaison connective indiquant que les propos précédents constituent l'objectif, le résultat, la méthode ou le degré des propos qui suivent.

• 멀다 (adjectif) : 두 곳 사이의 떨어진 거리가 길다.
lointain, éloigné, distant
Qui est éloigné dans l'espace.

• -ㄴ : 앞의 말이 관형어의 기능을 하게 만들고 현재의 상태를 나타내는 어미.
Pas d'expression équivalente
Terminaison donnant la fonction de déterminant à la proposition précédente et exprimant l'état présent.

• **곳 (nom)** : 일정한 장소나 위치.
 endroit, lieu, place
 Endroit ou emplacement donné.

• **까지** : 어떤 범위의 끝임을 나타내는 조사.
 Pas d'expression équivalente
 Particule indiquant la limite d'un champ.

• **오다 (verbe)** : 무엇이 다른 곳에서 이곳으로 움직이다.
 venir, arriver, apparaître
 (Quelque chose) Bouger d'un lieu à celui où l'on se trouve.

• **-아 주다** : 남을 위해 앞의 말이 나타내는 행동을 함을 나타내는 표현.
 Pas d'expression équivalente
 Expression indiquant le fait d'effectuer pour autrui une action exprimée par les propos précédents.

• **-어서** : 이유나 근거를 나타내는 연결 어미.
 Pas d'expression équivalente
 Terminaison connective indiquant une raison ou une base.

• **고맙다 (adjectif)** : 남이 자신을 위해 무엇을 해주어서 마음이 흐뭇하고 보답하고 싶다.
 reconnaissant
 Être touché par l'action que quelqu'un nous porte et avoir envie de faire de même.

• **-어요** : (두루높임으로) 어떤 사실을 서술하거나 질문, 명령, 권유함을 나타내는 종결 어미.
 Pas d'expression équivalente
 (forme honorifique non formelle) Terminaison finale pour décrire un fait ou pour indiquer une question, un ordre ou une recommandation. **<description>**

< 대화(conversation) > - 85

백화점에는 왜 다시 가려고?
배콰저메는 왜 다시 가려고?
baekwajeomeneun wae dasi garyeogo?

어제 산 옷이 맞는 줄 알았더니 작아서 교환해야 해.
어제 산 오시 만는 줄 아랄떠니 자가서 교환해야 해.
eoje san osi manneun jul aratdeoni jagaseo gyohwanhaeya hae.

< 설명(explication) / 번역(traduction) >

백화점+에+는 왜 다시 가+려고?

- **백화점 (nom)** : 한 건물 안에 온갖 상품을 종류에 따라 나누어 벌여 놓고 판매하는 큰 상점.
  grand magasin
  Magasin de grande taille constitué d'un immeuble dans lequel on vend des produits variés disposés en différentes catégories.

- **에** : 앞말이 목적지이거나 어떤 행위의 진행 방향임을 나타내는 조사.
  à, en, sur, dans
  Particule indiquant que la proposition précédente (en coréen) est la destination ou la direction de progression d'une action.

- **는** : 문장 속에서 어떤 대상이 화제임을 나타내는 조사.
  Pas d'expression équivalente
  Particule indiquant qu'un objet est le principal sujet d'une phrase.

- **왜 (adverbe)** : 무슨 이유로. 또는 어째서.
  pourquoi, dans quelle intention, à quelle fin
  Pour quelle raison ; comment se fait-il que.

- **다시 (adverbe)** : 같은 말이나 행동을 반복해서 또.
  encore, de nouveau, à nouveau, encore une fois, une fois de plus, derechef
  Encore, en répétant le même propos ou la même action.

- **가다 (verbe)** : 한 곳에서 다른 곳으로 장소를 이동하다.
  aller, se rendre, s'en aller, passer, partir
  Se déplacer d'un endroit à un autre.

• -려고 : (두루낮춤으로) 어떤 주어진 상황에 대하여 의심이나 반문을 나타내는 종결 어미.
  Pas d'expression équivalente
  (forme non honorifique non formelle) Terminaison finale employer pour exprimer le doute ou pour répondre par une question sur une situation donnée.

어제 <u>사+ㄴ</u> 옷+이 맞+[는 줄] 알+았더니 작+아서 <u>교환하+[여야 하]+여</u>.
　　　산　　　　　　　　　　　　　　　　　　　　교환해야 해

• **어제 (adverbe)** : 오늘의 하루 전날에.
  hier
  Un jour avant aujourd'hui.

• **사다 (verbe)** : 돈을 주고 어떤 물건이나 권리 등을 자기 것으로 만들다.
  acheter
  Donner de l'argent pour s'approprier un objet, un droit, etc.

• -ㄴ : 앞의 말이 관형어의 기능을 하게 만들고 사건이나 동작이 과거에 일어났음을 나타내는 어미.
  Pas d'expression équivalente
  Terminaison donnant la fonction de déterminant à la proposition précédente et indiquant que l'événement ou l'action en question s'est déroulé dans le passé.

• **옷 (nom)** : 사람의 몸을 가리고 더위나 추위 등으로부터 보호하며 멋을 내기 위하여 입는 것.
  vêtement, habit, effets
  Ce que l'on porte afin de protéger son corps du chaud, du froid, etc. et de se faire beau.

• 이 : 어떤 상태나 상황의 대상이나 동작의 주체를 나타내는 조사.
  Pas d'expression équivalente
  Particule qui indique l'objet d'un état ou d'une situation, ou le sujet d'une action.

• **맞다 (verbe)** : 크기나 규격 등이 어떤 것과 일치하다.
  correspondre, convenir
  (Taille, norme, etc.) Correspondre à quelque chose.

• -는 줄 : 어떤 사실이나 상태에 대해 알고 있거나 모르고 있음을 나타내는 표현.
  Pas d'expression équivalente
  Expression indiquant le fait d'être au courant ou non d'un fait ou d'un état.

• **알다 (verbe)** : 어떤 사실을 그러하다고 여기거나 생각하다.
  prendre pour, considérer comme, croire, estimer
  Considérer ou imaginer un fait comme tel.

- -았더니 : 과거의 사실이나 상황과 다른 새로운 사실이나 상황이 있음을 나타내는 표현.
  Pas d'expression équivalente
  Expression indiquant qu'il y a un nouveau fait ou une nouvelle situation qui diffère du passé.

- **작다 (adjectif)** : 정해진 크기에 모자라서 맞지 아니하다.
  petit, étroit
  Qui n'est pas adéquat car inférieur à la taille requise.

- -아서 : 이유나 근거를 나타내는 연결 어미.
  Pas d'expression équivalente
  Terminaison connective indiquant la raison ou la base.

- **교환하다 (verbe)** : 무엇을 다른 것으로 바꾸다.
  échanger
  Troquer quelque chose contre une autre.

- -여야 하다 : 앞에 오는 말이 어떤 일을 하거나 어떤 상황에 이르기 위한 의무적인 행동이거나 필수적인 조건임을 나타내는 표현.
  Pas d'expression équivalente
  Expression indiquant que les propos précédents constituent une action obligatoire ou une condition indispensable pour effectuer une chose ou parvenir à une situation.

- -여 : (두루낮춤으로) 어떤 사실을 서술하거나 물음, 명령, 권유를 나타내는 종결 어미.
  Pas d'expression équivalente
  (forme non honorifique non formelle) Terminaison finale pour décrire un fait ou pour indiquer une question, un ordre, ou une recommandation. **<description>**

< 대화(conversation) > - 86

물을 계속 틀어 놓은 채 설거지를 하지 마세요.
무를 게속 트러 노은 채 설거지를 하지 마세요.
mureul gesok teureo noeun chae seolgeojireul haji maseyo.

방금 잠갔어요. 앞으로는 헹굴 때만 물을 틀어 놓을게요.
방금 잠가써요. 아프로는 헹굴 때만 무를 트러 노을께요.
banggeum jamgasseoyo. apeuroneun henggul ttaeman mureul teureo noeulgeyo.

< 설명(explication) / 번역(traduction) >

물+을 계속 틀+[어 놓]+[은 채] 설거지+를 <u>하+[지 말(마)]+세요</u>.
하지 마세요

- **물 (nom)** : 강, 호수, 바다, 지하수 등에 있으며 순수한 것은 빛깔, 냄새, 맛이 없고 투명한 액체.
  eau, liquide
  Liquide n'ayant ni couleur, ni odeur, ni saveur, et étant limpide, et pur. On le trouve dans les fleuves, les lacs, les mers, les cours d'eau souterrain, etc.

- **을** : 동작이 직접적으로 영향을 미치는 대상을 나타내는 조사.
  Pas d'expression équivalente
  Particule indiquant un objet directement influencé par un acte.

- **계속 (adverbe)** : 끊이지 않고 잇따라.
  continuellement, constamment, toujours, à tout instant, sans arrêt, sans cesse
  De façon continuelle, sans interruption.

- **틀다 (verbe)** : 수도와 같은 장치를 작동시켜 물이 나오게 하다.
  ouvrir
  Faire fonctionner un dispositif comme pour faire sortir l'eau potable.

- **-어 놓다** : 앞의 말이 나타내는 행동을 끝내고 그 결과를 유지함을 나타내는 표현.
  Pas d'expression équivalente
  Expression indiquant le fait d'avoir terminé une action exprimée par les propos précédents et d'en maintenir le résultat.

• -은 채 : 앞의 말이 나타내는 어떤 행위를 한 상태 그대로 있음을 나타내는 표현.
Pas d'expression équivalente
Expression indiquant qu'un état est maintenu, après la réalisation d'une action mentionnée dans la proposition précédente.

• 설거지 (nom) : 음식을 먹고 난 뒤에 그릇을 씻어서 정리하는 일.
lavage de la vaisselle, vaisselle
Fait de nettoyer et ranger la vaisselle après un repas.

• 를 : 동작이 직접적으로 영향을 미치는 대상을 나타내는 조사.
Pas d'expression équivalente
Particule indiquant un objet directement influencé par un mouvement.

• 하다 (verbe) : 어떤 행동이나 동작, 활동 등을 행하다.
faire, exécuter, effectuer, s'occuper de
Effectuer une action, un mouvement, une activité, etc.

• -지 말다 : 앞의 말이 나타내는 행동을 하지 못하게 함을 나타내는 표현.
Pas d'expression équivalente
Expression pour indiquer que le locuteur interdit l'action de la proposition précédente.

• -세요 : (두루높임으로) 설명, 의문, 명령, 요청의 뜻을 나타내는 종결 어미.
Pas d'expression équivalente
(forme honorifique non formelle) Terminaison finale pour indiquer une explication, une interrogation, un ordre ou une demande. <ordre>

방금 잠그(잠ㄱ)+았+어요.
잠갔어요

앞+으로+는 헹구+[ㄹ 때]+만 물+을 틀+[어 놓]+을게요.
헹굴 때만

• 방금 (adverbe) : 말하고 있는 시점보다 바로 조금 전에.
(adv.) tout à l'heure, il y a un instant, juste
Juste avant le moment où on parle.

• 잠그다 (verbe) : 물, 가스 등이 나오지 않도록 하다.
fermer, couper
Empêcher de l'eau, un gaz, etc., de sortir.

• -았- : 어떤 사건이 과거에 완료되었거나 그 사건의 결과가 현재까지 지속되는 상황을 나타내는 어미.
  Pas d'expression équivalente
  Terminaison indiquant une situation où un évènement a eu lieu dans le passé ou que le résultat de cet évènement se poursuit jusqu'à présent.

• -어요 : (두루높임으로) 어떤 사실을 서술하거나 질문, 명령, 권유함을 나타내는 종결 어미.
  Pas d'expression équivalente
  (forme honorifique non formelle) Terminaison finale pour décrire un fait ou pour indiquer une question, un ordre ou une recommandation. <description>

• 앞 (nom) : 다가올 시간.
  avant, devant, tête, proue, face
  Temps qui approche.

• 으로 : 시간을 나타내는 조사.
  depuis, à
  Particule indiquant un moment ou un temps donné.

• 는 : 어떤 대상이 다른 것과 대조됨을 나타내는 조사.
  Pas d'expression équivalente
  Particule indiquant qu'un objet contraste avec un autre.

• 헹구다 (verbe) : 깨끗한 물에 넣어 비눗물이나 더러운 때가 빠지도록 흔들어 씻다.
  rincer
  Nettoyer quelque chose dans l'eau propre en le secouant pour le débarrasser de la lessive résiduelle ou des impurtés.

• -ㄹ 때 : 어떤 행동이나 상황이 일어나는 동안이나 그 시기 또는 그러한 일이 일어난 경우를 나타내는 표현.
  Pas d'expression équivalente
  Expression indiquant le moment pendant lequel une action a lieu ou une situation se produit, ou cette période, ou le cas où une telle chose arrive.

• 만 : 다른 것은 제외하고 어느 것을 한정함을 나타내는 조사.
  Pas d'expression équivalente
  Particule exprimant la limitation à une certaine chose en éliminant les autres.

• 물 (nom) : 강, 호수, 바다, 지하수 등에 있으며 순수한 것은 빛깔, 냄새, 맛이 없고 투명한 액체.
  eau, liquide
  Liquide n'ayant ni couleur, ni odeur, ni saveur, et étant limpide, et pur. On le trouve dans les fleuves, les lacs, les mers, les cours d'eau souterrain, etc.

• 을 : 동작이 직접적으로 영향을 미치는 대상을 나타내는 조사.
  Pas d'expression équivalente
  Particule indiquant un objet directement influencé par un acte.

• **틀다 (verbe)** : 수도와 같은 장치를 작동시켜 물이 나오게 하다.

ouvrir

Faire fonctionner un dispositif comme pour faire sortir l'eau potable.

• -어 놓다 : 앞의 말이 나타내는 행동을 끝내고 그 결과를 유지함을 나타내는 표현.

Pas d'expression équivalente

Expression indiquant le fait d'avoir terminé une action exprimée par les propos précédents et d'en maintenir le résultat.

• -을게요 : (두루높임으로) 말하는 사람이 어떤 행동을 할 것을 듣는 사람에게 약속하거나 의지를 나타내는 표현.

Pas d'expression équivalente

(forme honorifique non formelle) Expression indiquant que le locuteur promet à son interlocuteur de faire une action ou lui montre sa volonté de le faire.

< 대화(conversation) > - 87

작년에 갔던 그 바닷가에 또 가고 싶다.
장녀네 갇떤 그 바닫까에 또 가고 십따.
jangnyeone gatdeon geu badatgae tto gago sipda.

나도 그래. 그때 우리 참 재밌게 놀았었지.
나도 그래. 그때 우리 참 재믿께 노라썯찌.
nado geurae. geuttae uri cham jaemitge norasseotji.

< 설명(explication) / 번역(traduction) >

작년+에 <u>가+았던</u> 그 바닷가+에 또 가+[고 싶]+다.
　　　　　갔던

- **작년 (nom)** : 지금 지나가고 있는 해의 바로 전 해.
  an dernier, année passée, année dernière
  Année précédant celle en cours.

- **에** : 앞말이 시간이나 때임을 나타내는 조사.
  à, en
  Particule indiquant que la proposition précédente (en coréen) est l'heure ou le moment.

- **가다 (verbe)** : 한 곳에서 다른 곳으로 장소를 이동하다.
  aller, se rendre, s'en aller, passer, partir
  Se déplacer d'un endroit à un autre.

- **-았던** : 과거의 사건이나 상태를 다시 떠올리거나 그 사건이나 상태가 완료되지 않고 중단되었다는 의미를 나타내는 표현.
  Pas d'expression équivalente
  Expression indiquant le fait de se rappeler un évènement ou un état du passé, ou bien le fait que cet évènement ou cet état s'est arrêté sans être achevé.

- **그 (déterminant)** : 듣는 사람에게 가까이 있거나 듣는 사람이 생각하고 있는 대상을 가리킬 때 쓰는 말.
  Pas d'expression équivalente
  Terme désignant un objet qui se trouve à proximité de l'interlocuteur ou auquel l'interlocuteur pense.

• **바닷가 (nom)** : 바다와 육지가 맞닿은 곳이나 그 근처.

plage, bord de la mer, côte

Endroit où se rejoignent la mer et la terre ; ses alentours.

• **에** : 앞말이 목적지이거나 어떤 행위의 진행 방향임을 나타내는 조사.

à, en, sur, dans

Particule indiquant que la proposition précédente (en coréen) est la destination ou la direction de progression d'une action.

• **또 (adverbe)** : 어떤 일이나 행동이 다시.

encore

(Chose ou action) À nouveau.

• **가다 (verbe)** : 한 곳에서 다른 곳으로 장소를 이동하다.

aller, se rendre, s'en aller, passer, partir

Se déplacer d'un endroit à un autre.

• **-고 싶다** : 앞의 말이 나타내는 행동을 하기를 원함을 나타내는 표현.

Pas d'expression équivalente

Expression utilisée pour montrer le désir à vouloir faire l'action de la proposition précédente.

• **-다** : (아주낮춤으로) 어떤 사건이나 사실, 상태를 서술함을 나타내는 종결 어미.

Pas d'expression équivalente

(forme non honorifique très marquée) Terminaison finale employée pour décrire un événement, un fait ou un état.

나+도 그렇+어.
그래

그때 우리 참 재밌+게 놀+았었+지.

• **나 (pronom)** : 말하는 사람이 친구나 아랫사람에게 자기를 가리키는 말.

je, moi, me

Terme employé par le locuteur pour se désigner, lorsqu'il s'adresse à une personne du même âge ou plus jeune.

• **도** : 이미 있는 어떤 것에 다른 것을 더하거나 포함함을 나타내는 조사.

Pas d'expression équivalente

Particule indiquant qu'une chose est ajoutée ou comprise dans une autre qui existe déjà.

• **그렇다 (adjectif)** : 상태, 모양, 성질 등이 그와 같다.
ainsi
Semblable à l'état, à la forme, à la nature, etc. de quelque chose.

• **-어** : (두루낮춤으로) 어떤 사실을 서술하거나 물음, 명령, 권유를 나타내는 종결 어미.
Pas d'expression équivalente
(forme non honorifique non formelle) Terminaison finale pour décrire un fait ou pour indiquer une question, un ordre, ou une recommandation. <description>

• **그때 (nom)** : 앞에서 이야기한 어떤 때.
ce moment-là, cette époque, ce temps-là
Un moment mentionné auparavant.

• **우리 (pronom)** : 말하는 사람이 자기와 듣는 사람 또는 이를 포함한 여러 사람들을 가리키는 말.
nous, (pro.) notre (problème), nos
Terme employé par le locuteur pour désigner soi-même et son interlocuteur ou de nombreuses personnes y compris ces deux derniers.

• **참 (adverbe)** : 사실이나 이치에 조금도 어긋남이 없이 정말로.
vraiment, effectivement, réellement
De manière vraie, en ne s'écartant pas de la vérité ou de la raison.

• **재밌다 (adjectif)** : 즐겁고 유쾌한 느낌이 있다.
amusant, divertissant, intéressant
Qui donne une impression plaisante et joyeuse.

• **-게** : 앞의 말이 뒤에서 가리키는 일의 목적이나 결과, 방식, 정도 등이 됨을 나타내는 연결 어미.
Pas d'expression équivalente
Terminaison connective indiquant que les propos précédents constituent l'objectif, le résultat, la méthode ou le degré des propos qui suivent.

• **놀다 (verbe)** : 놀이 등을 하면서 재미있고 즐겁게 지내다.
jouer, s'amuser
Vivre de façon amusante et joyeuse en jouant, etc.

• **-았었-** : 현재와 비교하여 다르거나 현재로 이어지지 않는 과거의 사건을 나타내는 어미.
Pas d'expression équivalente
Terminaison indiquant un évènement du passé qui est comparé à l'état présent et en est différent ou qui n'est pas connecté au présent.

• **-지** : (두루낮춤으로) 말하는 사람이 듣는 사람이 이미 알고 있다고 생각하는 것을 확인하며 말할 때 쓰는 종결 어미.
Pas d'expression équivalente
(forme non honorifique non formelle) Terminaison finale utilisée par le locuteur pour s'adresser à un interlocuteur, en vérifiant une chose qu'il présume que ce dernier sait déjà.

< 대화(conversation) > - 88

계속 돌아다녔더니 배고프다. 점심은 뭘 먹을까?
계속 도라다녀떠니 배고프다. 점시믄 뭘 머글까?
gesok doradanyeotdeoni baegopeuda. jeomsimeun mwol meogeulkka?

전주에 왔으면 비빔밥을 먹어야지.
전주에 와쓰면 비빔빠블 머거야지.
jeonjue wasseumyeon bibimbabeul meogeoyaji.

< 설명(explication) / 번역(traduction) >

계속 <u>돌아다니+었더니</u> 배고프+다.
    돌아다녔더니

점심+은 <u>뭐+를</u> 먹+을까?
        뭘

- **계속 (adverbe)** : 끊이지 않고 잇따라.
  continuellement, constamment, toujours, à tout instant, sans arrêt, sans cesse
  De façon continuelle, sans interruption.

- **돌아다니다 (verbe)** : 여기저기를 두루 다니다.
  se promener, rôder, flâner, aller à l'aventure
  Errer çà et là.

- **-었더니** : 과거의 사실이나 상황이 뒤에 오는 말의 원인이나 이유가 됨을 나타내는 표현.
  Pas d'expression équivalente
  Expression indiquant qu'un fait ou situation passé constitue la cause ou la raison des propos suivants.

- **배고프다 (adjectif)** : 배 속이 빈 것을 느껴 음식이 먹고 싶다.
  avoir faim
  Qui a envie de manger de la nourriture en ressentant le ventre creux.

- -다 : (아주낮춤으로) 어떤 사건이나 사실, 상태를 서술함을 나타내는 종결 어미.
  Pas d'expression équivalente
  (forme non honorifique très marquée) Terminaison finale employée pour décrire un événement, un fait ou un état.

- 점심 (nom) : 아침과 저녁 식사 중간에, 낮에 하는 식사.
  déjeuner, repas de midi
  Nourriture qu'on prend à midi entre le petit-déjeuner et le dîner.

- 은 : 문장 속에서 어떤 대상이 화제임을 나타내는 조사.
  Pas d'expression équivalente
  Particule indiquant qu'un objet est le principal sujet (de conversation) d'une phrase.

- 뭐 (pronom) : 모르는 사실이나 사물을 가리키는 말.
  que, quoi, quelque chose
  Terme désignant un fait ou un objet inconnu.

- 를 : 동작이 직접적으로 영향을 미치는 대상을 나타내는 조사.
  Pas d'expression équivalente
  Particule indiquant un objet directement influencé par un mouvement.

- 먹다 (verbe) : 음식 등을 입을 통하여 배 속에 들여보내다.
  manger, prendre
  Mettre de la nourriture dans sa bouche et l'avaler.

- -을까 : (두루낮춤으로) 듣는 사람의 의사를 물을 때 쓰는 종결 어미.
  Pas d'expression équivalente
  (forme non honorifique non formelle) Terminaison finale utilisée pour s'enquérir de l'intention de son interlocuteur.

전주+에 <u>오+았으면</u> 비빔밥+을 먹+어야지.
　　　　　왔으면

- 전주 (nom) : 한국의 전라북도 중앙부에 있는 시. 전라북도의 도청 소재지이며, 창호지, 장판지의 생산과 전주비빔밥 등으로 유명하다.
  Jeonju
  Ville située dans le centre de Jeollabuk-do, ou province Jeolla du Nord en Corée. Chef-lieu de cette province, elle est connue pour sa production de papier coréen pour fenêtres et portes, et pour le sol, et ses spécialités culinaires notamment le bibimbap de Jeonju.

• 에 : 앞말이 목적지이거나 어떤 행위의 진행 방향임을 나타내는 조사.

á, en, sur, dans

Particule indiquant que la proposition précédente (en coréen) est la destination ou la direction de progression d'une action.

• **오다 (verbe)** : 가고자 하는 곳에 이르다.

Pas d'expression équivalente

Atteindre un lieu voulu.

• **-았으면** : 앞의 말이 나타내는 과거의 상황이 뒤의 내용의 조건이 됨을 나타내는 표현.

Pas d'expression équivalente

Expression indiquant qu'une situation du passé exprimée par les propos précédents constitue la condition du contenu suivant.

• **비빔밥 (nom)** : 고기, 버섯, 계란, 나물 등에 여러 가지 양념을 넣고 비벼 먹는 밥.

bibimbap

Plat réalisé avec du riz cuit et garni de viande, de champignon, d'œuf, de végétaux, etc. que l'on mange en mélangeant à différents assaisonnements.

• **을** : 동작이 직접적으로 영향을 미치는 대상을 나타내는 조사.

Pas d'expression équivalente

Particule indiquant un objet directement influencé par un acte.

• **먹다 (verbe)** : 음식 등을 입을 통하여 배 속에 들여보내다.

manger, prendre

Mettre de la nourriture dans sa bouche et l'avaler.

• **-어야지** : (두루낮춤으로) 말하는 사람의 결심이나 의지를 나타내는 종결 어미.

Pas d'expression équivalente

(forme non honorifique non formelle) Terminaison finale indiquant la détermination ou la volonté du locuteur.

< 대화(conversation) > - 89

내일이 소풍인데 비가 너무 많이 오네.
내이리 소풍인데 비가 너무 마니 오네.
naeiri sopunginde biga neomu mani one.

그러게. 내일은 날씨가 맑았으면 좋겠다.
그러게. 내이른 날씨가 말가쓰면 조켇따.
geureoge. naeireun nalssiga malgasseumyeon joketda.

< 설명(explication) / 번역(traduction) >

내일+이 소풍+이+ㄴ데 비+가 너무 많이 오+네.
　　　　　소풍인데

· **내일 (nom)** : 오늘의 다음 날.
  demain
  Jour suivant aujourd'hui.

· **이** : 어떤 상태나 상황의 대상이나 동작의 주체를 나타내는 조사.
  Pas d'expression équivalente
  Particule qui indique l'objet d'un état ou d'une situation, ou le sujet d'une action.

· **소풍 (nom)** : 경치를 즐기거나 놀이를 하기 위하여 야외에 나갔다 오는 일.
  excursion, pique-nique, déjeuner sur l'herbe, partie de champagne
  Action d'aller en plein air afin de contempler un paysage ou de s'amuser.

· **이다** : 주어가 지시하는 대상의 속성이나 부류를 지정하는 뜻을 나타내는 서술격 조사.
  Pas d'expression équivalente
  Particule du cas prédicatif pour indiquer la caractéristique ou la catégorie d'un objet qui se rapporte au sujet d'une phrase.

· **-ㄴ데** : 뒤의 말을 하기 위하여 그 대상과 관련이 있는 상황을 미리 말함을 나타내는 연결 어미.
  Pas d'expression équivalente
  Terminaison connective indiquant qu'afin de formuler les propos suivants, le locuteur parle à l'avance d'une situation en rapport avec l'objet de ces propos.

• 비 (nom) : 높은 곳에서 구름을 이루고 있던 수증기가 식어서 뭉쳐 떨어지는 물방울.
  pluie
  Vapeur ayant formé des nuages en hauteur, s'étant refroidie et tombant en s'agglomérant sous forme de gouttes d'eau.

• 가 : 어떤 상태나 상황에 놓인 대상이나 동작의 주체를 나타내는 조사.
  Pas d'expression équivalente
  Particule indiquant l'objet d'un état ou d'une situation, ou le sujet d'une action.

• 너무 (adverbe) : 일정한 정도나 한계를 훨씬 넘어선 상태로.
  trop, excessivement, à l'excès, avec excès, outre mesure, démesurément
  De manière à dépasser de loin un certain niveau ou une limite.

• 많이 (adverbe) : 수나 양, 정도 등이 일정한 기준보다 넘게.
  beaucoup
  (Nombre, quantité, degré, etc.) De manière à être au-delà d'un critère donné.

• 오다 (verbe) : 비, 눈 등이 내리거나 추위 등이 닥치다.
  tomber, neiger, pleuvoir
  (Pluie, neige, etc.) Tomber, ou (froid, etc.) survenir.

• -네 : (아주낮춤으로) 지금 깨달은 일에 대하여 말함을 나타내는 종결 어미.
  Pas d'expression équivalente
  (forme non honorifique très marquée) Terminaison finale pour indiquer que le locuteur parle d'une chose dont il vient de se rendre compte.

그러게.

내일+은 날씨+가 맑+[았으면 좋겠]+다.

• 그러게 (exclamatif) : 상대방의 말에 찬성하거나 동의하는 뜻을 나타낼 때 쓰는 말.
  oui, c'est vrai, tu as raison
  Exclamation utilisée pour indiquer qu'on est pour ou d'accord avec les commentaires de son interlocuteur.

• 내일 (nom) : 오늘의 다음 날.
  demain
  Jour suivant aujourd'hui.

• 은 : 어떤 대상이 다른 것과 대조됨을 나타내는 조사.
  Pas d'expression équivalente
  Particule indiquant qu'un objet contraste avec un autre.

- **날씨 (nom)** : 그날그날의 기온이나 공기 중에 비, 구름, 바람, 안개 등이 나타나는 상태.
  temps
  Variation quotidienne de la température et des conditions (météorologiques) telles que la pluie, les nuages, le brouillard, etc.

- **가** : 어떤 상태나 상황에 놓인 대상이나 동작의 주체를 나타내는 조사.
  Pas d'expression équivalente
  Particule indiquant l'objet d'un état ou d'une situation, ou le sujet d'une action.

- **맑다 (adjectif)** : 구름이나 안개가 끼지 않아 날씨가 좋다.
  clair, lumineux, éclatant, ensoleillé
  (Temps) Beau du fait qu'il n'y ait pas de nuages ou de brouillard.

- **-았으면 좋겠다** : 말하는 사람의 소망이나 바람을 나타내거나 현실과 다르게 되기를 바라는 것을 나타내는 표현.
  Pas d'expression équivalente
  Expression utilisée pour indiquer le souhait ou l'espoir du locuteur, ou l'espoir d'avoir une réalité différente de celle qu'il a.

- **-다** : (아주낮춤으로) 어떤 사건이나 사실, 상태를 서술함을 나타내는 종결 어미.
  Pas d'expression équivalente
  (forme non honorifique très marquée) Terminaison finale employée pour décrire un événement, un fait ou un état.

< 대화(conversation) > - 90

교수님, 오늘 수업 내용에 대한 질문이 있습니다.
교수님, 오늘 수업 내용에 대한 질무니 읻씀니다.
gyosunim, oneul sueop naeyonge daehan jilmuni itseumnida.

이해가 안 되는 부분이 있으면 편하게 얘기하세요.
이해가 안 되는 부부니 이쓰면 편하게 얘기하세요.
ihaega an doeneun bubuni isseumyeon pyeonhage yaegihaseyo.

< 설명(explication) / 번역(traduction) >

교수+님, 오늘 수업 내용+[에 대한] 질문+이 있+습니다.

• **교수 (nom)** : 대학에서 학문을 연구하고 가르치는 일을 하는 사람. 또는 그 직위.
professeur, maître de conférence
Personne qui mène des recherches dans une discipline et l'enseigne à l'université ; le poste lui-même.

• **님** : '높임'의 뜻을 더하는 접미사.
Pas d'expression équivalente
Suffixe signifiant « respect ».

• **오늘 (nom)** : 지금 지나가고 있는 이날.
aujourd'hui, ce jour
Jour qui est en train de passer.

• **수업 (nom)** : 교사가 학생에게 지식이나 기술을 가르쳐 줌.
cours, leçon, classe
Fait qu'un enseignant transmet des connaissances ou des techniques à des élèves.

• **내용 (nom)** : 사물이나 일의 속을 이루는 사정이나 형편.
substance
État des choses ou situation constituant le contenu d'un objet ou d'une affaire.

- 에 대한 : 뒤에 오는 명사를 수식하며 앞에 오는 명사를 뒤에 오는 명사의 대상으로 함을 나타내는 표현.

  Pas d'expression équivalente

  Expression utilisée pour qualifier le nom qui suit et pour indiquer que le nom précédant est l'objet de celui qui suit.

- 질문 (nom) : 모르는 것이나 알고 싶은 것을 물음.

  question

  Fait de poser une question sur ce que l'on ne sait pas ou sur ce que l'on veut savoir.

- 이 : 어떤 상태나 상황의 대상이나 동작의 주체를 나타내는 조사.

  Pas d'expression équivalente

  Particule qui indique l'objet d'un état ou d'une situation, ou le sujet d'une action.

- 있다 (adjectif) : 사실이나 현상이 존재하다.

  (adj.) il y a, (y) avoir

  (Fait ou phénomène) Qui existe.

- –습니다 : (아주높임으로) 현재의 동작이나 상태, 사실을 정중하게 설명함을 나타내는 종결 어미.

  Pas d'expression équivalente

  (forme honorifique très marquée) Terminaison finale indiquant que l'on explique poliment l'action, l'état ou un fait présent.

이해+가 안 되+는 부분+이 있+으면 편하+게 얘기하+세요.

- 이해 (nom) : 무엇을 깨달아 앎. 또는 잘 알아서 받아들임.

  compréhension, prise de conscience, assimilation

  Fait de se rendre compte d'une chose ; fait de bien connaître une chose et de l'accepter.

- 가 : 바뀌게 되는 대상이나 부정하는 대상임을 나타내는 조사.

  Pas d'expression équivalente

  Particule indiquant l'objet d'un changement ou d'une négation.

- 안 (adverbe) : 부정이나 반대의 뜻을 나타내는 말.

  Pas d'expression équivalente

  Terme désignant une négation ou une opposition.

- 되다 (verbe) : 어떠한 심리적인 상태에 있다.

  Pas d'expression équivalente

  Se trouver dans un certain état psychologique.

• -는 : 앞의 말이 관형어의 기능을 하게 만들고 사건이나 동작이 현재 일어남을 나타내는 어미.

Pas d'expression équivalente

Terminaison attribuant la fonction de déterminant à la proposition précédente, et pour indiquer que la situation ou l'action en question se réalise au présent.

• **부분 (nom)** : 전체를 이루고 있는 작은 범위. 또는 전체를 여러 개로 나눈 것 가운데 하나.

partie

Une des petites portions qui constituent un ensemble ; une des divisions d'un tout.

• 이 : 어떤 상태나 상황의 대상이나 동작의 주체를 나타내는 조사.

Pas d'expression équivalente

Particule qui indique l'objet d'un état ou d'une situation, ou le sujet d'une action.

• **있다 (adjectif)** : 사실이나 현상이 존재하다.

(adj.) il y a, (y) avoir

(Fait ou phénomène) Qui existe.

• -으면 : 뒤에 오는 말에 대한 근거나 조건이 됨을 나타내는 연결 어미.

Pas d'expression équivalente

Terminaison connective indiquant une chose qui constitue le fondement ou la condition des propos suivants.

• **편하다 (adjectif)** : 몸이나 마음이 괴롭지 않고 좋다.

confortable, (adj.) à l'aise

(Corps, cœur) Qui n'est pas peiné mais en paix.

• -게 : 앞의 말이 뒤에서 가리키는 일의 목적이나 결과, 방식, 정도 등이 됨을 나타내는 연결 어미.

Pas d'expression équivalente

Terminaison connective indiquant que les propos précédents constituent l'objectif, le résultat, la méthode ou le degré des propos qui suivent.

• **얘기하다 (verbe)** : 어떠한 사실이나 상태, 현상, 경험, 생각 등에 관해 누군가에게 말을 하다.

raconter, conter, dire, parler

Transmettre par la parole à quelqu'un une information portant sur un fait, un état, un phénomène, une expérience, une pensée, etc.

• -세요 : (두루높임으로) 설명, 의문, 명령, 요청의 뜻을 나타내는 종결 어미.

Pas d'expression équivalente

(forme honorifique non formelle) Terminaison finale pour indiquer une explication, une interrogation, un ordre ou une demande. <ordre>

< 대화(conversation) > - 91

어디 아프니? 안색이 안 좋아 보여.
어디 아프니? 안새기 안 조아 보여.
어디 아프니? 안색이 안 좋아 보여.

배가 고파서 빵을 급하게 먹었더니 체한 것 같아요.
배가 고파서 빵을 그파게 머걷떠니 체한 걷 가타요.
baega gopaseo ppangeul geupage meogeotdeoni chehan geot gatayo.

< 설명(explication) / 번역(traduction) >

어디 아프+니?

안색+이 안 좋+[아 보이]+어.
　　　　　　좋아 보여

- 어디 (pronom) : 모르는 곳을 가리키는 말.
  Pas d'expression équivalente
  Terme désignant un lieu inconnu.

- 아프다 (adjectif) : 다치거나 병이 생겨 통증이나 괴로움을 느끼다.
  malade
  Ressentir une douleur ou une souffrance en étant blessé ou ayant contracté une maladie.

- -니 : (아주낮춤으로) 물음을 나타내는 종결 어미.
  Pas d'expression équivalente
  (forme non honorifique très marquée) Terminaison finale indiquant une interrogation.

- 안색 (nom) : 얼굴에 나타나는 표정이나 빛깔.
  mine
  Expression ou teint du visage.

- 이 : 어떤 상태나 상황의 대상이나 동작의 주체를 나타내는 조사.
  Pas d'expression équivalente
  Particule qui indique l'objet d'un état ou d'une situation, ou le sujet d'une action.

• **안** (adverbe) : 부정이나 반대의 뜻을 나타내는 말.
Pas d'expression équivalente
Terme désignant une négation ou une opposition.

• **좋다** (adjectif) : 신체적 조건이나 건강 상태 등이 보통보다 낫다.
bon
(Condition physique ou état de santé) Meilleur que la moyenne.

• **-아 보이다** : 겉으로 볼 때 앞의 말이 나타내는 것처럼 느껴지거나 추측됨을 나타내는 표현.
Pas d'expression équivalente
Expression indiquant le fait de ressentir ce qui est exprimé par les propos précédents ou de supposer ce sentiment en apparence.

• **-어** : (두루낮춤으로) 어떤 사실을 서술하거나 물음, 명령, 권유를 나타내는 종결 어미.
Pas d'expression équivalente
(forme non honorifique non formelle) Terminaison finale pour décrire un fait ou pour indiquer une question, un ordre, ou une recommandation. **<description>**

배+가 고파(고프)+아서 빵+을 급하+게 먹+었더니 체하+[ㄴ 것 같]+아요.
 고파서 **체한 것 같아요**

• **배** (nom) : 사람이나 동물의 몸에서 음식을 소화시키는 위장, 창자 등의 내장이 있는 곳.
ventre, abdomen
Dans le corps humain ou animal, lieu où se trouvent des viscères comme l'estomac, les intestins, etc. assurant la digestion des aliments.

• **가** : 어떤 상태나 상황에 놓인 대상이나 동작의 주체를 나타내는 조사.
Pas d'expression équivalente
Particule indiquant l'objet d'un état ou d'une situation, ou le sujet d'une action.

• **고프다** (adjectif) : 뱃속이 비어 음식을 먹고 싶다.
(adj.) faim
Qui a le ventre vide, et a envie de manger.

• **-아서** : 이유나 근거를 나타내는 연결 어미.
Pas d'expression équivalente
Terminaison connective indiquant la raison ou la base.

• **빵** (nom) : 밀가루를 반죽하여 발효시켜 찌거나 구운 음식.
pain
Aliment préparé à base de pâte de farine fermentée, et cuite à la vapeur ou au four.

• 을 : 동작이 직접적으로 영향을 미치는 대상을 나타내는 조사.
  Pas d'expression équivalente
  Particule indiquant un objet directement influencé par un acte.

• **급하다 (adjectif)** : 시간적 여유 없이 일을 서둘러 매우 빠르다.
  précipité, hâtif, accéléré
  Qui précipite les choses sans avoir suffisamment de temps, de sorte que l'on est très rapide.

• **-게** : 앞의 말이 뒤에서 가리키는 일의 목적이나 결과, 방식, 정도 등이 됨을 나타내는 연결 어미.
  Pas d'expression équivalente
  Terminaison connective indiquant que les propos précédents constituent l'objectif, le résultat, la méthode ou le degré des propos qui suivent.

• **먹다 (verbe)** : 음식 등을 입을 통하여 배 속에 들여보내다.
  manger, prendre
  Mettre de la nourriture dans sa bouche et l'avaler.

• **-었더니** : 과거의 사실이나 상황이 뒤에 오는 말의 원인이나 이유가 됨을 나타내는 표현.
  Pas d'expression équivalente
  Expression indiquant qu'un fait ou situation passé constitue la cause ou la raison des propos suivants.

• **체하다 (verbe)** : 먹은 음식이 잘 소화되지 않아 배 속에 답답하게 남아 있다.
  avoir une indigestion
  (Aliment pris) Rester dans l'estomac de manière gênante en raison d'un problème de digestion.

• **-ㄴ 것 같다** : 추측을 나타내는 표현.
  Pas d'expression équivalente
  Expression exprimant la supposition.

• **-아요** : (두루높임으로) 어떤 사실을 서술하거나 질문, 명령, 권유함을 나타내는 종결 어미.
  Pas d'expression équivalente
  (forme honorifique non formelle) Terminaison finale pour décrire un fait ou pour indiquer une question, un ordre ou une recommandation. <description>

< 대화(conversation) > - 92

배가 좀 아픈데 우리 잠깐 쉬었다 가자.
배가 좀 아픈데 우리 잠깐 쉬얻따 가자.
baega jom apeunde uri jamkkan swieotda gaja.

음식을 먹은 다음에 바로 운동을 해서 그런가 보다.
음시글 머근 다으메 바로 운동을 해서 그런가 보다.
eumsigeul meogeun daeume baro undongeul haeseo geureonga boda.

< 설명(explication) / 번역(traduction) >

배+가 좀 <u>아프+ㄴ데</u> 우리 잠깐 쉬+었+다 가+자.
아픈데

• 배 (nom) : 사람이나 동물의 몸에서 음식을 소화시키는 위장, 창자 등의 내장이 있는 곳.
ventre, abdomen
Dans le corps humain ou animal, lieu où se trouvent des viscères comme l'estomac, les intestins, etc. assurant la digestion des aliments.

• 가 : 어떤 상태나 상황에 놓인 대상이나 동작의 주체를 나타내는 조사.
Pas d'expression équivalente
Particule indiquant l'objet d'un état ou d'une situation, ou le sujet d'une action.

• 좀 (adverbe) : 분량이나 정도가 적게.
peu, guère, quelques, légèrement
(Quantité ou degré) Petitement.

• 아프다 (adjectif) : 다치거나 병이 생겨 통증이나 괴로움을 느끼다.
malade
Ressentir une douleur ou une souffrance en étant blessé ou ayant contracté une maladie.

• -ㄴ데 : 뒤의 말을 하기 위하여 그 대상과 관련이 있는 상황을 미리 말함을 나타내는 연결 어미.
Pas d'expression équivalente
Terminaison connective indiquant qu'afin de formuler les propos suivants, le locuteur parle à l'avance d'une situation en rapport avec l'objet de ces propos.

• **우리 (pronom)** : 말하는 사람이 자기와 듣는 사람 또는 이를 포함한 여러 사람들을 가리키는 말.
nous, (pro.) notre (problème), nos
Terme employé par le locuteur pour désigner soi-même et son interlocuteur ou de nombreuses personnes y compris ces deux derniers.

• **잠깐 (adverbe)** : 아주 짧은 시간 동안에.
(adv.) un instant
Pendant un temps très court.

• **쉬다 (verbe)** : 피로를 없애기 위해 몸을 편안하게 하다.
(se) reposer, se délasser, prendre du repos, faire une pause, se relaxer, se décontracter
Se détendre pour se débarrasser de la fatigue.

• **-었-** : 어떤 사건이 과거에 완료되었거나 그 사건의 결과가 현재까지 지속되는 상황을 나타내는 어미.
Pas d'expression équivalente
Terminaison indiquant une situation où un évènement a été accompli dans le passé ou que le résultat de cet évènement se poursuit jusqu'à présent.

• **-다** : 어떤 행동이나 상태 등이 중단되고 다른 행동이나 상태로 바뀜을 나타내는 연결 어미.
Pas d'expression équivalente
Terminaison connective indiquant que l'action, l'état, etc., du sujet prend fin et se transforme en une autre action ou en un autre état.

• **가다 (verbe)** : 한 곳에서 다른 곳으로 장소를 이동하다.
aller, se rendre, s'en aller, passer, partir
Se déplacer d'un endroit à un autre.

• **-자** : (아주낮춤으로) 어떤 행동을 함께 하자는 뜻을 나타내는 종결 어미.
Pas d'expression équivalente
(forme non honorifique très marquée) Terminaison finale pour proposer de faire quelque chose avec le locuteur.

음식+을 먹+[은 다음에] 바로 운동+을 하+여서 그렇(그러)+[ㄴ가 보]+다.
해서   그런가 보다

• **음식 (nom)** : 사람이 먹거나 마시는 모든 것.
le boire et le manger
Tout ce que l'on mange et boit.

• **을** : 동작이 직접적으로 영향을 미치는 대상을 나타내는 조사.
Pas d'expression équivalente
Particule indiquant un objet directement influencé par un acte.

- **먹다 (verbe)** : 음식 등을 입을 통하여 배 속에 들여보내다.
  manger, prendre
  Mettre de la nourriture dans sa bouche et l'avaler.

- **-은 다음에** : 앞에 오는 말이 가리키는 일이나 과정이 끝난 뒤임을 나타내는 표현.
  Pas d'expression équivalente
  Expression indiquant que la chose ou le processus indiqué(e) dans la proposition précédente est terminé(e).

- **바로 (adverbe)** : 시간 차를 두지 않고 곧장.
  directement, sans délai, sur le champ
  Sans attendre et immédiatement.

- **운동 (nom)** : 몸을 단련하거나 건강을 위하여 몸을 움직이는 일.
  exercice, exercice physique
  Action de bouger le corps pour s'entraîner physiquement ou améliorer sa santé.

- **을** : 동작이 직접적으로 영향을 미치는 대상을 나타내는 조사.
  Pas d'expression équivalente
  Particule indiquant un objet directement influencé par un acte.

- **하다 (verbe)** : 어떤 행동이나 동작, 활동 등을 행하다.
  faire, exécuter, effectuer, s'occuper de
  Effectuer une action, un mouvement, une activité, etc.

- **-여서** : 이유나 근거를 나타내는 연결 어미.
  Pas d'expression équivalente
  Terminaison connective indiquant la raison ou la base.

- **그렇다 (adjectif)** : 상태, 모양, 성질 등이 그와 같다.
  ainsi
  Semblable à l'état, à la forme, à la nature, etc. de quelque chose.

- **-ㄴ가 보다** : 앞의 말이 나타내는 사실을 추측함을 나타내는 표현.
  Pas d'expression équivalente
  Expression indiquant qu'il s'agit d'une supposition à propos du fait mentionné précédemment.

- **-다** : (아주낮춤으로) 어떤 사건이나 사실, 상태를 서술함을 나타내는 종결 어미.
  Pas d'expression équivalente
  (forme non honorifique très marquée) Terminaison finale employée pour décrire un événement, un fait ou un état.

< 대화(conversation) > - 93

우리 저기 보이는 카페에 가서 같이 커피 마실까요?
우리 저기 보이는 카페에 가서 가치 커피 마실까요?
uri jeogi boineun kapee gaseo gachi keopi masilkkayo?

좋아요. 오늘은 제가 살게요.
조아요. 오느른 제가 살께요.
joayo. oneureun jega salgeyo.

< 설명(explication) / 번역(traduction) >

우리 저기 보이+는 카페+에 <u>가+(아)서</u> 같이 커피 <u>마시+ㄹ까요</u>?
가서   마실까요

• **우리 (pronom)** : 말하는 사람이 자기와 듣는 사람 또는 이를 포함한 여러 사람들을 가리키는 말.
  nous, (pro.) notre (problème), nos
  Terme employé par le locuteur pour désigner soi-même et son interlocuteur ou de nombreuses personnes y compris ces deux derniers.

• **저기 (pronom)** : 말하는 사람이나 듣는 사람으로부터 멀리 떨어져 있는 곳을 가리키는 말.
  là-bas, cet endroit-là
  Terme désignant un lieu qui est éloigné du locuteur ou de l'interlocuteur.

• **보이다 (verbe)** : 눈으로 대상의 존재나 겉모습을 알게 되다.
  se montrer, apparaître, paraître, se voir, se faire voir, se présenter aux yeux, tomber sous les yeux, entrer dans le champ visuel
  (Existence ou apparence d'un objet) Être aperçu avec les yeux.

• **-는** : 앞의 말이 관형어의 기능을 하게 만들고 사건이나 동작이 현재 일어남을 나타내는 어미.
  Pas d'expression équivalente
  Terminaison attribuant la fonction de déterminant à la proposition précédente, et pour indiquer que la situation ou l'action en question se réalise au présent.

• **카페 (nom)** : 주로 커피와 차, 가벼운 간식거리 등을 파는 가게.
  café
  Établissement où l'on vend principalement du café, du thé, des en-cas, etc.

•에 : 앞말이 목적지이거나 어떤 행위의 진행 방향임을 나타내는 조사.

à, en, sur, dans

Particule indiquant que la proposition précédente (en coréen) est la destination ou la direction de progression d'une action.

•가다 (verbe) : 한 곳에서 다른 곳으로 장소를 이동하다.

aller, se rendre, s'en aller, passer, partir

Se déplacer d'un endroit à un autre.

•-아서 : 앞의 말과 뒤의 말이 순차적으로 일어남을 나타내는 연결 어미.

Pas d'expression équivalente

Terminaison connective indiquant que les propos précédents et les propos suivants se succèdent.

•같이 (adverbe) : 둘 이상이 함께.

ensemble

Avec deux ou plusieurs personnes.

•커피 (nom) : 독특한 향기가 나고 카페인이 들어 있으며 약간 쓴, 커피나무의 열매로 만든 진한 갈색의 차.

café

Boisson un peu amère brun foncé à base de fèves de caféier, émettant un parfum singulier et contenant de la caféine.

•마시다 (verbe) : 물 등의 액체를 목구멍으로 넘어가게 하다.

boire, prendre une boisson

Absorber un liquide tel que de l'eau par la gorge.

•-ㄹ까요 : (두루높임으로) 듣는 사람에게 의견을 묻거나 제안함을 나타내는 표현.

Pas d'expression équivalente

(forme honorifique non formelle) Expression pour demander l'avis de son interlocuteur ou pour lui faire une proposition.

좋+아요.

오늘+은 제+가 사+ㄹ게요.
　　　　　　　　살게요

•좋다 (adjectif) : 어떤 일이나 대상이 마음에 들고 만족스럽다.

bon

(Travail ou objet) Qui nous plaît et qui est satisfaisant.

- 309 -

• -아요 : (두루높임으로) 어떤 사실을 서술하거나 질문, 명령, 권유함을 나타내는 종결 어미.
  Pas d'expression équivalente
  (forme honorifique non formelle) Terminaison finale pour décrire un fait ou pour indiquer une question, un ordre ou une recommandation. <description>

• **오늘 (nom)** : 지금 지나가고 있는 이날.
  aujourd'hui, ce jour
  Jour qui est en train de passer.

• **은** : 어떤 대상이 다른 것과 대조됨을 나타내는 조사.
  Pas d'expression équivalente
  Particule indiquant qu'un objet contraste avec un autre.

• **제 (pronom)** : 말하는 사람이 자신을 낮추어 가리키는 말인 '저'에 조사 '가'가 붙을 때의 형태.
  Pas d'expression équivalente
  Forme issue de l'ajout de la particule '가' au terme '저', utilisé par le locuteur qui se désigne lui-même en s'abaissant.

• **가** : 어떤 상태나 상황에 놓인 대상이나 동작의 주체를 나타내는 조사.
  Pas d'expression équivalente
  Particule indiquant l'objet d'un état ou d'une situation, ou le sujet d'une action.

• **사다 (verbe)** : 다른 사람과 함께 먹은 음식의 값을 치르다.
  payer, inviter
  Payer le prix total d'un repas partagé avec quelqu'un.

• -ㄹ게요 : (두루높임으로) 말하는 사람이 어떤 행동을 할 것을 듣는 사람에게 약속하거나 의지를 나타내는 표현.
  Pas d'expression équivalente
  (forme honorifique non formelle) Expression indiquant que le locuteur promet à son interlocuteur de faire une action ou lui montre sa volonté de le faire.

< 대화(conversation) > - 94

어떻게 공부를 했길래 하나도 안 틀렸어요?
어떠케 공부를 핻낄래 하나도 안 틀려써요?
eotteoke gongbureul haetgillae hanado an teullyeosseoyo?

전 그저 학교에서 배운 것을 빠짐없이 복습했을 뿐이에요.
전 그저 학꾜에서 배운 거슬 빠짐업씨 복쓰패쓸 뿌니에요.
jeon geujeo hakgyoeseo baeun geoseul ppajimeopsi bokseupaesseul ppunieyo.

< 설명(explication) / 번역(traduction) >

어떻게 공부+를 <u>하+였+길래</u> 하나+도 안 <u>틀리+었+어요</u>?
                   했길래   틀렸어요

- **어떻게 (adverbe)** : 어떤 방법으로. 또는 어떤 방식으로.
  comment
  Par quel moyen ; de quelle manière.

- **공부 (nom)** : 학문이나 기술을 배워서 지식을 얻음.
  étude, travail
  Fait d'acquérir des connaissances par l'apprentissage des sciences ou des techniques.

- **를** : 동작이 직접적으로 영향을 미치는 대상을 나타내는 조사.
  Pas d'expression équivalente
  Particule indiquant un objet directement influencé par un mouvement.

- **하다 (verbe)** : 어떤 행동이나 동작, 활동 등을 행하다.
  faire, exécuter, effectuer, s'occuper de
  Effectuer une action, un mouvement, une activité, etc.

- **-였-** : 어떤 사건이 과거에 완료되었거나 그 사건의 결과가 현재까지 지속되는 상황을 나타내는 어미.
  Pas d'expression équivalente
  Terminaison indiquant qu'un évènement a été accompli dans le passé ou que le résultat de cet évènement perdure jusqu'à présent.

- **-길래** : 뒤에 오는 말의 원인이나 근거를 나타내는 연결 어미.
  Pas d'expression équivalente
  Terminaison connective pour indiquer une cause ou un fondement de la proposition suivante.

- **하나 (nom)** : 전혀, 조금도.
  Pas d'expression équivalente
  Aucunement, pas un(e).

- **도** : 극단적인 경우를 들어 다른 경우는 말할 것도 없음을 나타내는 조사.
  Pas d'expression équivalente
  Particule indiquant qu'il ne sert à rien de considérer tout autre cas en évoquant une situation extrême.

- **안 (adverbe)** : 부정이나 반대의 뜻을 나타내는 말.
  Pas d'expression équivalente
  Terme désignant une négation ou une opposition.

- **틀리다 (verbe)** : 계산이나 답, 사실 등이 맞지 않다.
  être faux
  (Calcul, réponse, fait, etc.) Être incorrect.

- **-었-** : 어떤 사건이 과거에 완료되었거나 그 사건의 결과가 현재까지 지속되는 상황을 나타내는 어미.
  Pas d'expression équivalente
  Terminaison indiquant une situation où un évènement a été accompli dans le passé ou que le résultat de cet évènement se poursuit jusqu'à présent.

- **-어요** : (두루높임으로) 어떤 사실을 서술하거나 질문, 명령, 권유함을 나타내는 종결 어미.
  Pas d'expression équivalente
  (forme honorifique non formelle) Terminaison finale pour décrire un fait ou pour indiquer une question, un ordre ou une recommandation. <question>

저+는 그저 학교+에서 배우+[ㄴ 것]+을 빠짐없이 복습하+였+[을 뿐이]+에요.
전   배운 것을   복습했을 뿐이에요

- **저 (pronom)** : 말하는 사람이 듣는 사람에게 자신을 낮추어 가리키는 말.
  moi, je
  Terme utilisé par le locuteur pour se désigner en s'abaissant.

- **는** : 문장 속에서 어떤 대상이 화제임을 나타내는 조사.
  Pas d'expression équivalente
  Particule indiquant qu'un objet est le principal sujet d'une phrase.

• 그저 (adverbe) : 다른 일은 하지 않고 그냥.
seul, seulement, simplement, fortuitement, par hasard, en passant
Sans rien changer, sans faire autre chose.

• 학교 (nom) : 일정한 목적, 교과 과정, 제도 등에 의하여 교사가 학생을 가르치는 기관.
école, établissement scolaire, établissement d'enseignement, école primaire, collège, lycée, université, institution
Organisme dans lequel des enseignants instruisent des élèves selon un certain objectif, un certain programme d'enseignement, un certain système, etc.

• 에서 : 앞말이 행동이 이루어지고 있는 장소임을 나타내는 조사.
à, dans, en, chez
Particule indiquant que la proposition précédente est le lieu où se passe une action.

• 배우다 (verbe) : 새로운 지식을 얻다.
apprendre, étudier, s'initer à, s'instruire
Acquérir une nouvelle connaissance.

• -ㄴ 것 : 명사가 아닌 것을 문장에서 명사처럼 쓰이게 하거나 '이다' 앞에 쓰일 수 있게 할 때 쓰는 표현.
Pas d'expression équivalente
Expression permettant à un mot qui n'est pas un nom d'être utilisé comme tel, ou d'être utilisé devant '이다'.

• 을 : 동작이 직접적으로 영향을 미치는 대상을 나타내는 조사.
Pas d'expression équivalente
Particule indiquant un objet directement influencé par un acte.

• 빠짐없이 (adverbe) : 하나도 빠뜨리지 않고 다.
sans faute, sans exception, sans rien omettre
Tout(s), sans rien oublier.

• 복습하다 (verbe) : 배운 것을 다시 공부하다.
répéter, repasser, faire des révisions, revoir, réviser
Apprendre à nouveau ce que l'on a appris.

• -였- : 어떤 사건이 과거에 완료되었거나 그 사건의 결과가 현재까지 지속되는 상황을 나타내는 어미.
Pas d'expression équivalente
Terminaison indiquant qu'un évènement a été accompli dans le passé ou que le résultat de cet évènement perdure jusqu'à présent.

• -을 뿐이다 : 앞에 오는 말이 나타내는 상태나 상황 이외에 다른 어떤 것도 없음을 나타내는 표현.
Pas d'expression équivalente
Expression indiquant qu'il n'y a aucune autre possibilité en dehors de l'état ou de la situation exprimé par la proposition précédente.

• -에요 : (두루높임으로) 어떤 사실을 서술하거나 질문함을 나타내는 종결 어미.
Pas d'expression équivalente
(forme honorifique non formelle) Terminaison finale pour décrire un fait ou pour indiquer une question. <description>

< 대화(conversation) > - 95

듣기 좋은 노래 좀 추천해 주세요.
듣끼 조은 노래 좀 추천해 주세요.
deutgi joeun norae jom chucheonhae juseyo.

신나는 노래 위주로 듣는다면 이건 어때요?
신나는 조용한 노래 위주로 든는다면 이건 어때요?
sinnaneun norae wijuro deunneundamyeon igeon eottaeyo?

< 설명(explication) / 번역(traduction) >

듣+기 좋+은 노래 좀 <u>추천하+[여 주]</u>+세요.
추천해 주세요

- 듣다 (verbe) : 귀로 소리를 알아차리다.
  entendre, écouter, ouïr
  Reconnaître un son par l'ouïe.

- -기 : 앞의 말이 명사의 기능을 하게 하는 어미.
  Pas d'expression équivalente
  Terminaison attribuant la fonction de nom à la proposition précédente.

- 좋다 (adjectif) : 어떤 것의 성질이나 내용 등이 훌륭하여 만족할 만하다.
  bon
  (Nature ou contenu de quelque chose) Excellent et donc satisfaisant.

- -은 : 앞의 말이 관형어의 기능을 하게 만들고 현재의 상태를 나타내는 어미.
  Pas d'expression équivalente
  Terminaison faisant fonctionner le mot précédent comme un déterminant et exprimant l'état présent.

- 노래 (nom) : 운율에 맞게 지은 가사에 곡을 붙인 음악. 또는 그런 음악을 소리 내어 부름.
  chant, chanson
  Musique composée sur des paroles écrites en vers ; fait de chanter une telle musique à haute voix.

• **좀 (adverbe)** : 주로 부탁이나 동의를 구할 때 부드러운 느낌을 주기 위해 넣는 말.
s'il vous plaît, s'il te plaît
Terme utilisé pour demander quelque chose à quelqu'un gentiment ou pour en obtenir un accord.

• **추천하다 (verbe)** : 어떤 조건에 알맞은 사람이나 물건을 책임지고 소개하다.
recommander
Présenter quelqu'un ou quelque chose répondant à certaines conditions en assumant la responsabilité.

• **-여 주다** : 남을 위해 앞의 말이 나타내는 행동을 함을 나타내는 표현.
Pas d'expression équivalente
Expression indiquant le fait d'effectuer l'action exprimée par les propos précédents pour autrui.

• **-세요** : (두루높임으로) 설명, 의문, 명령, 요청의 뜻을 나타내는 종결 어미.
Pas d'expression équivalente
(forme honorifique non formelle) Terminaison finale pour indiquer une explication, une interrogation, un ordre ou une demande. <demande>

신나+는 노래 위주+로 듣+는다면 이것(이거)+은 어떻+어요?
이건   어때요

• **신나다 (verbe)** : 흥이 나고 기분이 아주 좋아지다.
être excité, être enthousiasmé, s'enthousiasmer, être joyeux, se passionner pour
Être vivement intéressé et plein d'allant.

• **-는** : 앞의 말이 관형어의 기능을 하게 만들고 사건이나 동작이 현재 일어남을 나타내는 어미.
Pas d'expression équivalente
Terminaison attribuant la fonction de déterminant à la proposition précédente, et pour indiquer que la situation ou l'action en question se réalise au présent.

• **노래 (nom)** : 운율에 맞게 지은 가사에 곡을 붙인 음악. 또는 그런 음악을 소리 내어 부름.
chant, chanson
Musique composée sur des paroles écrites en vers ; fait de chanter une telle musique à haute voix.

• **위주 (nom)** : 무엇을 가장 중요한 것으로 삼음.
principal
Fait de considérer une chose comme la plus importante.

· 로 : 어떤 일의 방법이나 방식을 나타내는 조사.

par, à

Particule indiquant la méthode ou la manière de faire quelque chose.

· 듣다 (verbe) : 귀로 소리를 알아차리다.

entendre, écouter, ouïr

Reconnaître un son par l'ouïe.

· -는다면 : 어떠한 사실이나 상황을 가정하는 뜻을 나타내는 연결 어미.

Pas d'expression équivalente

Terminaison connective signifiant le fait de supposer un fait ou une situation.

· 이것 (pronom) : 말하는 사람에게 가까이 있거나 말하는 사람이 생각하고 있는 것을 가리키는 말.

ce, ceci, cela, celui (celle, ceux, celles)-ci

Terme indiquant ce que pense une personne se trouvant près du locuteur ou le locuteur lui-même.

· 은 : 문장 속에서 어떤 대상이 화제임을 나타내는 조사.

Pas d'expression équivalente

Particule indiquant qu'un objet est le principal sujet (de conversation) d'une phrase.

· 어떻다 (adjectif) : 생각, 느낌, 상태, 형편 등이 어찌 되어 있다.

Pas d'expression équivalente

(Pensée, sentiment, état, situation, etc.) Qui est comme ceci ou comme cela.

· -어요 : (두루높임으로) 어떤 사실을 서술하거나 질문, 명령, 권유함을 나타내는 종결 어미.

Pas d'expression équivalente

(forme honorifique non formelle) Terminaison finale pour décrire un fait ou pour indiquer une question, un ordre ou une recommandation. **<question>**

< 대화(conversation) > - 96

너 모자를 새로 샀구나. 잘 어울린다.
너 모자를 새로 삳꾸나. 잘 어울린다.
neo mojareul saero satguna. jal eoullinda.

고마워. 가게에서 보자마자 마음에 들어서 바로 사 버렸지.
고마워. 가게에서 보자마자 마으메 드러서 바로 사 버렫찌.
gomawo. gageeseo bojamaja maeume deureoseo baro sa beoryeotji.

< 설명(explication) / 번역(traduction) >

너 모자+를 새로 <u>사+았+구나</u>.
　　　　　　　샀구나

잘 <u>어울리+ㄴ다</u>.
　　어울린다

- 너 (pronom) : 듣는 사람이 친구나 아랫사람일 때, 그 사람을 가리키는 말.
  tu, toi
  Terme designant l'interlocuteur, quand celui-ci est un ami ou une personne de rang inférieur.

- 모자 (nom) : 예의를 차리거나 추위나 더위 등을 막기 위해 머리에 쓰는 물건.
  chapeau
  Objet porté sur la tête en signe de politesse, ou pour se protéger contre le froid, la chaleur, etc.

- 를 : 동작이 직접적으로 영향을 미치는 대상을 나타내는 조사.
  Pas d'expression équivalente
  Particule indiquant un objet directement influencé par un mouvement.

- 새로 (adverbe) : 전과 달리 새롭게. 또는 새것으로.
  de nouveau, nouvellement
  D'une nouvelle façon, différemment de ce qui existait auparavant ; de façon à remplacer quelque chose par un neuf.

• **사다 (verbe)** : 돈을 주고 어떤 물건이나 권리 등을 자기 것으로 만들다.

acheter

Donner de l'argent pour s'approprier un objet, un droit, etc.

• **-았-** : 어떤 사건이 과거에 완료되었거나 그 사건의 결과가 현재까지 지속되는 상황을 나타내는 어미.

Pas d'expression équivalente

Terminaison indiquant une situation où un évènement a eu lieu dans le passé ou que le résultat de cet évènement se poursuit jusqu'à présent.

• **-구나** : (아주낮춤으로) 새롭게 알게 된 사실에 어떤 느낌을 실어 말함을 나타내는 종결 어미.

Pas d'expression équivalente

(forme non honorifique très marquée) Terminaison finale pour parler avec un certain sentiment d'un fait nouveau dont on a pris connaissance.

• **잘 (adverbe)** : 아주 멋지고 예쁘게.

magnifiquement

De manière formidable et belle.

• **어울리다 (verbe)** : 자연스럽게 서로 조화를 이루다.

s'harmoniser, être en harmonie avec, être en accord avec, s'accorder avec, être bien assorti, s'assortir à, aller bien à

Être en accord naturellement.

• **-ㄴ다** : (아주낮춤으로) 현재 사건이나 사실을 서술함을 나타내는 종결 어미.

Pas d'expression équivalente

(forme non honorifique très marquée) Terminaison finale pour décrire un évènement ou un fait présent.

고맙(고마우)+어.
고마워

가게+에서 보+자마자 [마음에 들]+어서 바로 사+[(아) 버리]+었+지.
사 버렸지

• **고맙다 (adjectif)** : 남이 자신을 위해 무엇을 해주어서 마음이 흐뭇하고 보답하고 싶다.

reconnaissant

Être touché par l'action que quelqu'un nous porte et avoir envie de faire de même.

• -어 : (두루낮춤으로) 어떤 사실을 서술하거나 물음, 명령, 권유를 나타내는 종결 어미.

Pas d'expression équivalente

(forme non honorifique non formelle) Terminaison finale pour décrire un fait ou pour indiquer une question, un ordre, ou une recommandation. <description>

• 가게 (nom) : 작은 규모로 물건을 펼쳐 놓고 파는 집.

boutique, magasin, échoppe, petit commerce

Point de vente où on étale et vend des marchandises en petite quantité.

• 에서 : 앞말이 어떤 일의 출처임을 나타내는 조사.

de, en provenance de

Particule qui indique que la proposition précédente est la source de quelque chose.

• 보다 (verbe) : 눈으로 대상의 존재나 겉모습을 알다.

voir, regarder, distinguer, apercevoir, percevoir, remarquer, repérer, constater

Reconnaître visuellement l'existence, l'apparence d'un objet.

• -자마자 : 앞의 말이 나타내는 사건이나 상황이 일어나고 곧바로 뒤의 말이 나타내는 사건이나 상황이 일어남을 나타내는 연결 어미.

Pas d'expression équivalente

Terminaison connective pour indiquer que l'incident ou la situation de la proposition suivante arrive aussitôt après l'incident ou la situation de la proposition précédente.

• 마음에 들다 (phrase idiomatique) : 자신의 느낌이나 생각과 맞아 좋게 느껴지다.

plaire

Être en accord avec ses sentiments ou à sa pensée et le considérer donc comme bon.

• -어서 : 이유나 근거를 나타내는 연결 어미.

Pas d'expression équivalente

Terminaison connective indiquant une raison ou une base.

• 바로 (adverbe) : 시간 차를 두지 않고 곧장.

directement, sans délai, sur le champ

Sans attendre et immédiatement.

• 사다 (verbe) : 돈을 주고 어떤 물건이나 권리 등을 자기 것으로 만들다.

acheter

Donner de l'argent pour s'approprier un objet, un droit, etc.

• -아 버리다 : 앞의 말이 나타내는 행동이 완전히 끝났음을 나타내는 표현.

Pas d'expression équivalente

Expression indiquant qu'une action exprimée par les propos précédents s'est complètement terminée.

- -었- : 어떤 사건이 과거에 완료되었거나 그 사건의 결과가 현재까지 지속되는 상황을 나타내는 어미.

Pas d'expression équivalente

Terminaison indiquant une situation où un évènement a été accompli dans le passé ou que le résultat de cet évènement se poursuit jusqu'à présent.

- -지 : (두루낮춤으로) 말하는 사람이 자신에 대한 이야기나 자신의 생각을 친근하게 말할 때 쓰는 종결 어미.

Pas d'expression équivalente

(forme non honorifique non formelle) Terminaison finale utilisée par le locuteur pour parler d'une chose qui le concerne, ou pour affirmer sa pensée sur un ton familier.

< 대화(conversation) > - 97

엄마, 약속 시간에 늦어서 밥 먹을 시간 없어요.
엄마, 약쏙 시가네 느저서 밥 머글 시간 업써요.
eomma, yaksok sigane neujeoseo bap meogeul sigan eopseoyo.

조금 늦더라도 밥은 먹고 가야지.
조금 늗떠라도 바븐 먹꼬 가야지.
jogeum neutdeorado babeun meokgo gayaji.

< 설명(explication) / 번역(traduction) >

엄마, 약속 시간+에 늦+어서 밥 먹+을 시간 없+어요.

- **엄마 (nom)** : 격식을 갖추지 않아도 되는 상황에서 어머니를 이르거나 부르는 말.
  maman
  Terme pour désigner ou s'adresser à sa mère dans une situation informelle.

- **약속 (nom)** : 다른 사람과 어떤 일을 하기로 미리 정함. 또는 그렇게 정한 내용.
  promesse, parole, engagement, serment
  Fait de fixer à l'avance de faire quelque chose avec quelqu'un ; contenu ainsi fixé.

- **시간 (nom)** : 어떤 일을 하도록 정해진 때. 또는 하루 중의 어느 한 때.
  heure, moment, instant
  Moment fixé pour faire quelque chose ; un certain moment de la journée.

- **에** : 앞말이 시간이나 때임을 나타내는 조사.
  à, en
  Particule indiquant que la proposition précédente (en coréen) est l'heure ou le moment.

- **늦다 (verbe)** : 정해진 때보다 지나다.
  être tard, se faire tard
  Passer le moment fixé.

- **-어서** : 이유나 근거를 나타내는 연결 어미.
  Pas d'expression équivalente
  Terminaison connective indiquant une raison ou une base.

- **밥 (nom)** : 매일 일정한 때에 먹는 음식.
  repas
  Plat mangé à heure fixe chaque jour.

- **먹다 (verbe)** : 음식 등을 입을 통하여 배 속에 들여보내다.
  manger, prendre
  Mettre de la nourriture dans sa bouche et l'avaler.

- **-을** : 앞의 말이 관형어의 기능을 하게 만들고 추측, 예정, 의지, 가능성 등을 나타내는 어미.
  Pas d'expression équivalente
  Terminaison verbale adjectivant l'expression précédente, et utilisée pour indiquer une supposition, une prévision, une intention, une possibilité, etc.

- **시간 (nom)** : 어떤 일을 할 여유.
  temps, heure, moment
  Temps disponible pour faire quelque chose.

- **없다 (adjectif)** : 어떤 사실이나 현상이 현실로 존재하지 않는 상태이다.
  Pas d'expression équivalente
  (Certain fait ou certain phénomène) Qui n'existe pas réellement.

- **-어요** : (두루높임으로) 어떤 사실을 서술하거나 질문, 명령, 권유함을 나타내는 종결 어미.
  Pas d'expression équivalente
  (forme honorifique non formelle) Terminaison finale pour décrire un fait ou pour indiquer une question, un ordre ou une recommandation. <description>

조금 늦+더라도 밥+은 먹+고 <u>가+(아)야지</u>.
가야지

- **조금 (adverbe)** : 시간이 짧게.
  brièvement, instantanément, momentanément, dans un instant
  (Temps) Courtement.

- **늦다 (verbe)** : 정해진 때보다 지나다.
  être tard, se faire tard
  Passer le moment fixé.

- **-더라도** : 앞에 오는 말을 가정하거나 인정하지만 뒤에 오는 말에는 관계가 없거나 영향을 끼치지 않음을 나타내는 연결 어미.
  Pas d'expression équivalente
  Terminaison connective indiquant que bien que l'on suppose ou reconnaisse les propos précédents, ceux-ci n'ont aucun rapport ou n'exercent aucune influence sur les propos suivants.

• **밥 (nom)** : 매일 일정한 때에 먹는 음식.

repas

Plat mangé à heure fixe chaque jour.

• **은** : 강조의 뜻을 나타내는 조사.

Pas d'expression équivalente

Particule servant à insister.

• **먹다 (verbe)** : 음식 등을 입을 통하여 배 속에 들여보내다.

manger, prendre

Mettre de la nourriture dans sa bouche et l'avaler.

• **-고** : 앞의 말과 뒤의 말이 차례대로 일어남을 나타내는 연결 어미.

Pas d'expression équivalente

Terminaison connective indiquant que les propos précédents et les propos suivants se succèdent tour à tour.

• **가다 (verbe)** : 한 곳에서 다른 곳으로 장소를 이동하다.

aller, se rendre, s'en aller, passer, partir

Se déplacer d'un endroit à un autre.

• **-아야지** : (두루낮춤으로) 듣는 사람이나 다른 사람이 어떤 일을 해야 하거나 어떤 상태여야 함을 나타내는 종결 어미.

Pas d'expression équivalente

(forme non honorifique non formelle) Terminaison finale indiquant que l'interlocuteur ou une autre personne doit faire quelque chose ou doit se trouver dans un certain état.

< 대화(conversation) > - 98

너 오늘 많이 피곤해 보인다.
너 오늘 마니 피곤해 보인다.
neo oneul mani pigonhae boinda.

어제 늦게까지 술을 마셔 가지고 컨디션이 안 좋아.
어제 늗께까지 수를 마셔 가지고 컨디셔니 안 조아.
eoje neutgekkaji sureul masyeo gajigo keondisyeoni an joa.

< 설명(explication) / 번역(traduction) >

너 오늘 많이 피곤하+[여 보이]+ㄴ다.
피곤해 보인다

• 너 (pronom) : 듣는 사람이 친구나 아랫사람일 때, 그 사람을 가리키는 말.
tu, toi
Terme designant l'interlocuteur, quand celui-ci est un ami ou une personne de rang inférieur.

• 오늘 (adverbe) : 지금 지나가고 있는 이날에.
aujourd'hui
(adv.) Jour qui est en train de passer maintenant.

• 많이 (adverbe) : 수나 양, 정도 등이 일정한 기준보다 넘게.
beaucoup
(Nombre, quantité, degré, etc.) De manière à être au-delà d'un critère donné.

• 피곤하다 (adjectif) : 몸이나 마음이 지쳐서 힘들다.
fatigué, épuisé
Dont le corps ou l'esprit est exténué de façon à se sentir las.

• -여 보이다 : 겉으로 볼 때 앞의 말이 나타내는 것처럼 느껴지거나 추측됨을 나타내는 표현.
Pas d'expression équivalente
Expression indiquant le fait de ressentir ou supposer en apparence ce qui est exprimé par les propos précédents.

• -ㄴ다 : (아주낮춤으로) 현재 사건이나 사실을 서술함을 나타내는 종결 어미.
  Pas d'expression équivalente
  (forme non honorifique très marquée) Terminaison finale pour décrire un évènement ou un fait présent.

어제 늦+게+까지 술+을 <u>마시+[어 가지고]</u> 컨디션+이 안 좋+아.
마셔 가지고

• **어제 (adverbe)** : 오늘의 하루 전날에.
  hier
  Un jour avant aujourd'hui.

• **늦다 (adjectif)** : 적당한 때를 지나 있다. 또는 시기가 한창인 때를 지나 있다.
  tard
  Qui se situe après le moment convenable ; (période) qui se trouve après.

• **-게** : 앞의 말이 뒤에서 가리키는 일의 목적이나 결과, 방식, 정도 등이 됨을 나타내는 연결 어미.
  Pas d'expression équivalente
  Terminaison connective indiquant que les propos précédents constituent l'objectif, le résultat, la méthode ou le degré des propos qui suivent.

• **까지** : 어떤 범위의 끝임을 나타내는 조사.
  Pas d'expression équivalente
  Particule indiquant la limite d'un champ.

• **술 (nom)** : 맥주나 소주 등과 같이 알코올 성분이 들어 있어서 마시면 취하는 음료.
  alcool, boisson alcoolique, boisson alcoolisée
  Boisson qui contient une substance alcoolique et rend ivre, comme la bière, le soju, etc.

• **을** : 동작이 직접적으로 영향을 미치는 대상을 나타내는 조사.
  Pas d'expression équivalente
  Particule indiquant un objet directement influencé par un acte.

• **마시다 (verbe)** : 물 등의 액체를 목구멍으로 넘어가게 하다.
  boire, prendre une boisson
  Absorber un liquide tel que de l'eau par la gorge.

• **-어 가지고** : 앞의 말이 나타내는 행동이나 상태가 뒤의 말의 원인이나 이유임을 나타내는 표현.
  Pas d'expression équivalente
  Expression indiquant que l'action ou l'état de la proposition précédente constitue la cause ou la raison de la proposition suivante.

• **컨디션 (nom)** : 몸이나 건강, 마음 등의 상태.
  état
  État de corps, de santé, d'esprit, etc.

• 이 : 어떤 상태나 상황의 대상이나 동작의 주체를 나타내는 조사.
  Pas d'expression équivalente
  Particule qui indique l'objet d'un état ou d'une situation, ou le sujet d'une action.

• **안 (adverbe)** : 부정이나 반대의 뜻을 나타내는 말.
  Pas d'expression équivalente
  Terme désignant une négation ou une opposition.

• **좋다 (adjectif)** : 신체적 조건이나 건강 상태 등이 보통보다 낫다.
  bon
  (Condition physique ou état de santé) Meilleur que la moyenne.

• -아 : (두루낮춤으로) 어떤 사실을 서술하거나 물음, 명령, 권유를 나타내는 종결 어미.
  Pas d'expression équivalente
  (forme non honorifique non formelle) Terminaison finale pour décrire un fait ou pour indiquer une question, un ordre, ou une recommandation. **<description>**

< 대화(conversation) > - 99

요리 학원에 가서 수업이라도 들을까 봐.
요리 하궈네 가서 수어비라도 드를까 봐.
yori hagwone gaseo sueobirado deureulkka bwa.

갑자기 왜? 요리를 해야 할 일이 있어?
갑짜기 왜? 요리를 해야 할 이리 이써?
gapjagi wae? yorireul haeya hal iri isseo?

< 설명(explication) / 번역(traduction) >

요리 학원+에 <u>가+(아)서</u> 수업+이라도 <u>듣(들)+[을까 보]+아</u>.
　　　　　　　가서　　　　　　　　　들을까 봐

• 요리 (nom) : 음식을 만듦.
  cuisine, art culinaire
  Action d'apprêter des aliments.

• 학원 (nom) : 학생을 모집하여 지식, 기술, 예체능 등을 가르치는 사립 교육 기관.
  académie privée, institut privé
  Établissement d'éducation privé où l'on rassemble des élèves pour leur enseigner des connaissances, une technique, les arts, le sport, etc.

• 에 : 앞말이 목적지이거나 어떤 행위의 진행 방향임을 나타내는 조사.
  à, en, sur, dans
  Particule indiquant que la proposition précédente (en coréen) est la destination ou la direction de progression d'une action.

• 가다 (verbe) : 한 곳에서 다른 곳으로 장소를 이동하다.
  aller, se rendre, s'en aller, passer, partir
  Se déplacer d'un endroit à un autre.

• -아서 : 앞의 말과 뒤의 말이 순차적으로 일어남을 나타내는 연결 어미.
  Pas d'expression équivalente
  Terminaison connective indiquant que les propos précédents et les propos suivants se succèdent.

• **수업 (nom)** : 교사가 학생에게 지식이나 기술을 가르쳐 줌.

cours, leçon, classe

Fait qu'un enseignant transmet des connaissances ou des techniques à des élèves.

• **이라도** : 그것이 최선은 아니나 여럿 중에서는 그런대로 괜찮음을 나타내는 조사.

Pas d'expression équivalente

Particule indiquant que la chose indiquée n'est pas la meilleure, mais qu'elle est la plus acceptable parmi un choix de plusieurs.

• **듣다 (verbe)** : 다른 사람의 말이나 소리 등에 귀를 기울이다.

écouter

Prêter l'oreille aux propos de quelqu'un, à un son, etc.

• **-을까 보다** : 앞에 오는 말이 나타내는 행동을 할 의도가 있음을 나타내는 표현.

Pas d'expression équivalente

Expression indiquant que l'on a l'intention de faire l'action mentionnée dans la proposition précédente.

• **-아** : (두루낮춤으로) 어떤 사실을 서술하거나 물음, 명령, 권유를 나타내는 종결 어미.

Pas d'expression équivalente

(forme non honorifique non formelle) Terminaison finale pour décrire un fait ou pour indiquer une question, un ordre, ou une recommandation. **<description>**

갑자기 왜?

요리+를 <u>하+[여야 하]</u>+ㄹ 일+이 있+어?
      해야 할

• **갑자기 (adverbe)** : 미처 생각할 틈도 없이 빨리.

soudain, tout à coup, subitement, brusquement

Très rapidement, sans même avoir le temps de réfléchir.

• **왜 (adverbe)** : 무슨 이유로. 또는 어째서.

pourquoi, dans quelle intention, à quelle fin

Pour quelle raison ; comment se fait-il que.

• **요리 (nom)** : 음식을 만듦.

cuisine, art culinaire

Action d'apprêter des aliments.

• 를 : 동작이 직접적으로 영향을 미치는 대상을 나타내는 조사.
Pas d'expression équivalente
Particule indiquant un objet directement influencé par un mouvement.

• 하다 (verbe) : 어떤 행동이나 동작, 활동 등을 행하다.
faire, exécuter, effectuer, s'occuper de
Effectuer une action, un mouvement, une activité, etc.

• -여야 하다 : 앞에 오는 말이 어떤 일을 하거나 어떤 상황에 이르기 위한 의무적인 행동이거나 필수적
   인 조건임을 나타내는 표현.
Pas d'expression équivalente
Expression indiquant que les propos précédents constituent une action obligatoire ou une
condition indispensable pour effectuer une chose ou parvenir à une situation.

• -ㄹ : 앞의 말이 관형어의 기능을 하게 만들고 추측, 예정, 의지, 가능성 등을 나타내는 어미.
Pas d'expression équivalente
Terminaison faisant fonctionner le mot précédent comme un déterminant et indiquant une
supposition, prévision, volonté, possibilité, etc.

• 일 (nom) : 해결하거나 처리해야 할 문제나 사항.
problème, chose, à faire
Question ou fait qu'il faut résoudre ou traiter.

• 이 : 어떤 상태나 상황의 대상이나 동작의 주체를 나타내는 조사.
Pas d'expression équivalente
Particule qui indique l'objet d'un état ou d'une situation, ou le sujet d'une action.

• 있다 (adjectif) : 어떤 사람에게 무슨 일이 생긴 상태이다.
(adj.) il y a
(Chose) Qui est arrivé à quelqu'un.

• -어 : (두루낮춤으로) 어떤 사실을 서술하거나 물음, 명령, 권유를 나타내는 종결 어미.
Pas d'expression équivalente
(forme non honorifique non formelle) Terminaison finale pour décrire un fait ou pour
indiquer une question, un ordre, ou une recommandation. **<question>**

< 대화(conversation) > - 100

이 옷 사이즈도 맞고 너무 예뻐요.
이 옫 사이즈도 맏꼬 너무 예뻐요.
i ot saijeudo matgo neomu yeppeoyo.

다행이네. 너한테 작을까 봐 조금 걱정했는데.
다행이네. 너한테 자글까 봐 조금 걱쩡핸는데.
dahaengine. neohante jageulkka bwa jogeum geokjeonghaenneunde.

< 설명(explication) / 번역(traduction) >

이 옷 사이즈+도 맞+고 너무 <u>예쁘(예뻐)+어요</u>.
예뻐요

• **이 (déterminant)** : 말하는 사람에게 가까이 있거나 말하는 사람이 생각하고 있는 대상을 가리킬 때 쓰는 말.
  ce (cet, cette, ces)
  Terme utilisé pour indiquer l'objet qui se trouve près du locuteur ou auquel pense ce dernier.

• **옷 (nom)** : 사람의 몸을 가리고 더위나 추위 등으로부터 보호하며 멋을 내기 위하여 입는 것.
  vêtement, habit, effets
  Ce que l'on porte afin de protéger son corps du chaud, du froid, etc. et de se faire beau.

• **사이즈 (nom)** : 옷이나 신발 등의 크기나 치수.
  taille, grandeur, pointure, dimension
  Taille ou grandeur de vêtements, chaussures, etc.

• **도** : 이미 있는 어떤 것에 다른 것을 더하거나 포함함을 나타내는 조사.
  Pas d'expression équivalente
  Particule indiquant qu'une chose est ajoutée ou comprise dans une autre qui existe déjà.

• **맞다 (verbe)** : 크기나 규격 등이 어떤 것과 일치하다.
  correspondre, convenir
  (Taille, norme, etc.) Correspondre à quelque chose.

• -고 : 두 가지 이상의 대등한 사실을 나열할 때 쓰는 연결 어미.

 Pas d'expression équivalente

 Terminaison connective utilisée pour énumérer deux faits égaux ou plus.

• 너무 (adverbe) : 일정한 정도나 한계를 훨씬 넘어선 상태로.

 trop, excessivement, à l'excès, avec excès, outre mesure, démesurément

 De manière à dépasser de loin un certain niveau ou une limite.

• 예쁘다 (adjectif) : 생긴 모양이 눈으로 보기에 좋을 만큼 아름답다.

 beau, splendide, joli, mignon, adorable, ravissant, superbe, séduisant, charmant, gentil

 (Apparence) Qui suscite un plaisir esthétique d'ordre visuel.

• -어요 : (두루높임으로) 어떤 사실을 서술하거나 질문, 명령, 권유함을 나타내는 종결 어미.

 Pas d'expression équivalente

 (forme honorifique non formelle) Terminaison finale pour décrire un fait ou pour indiquer une question, un ordre ou une recommandation. **<description>**

다행+이+네.

너+한테 작+[을까 보]+아 조금 걱정하+였+는데.
작을 까봐   걱정했는데

• **다행 (nom)** : 뜻밖에 운이 좋음.

 chance

 Indéterminisme ou de manière imprévue.

• 이다 : 주어가 지시하는 대상의 속성이나 부류를 지정하는 뜻을 나타내는 서술격 조사.

 Pas d'expression équivalente

 Particule du cas prédicatif pour indiquer la caractéristique ou la catégorie d'un objet qui se rapporte au sujet d'une phrase.

• -네 : (아주낮춤으로) 지금 깨달은 일에 대하여 말함을 나타내는 종결 어미.

 Pas d'expression équivalente

 (forme non honorifique très marquée) Terminaison finale pour indiquer que le locuteur parle d'une chose dont il vient de se rendre compte.

• 너 (pronom) : 듣는 사람이 친구나 아랫사람일 때, 그 사람을 가리키는 말.

 tu, toi

 Terme designant l'interlocuteur, quand celui-ci est un ami ou une personne de rang inférieur.

• 한테 : 앞말이 기준이 되는 대상이나 단위임을 나타내는 조사.
Pas d'expression équivalente
Particule indiquant que la proposition précédente est l'objet ou l'unité qui est pris comme référence.

• 작다 (adjectif) : 정해진 크기에 모자라서 맞지 아니하다.
petit, étroit
Qui n'est pas adéquat car inférieur à la taille requise.

• -을까 보다 : 앞에 오는 말이 나타내는 상황이 될 것을 걱정하거나 두려워함을 나타내는 표현.
Pas d'expression équivalente
Expression indiquant que l'on s'inquiète ou que l'on redoute que la situation exprimée par la proposition précédente ne se produise.

• -아 : 앞에 오는 말이 뒤에 오는 말에 대한 원인이나 이유임을 나타내는 연결 어미.
Pas d'expression équivalente
Terminaison connective indiquant que les propos précédents constituent la cause ou la raison des propos suivants.

• 조금 (adverbe) : 분량이나 정도가 적게.
peu, guère, quelques, légèrement
(Quantité ou degré) Petitement.

• 걱정하다 (verbe) : 좋지 않은 일이 있을까 봐 두려워하고 불안해하다.
s'inquiéter, se tracasser, se tourmenter, s'alarmer, se préoccuper, se soucier, être inquiet
Éprouver de l'inquiétude et de la peur par crainte qu'une mauvaise chose se produise.

• -였- : 어떤 사건이 과거에 완료되었거나 그 사건의 결과가 현재까지 지속되는 상황을 나타내는 어미.
Pas d'expression équivalente
Terminaison indiquant qu'un évènement a été accompli dans le passé ou que le résultat de cet évènement perdure jusqu'à présent.

• -는데 : (두루낮춤으로) 듣는 사람의 반응을 기대하며 어떤 일에 대해 감탄함을 나타내는 종결 어미.
Pas d'expression équivalente
(forme non honorifique non formelle) Terminaison finale indiquant une exclamation au sujet d'un fait sur lequel le locuteur s'attend à une réaction de son interlocuteur.

< 참고(prise en compte) 문헌(bibliographie) >

고려대학교 한국어대사전, 고려대학교 민족문화연구원, 2009
우리말샘, 국립국어원, 2016
표준국어대사전, 국립국어원, 1999
한국어교육 문법 자료편, 한글파크, 2016
한국어 교육학 사전, 하우, 2014
한국어기초사전, 국립국어원, 2016
한국어 문법 총론 Ⅰ, 집문당, 2015

HANPUK

대화로 배우는 한국어 français(traduction)

발 행 | 2024년 6월 21일
저 자 | 주식회사 한글2119연구소
펴낸이 | 한건희
펴낸곳 | 주식회사 부크크
출판사등록 | 2014.07.15.(제2014-16호)
주 소 | 서울특별시 금천구 가산디지털1로 119 SK트윈타워 A동 305호
전 화 | 1670-8316
이메일 | info@bookk.co.kr

ISBN | 979-11-410-9064-7

www.bookk.co.kr
ⓒ 주식회사 한글2119연구소 2024